北大版对外汉语教材 · 商务汉语教程系列

成 功 之 道

中级商务汉语案例教程

Business Chinese for Success

Real Cases from Real Companies

袁芳远　编著

Written by Yuan Fangyuan

北京大学出版社

Peking University Press

图书在版编目(CIP)数据

成功之道：中级商务汉语案例教程 / 袁芳远 编著. —北京：北京大学出版社，2005.8
(北大版对外汉语教材 · 商务汉语教程系列)
ISBN 978-7-301-08014-6

Ⅰ.成… Ⅱ.袁… Ⅲ.商务－汉语－对外汉语教学－教材 Ⅳ.H195.4

中国版本图书馆 CIP 数据核字（2005）第 022729 号

书　　　名：成功之道——中级商务汉语案例教程
著作责任者：袁芳远　编著
责 任 编 辑：沈浦娜　沈岚
标 准 书 号：ISBN 978-7-301-08014-6/H · 1260
出 版 发 行：北京大学出版社
地　　　址：北京市海淀区成府路 205 号　100871
网　　　址：http://www.pup.cn
电 子 邮 箱：zpup@pup.pku.edu.cn
电　　　话：邮购部 62752015　发行部 62750672　编辑部 62752028　出版部 62754962
印　刷　者：涿州市星河印刷有限公司
经　销　者：新华书店
787 毫米 × 1092 毫米　16 开本　19.5 印张　384 千字
2005 年 8 月第 1 版　2008 年10月第 3 次印刷
定　　　价：55.00 元

前　言

《成功之道——中级商务汉语案例教程》(*Business Chinese for Success —— Real Cases from Real Companies*) 是为在正规高等院校学过两到三年汉语或具有同等汉语水平的中高级学习者编写的。目的一是帮助学习者进一步提高汉语水平，特别是经贸汉语的阅读能力，扩大词汇量，熟悉汉语正式文体的篇章结构，为学习者能在经贸专业环境中使用汉语打好基础。二是帮助学习者从不同侧面和不同角度，较深层次地了解中国经济及市场发展的历史、政治、文化的特殊性与普遍性，为学习者将来在华工作打下良好的知识基础。本书可用于正规课堂教学、短期培训或自学。

与同类教材相比，本书具有以下特点：

本书采用案例教学法。案例教学法已普遍用于MBA教学，本书借鉴这一方式，目的是让学生通过听、说、读、写一些具体真实的案例，激发他们使用汉语交际的热情，在讨论分析过程中自然而然或在教师的提示下使用已学过的汉语词汇、句型及相关经贸术语，全面提高汉语水平，同时增加他们对中国经济和文化的兴趣。本书分为上篇、下篇两部分，共十个单元。上篇六个单元分别讲述六家跨国公司根据中国市场条件调整策略，在华经营发展的经典案例。下篇四个单元分别讲述四家中国著名企业在大批跨国公司进入中国市场，中国产品出口遭遇反倾销调查的双重挑战下走出国门进入全球市场的典型案例。这种编排方式，一方面有助于学生对两大主题有较为全面的了解和理解，培养学生的多向思维能力、融会贯通能力以及批判思维能力；另一方面由于相关术语在不同章节的重复出现，有助于学生对其牢固掌握、运用，提高他们的语言应用能力。出于对学习者语言基础和背景知识的考虑，本书主课文大多是作者根据近年出版的新闻报刊、学术杂志、理论专著及网络文献进行删节、压缩、重写而成，力求在有限的篇幅内展示所选案例的精华。各单元补充阅读材料大多是原文的删节或压缩。

本书在编写过程中尽量考虑第二语言学习过程及第二语言学习者的特点，各单元编排框架借用近年来国际第二语言习得(the second language acquisition)及外语教学法研究领域证明行之有效的任务教学法（task-based language teaching and learning）教学方式，力求在语料输入（input）、学生与学生之间及师生之间的互动（interaction）和语料输出(output)的三个过程中调动学习者的主动学习热情，循序渐进地提高学习者的汉语使用能力。为此目的，本书各单元均分为课前热身、课文精读和综合练习阶段，并设计了大量语言练习题（form-focused）及综合活用题(meaning-focused)，为学习者提供更多、更好的语言训练、语言使用机会。

以下是对本书的具体介绍及教学建议：

各单元由课前热身活动、主课文、词汇表、综合练习及小知识等构成。

课前热身：包括相关企业的简要介绍、相关图片及热身问题，旨在调动学生对企业及案例的兴趣，激活学生已有的相关背景知识和有关词汇，使学生处于主动学习状态。通过对热身问题的讨论，教师也可了解学生对案例背景知识的了解程度，以便调整授课进度及授课重点。

主课文：主课文的长度约为1.5 － 2页，大多在1200字左右，汉字简体繁体对照。在教学过程中，如何讲解课文（是逐句讲解还是以讨论为主）应根据课文自身（或具体段落）的深浅程度（如内容是否抽象）、学生汉语水平的高低及学生对案例背景知识的熟悉程度等灵活掌握。本书作者在教学实践中，对内容较为抽象、内涵外延较为丰富的课文采用逐句讲解、自下而上（bottom-up）的方式，而对于内容较为直接、具体的课文则采用自上而下(top-down)、讨论为主的方式。为方便读者，书末附有主课文英文翻译。

词汇：主课文词汇条目的汉字提供简繁双体，加注拼音、英文注释，部分条目提供词汇使用范例。每单元生词条目从50到80不等。为方便读者，书末附有词汇索引表。补充阅读材料只对生词加注英文注释，并不列入书后词汇索引。

综合练习：每单元练习有7–10项不等，基本上分为三大类型：以语言形式为中心的练习题，如解词、句型练习、翻译、选词填空等；以课文内容为中心的练习题，如对错选择、归类填表、讨论题等；综合活用题，如角色剧（role-play）、信息交换、模拟采访、案例分析等。各单元练习形式有所不同，教师可根据学生实际水平及教学方式选用或稍做修改后使用，例如可将角色剧改为写作题，句型练习部分增加造句量等。书末附有部分练习答案。另外，第五和第九单元的写作题是上、下篇的综合写作题，教师可视情况作为期中和期末的项目课题（term project）使用。为方便读者，书末附有各单元句型总汇。

小知识：供补充阅读扩大知识使用。

本书曾在美国宾州大学（the University of Pennsylvania）东亚系开设的中级经贸汉语课、宾大沃顿商学院（the Wharton Business School）暑期MBA短期中级经贸汉语班、宾大沃顿商学院洛德(Lauder)MBA暑期北京班及弗吉尼亚大学(University of Virginia) 经贸汉语课上试用，受到学生的广泛欢迎。

致 谢

首先感谢原始稿件的媒体及作者。

感谢“美国常青藤大学外语教学联合会”(Consortium for Foreign Language Teaching and Learning)、“宾大洛德经贸语言教学中心”(Penn Lauder CIBER)、宾大东亚系、宾大语言中心、宾大东亚中心等在本书的编著过程中给予的支持与帮助。

感谢曾给予鼓励、帮助和提供建议的美国中文教学界的专家、同行,我的朋友、学生、家人等。在此,特别要感谢曾阅读全书或部分章节并提出修改建议的陈青海博士、刘美茹博士、陈之宏博士、关道雄老师、吴美惠老师、张清福老师等;提供计算机技术支持的张清福老师,帮助校订繁体版本的吴美惠老师;帮助中文输入的张帆同学,帮助订正书稿和英文翻译的季宜同学、但莹同学、Madeleine Resnick 同学、张帆同学、Kelly Chen 同学等,试用过本书并提出反馈意见的宾大经贸汉语班的同学、宾大沃顿商学院MBA短期经贸汉语班的同学和弗吉尼亚大学经贸汉语班的同学。衷心感谢提供出版支持和帮助的北京大学出版社的郭荔老师、沈浦娜和沈岚老师。

在此还要特别感谢我在中国的父母、家人及在美国的先生、儿子,是他们的关心、理解、支持和帮助促成了本书的完成。

袁芳远

2005年2月28日于美国费城

Introduction

Business Chinese for Success —— Real Cases from Real Companies is designed for the learners of Chinese who have studied the language for two or three years in a regular college program or learners with equivalent language proficiency. It is aimed to enhance learners' linguistic skills and communicative competence and prepare them to function more comfortably and confidently in the Chinese business environment. It is also intended to help students gain a better understanding of the macro and micro Chinese economic situations and specific market needs.

The Text

This book is divided into two parts with a total of 10 units. Part I presents cases of six multinational companies that have successfully responded to or attempted to adapt to the specific needs of the Chinese market. Part II demonstrates different strategies that four Chinese companies have used on their way towards global expansion. All cases were written based on published articles from leading newspapers, academic journals and the Internet. Business issues involved in these cases include marketing, branding, mergers and acquisitions, OEM, international expansion, government relations, and product localization.

Organization of Each Unit

Pedagogically, this textbook has integrated task-based language teaching approaches which place more emphasis on teaching/training students to use the language for communicative purposes. In the following I will explain the structure of each unit along with some pedagogical suggestions.

Warm-up Stage. This stage, comprised of a brief company introduction, several photos about the company and some pre-reading questions, is aimed to familiarize students with the company and the case to be presented in the main text. This will bridge a gap between what students have already known and what they will learn in terms of language and business contents

Main Text. Each main text is about 1.5-2 pages long of about 1200 Chinese characters. Both simplified and traditional Chinese characters are provided. Instructors can vary the approach to introduce the text , e.g. top-down or bottom up, based on the students' proficiency level, the difficulty level of the text, and the students' familiarity with the business concepts involved in the text. For the convenience of the users,

English translation of the main text is provided at the end of the book.

Vocabulary. Each vocabulary entry includes both simplified and traditional characters, Pinyin, and English definitions. For some entries, examples of the word or phrase usage are also provided. For the convenience of the users, glossary index is provided at the end of the book.

Exercises. Exercises are designed for the purpose to enhance students' language and communication skills in the China-related business contexts. Each unit contains between 7 to 10 exercises though types may vary in different units. Primarily, these exercises can be divided into three categories: reading comprehension, form-focused practices and task-based activities. Reading comprehension exercises include true/false choices and questions about the readings. Instructors can use the former to determine how much students have understood about the reading passage, and use the latter to encourage students to express themselves in Chinese with/without the textbook. Form-focused exercises include character writing, cloze test, paraphrase, and pattern drills. Instructors can choose to do some or all exercises depending on students' needs and teachers' instructing styles. While performing these exercises, students should prepare themselves linguistically for the third type of exercises. The third type of exercises includes role play, information exchange, simulated interviews, and guided essays. These activities should provide students the opportunity to use the newly learned linguistic skills and business content knowledge to achieve a communicative purpose. Key to some of the exercises is provided at the end of the textbook.

Business Knowledge. At the end of each unit, there is a paragraph- length reading about a business concept which may or may not be related to the case discussed in the unit.

Acknowledgments

First, I would like to thank the authors of the articles based on which the cases and supplementary readings were written/abridged/summarized.

During the process of material collection, textual preparation and editorial processes, I have received grants or other forms of support from the following institutions or departments: the Consortium for Foreign Teaching and Learning based in Yale University, Penn Lauder CIBER, the Department of East Asian Languages and Civilizations at Penn, Penn Language Center, and Center for East Asian Studies at Penn.

I am indebted to Dr. Qinghai Chen, Dr. Meiru Liu and Mr. Daoxiong Guan for their expertise and guidance that helped this project take shape at the beginning stages. I would also like to acknowledge the profound impact that Dr. Rod Ellis has on the formation of my teaching philosophy in general and on the design of this textbook in particular. I should also thank Ms. Li Guo, Ms. Puna Shen and Ms. Lan Shen from Beijing University Press for their publishing guidance and support.

Special thanks go to colleagues and friends. These include Dr. Zhihong Chen, Ms. Meihui Wu, and Mr. Qingfu Zhang for their feedback after reading earlier versions of the text, Ms. Meihui Wu for her proofreading of the traditional Chinese version of the main text, Mr. Qingfu Zhang for his technical support in Chinese word-processing and image development, and my students Yi Ji, Ying Dan, Madeleine Resnick, Fan Zhang, Kelly Chen for their English translation and proofreading help. I also thank the students that have taken the Business Chinese course at the University of Pennsylvania and the students that have taken Business Chinese course at the University of Virginia with Dr. Zhihong Chen. Their input and feedback have contributed a great deal to this book.

My sincerest thanks go to my family both in China and in America for their love, care, and support over the years.

Last but not least, I should thank in advance the colleagues that will use this book. Any suggestions and comments are welcome. My email address is fangyuan@sas.upenn.edu.

Fangyuan Yuan, Doctor in Education
University of Pennsylvania

目 录
Table of Contents

上篇 跨国公司在中国
PART I MULTINATIONAL COMPANIES IN CHINA

第 1 单元 肯德基的中国化 /3
KFC's Sinofication
补充阅读 肯德基两次进军香港 /20
课堂活动 角色剧：中国肯德基的昨天和今天 /21

第 2 单元 星巴克的“第三空间” /23
Starbucks' Third Place
补充阅读 (1) 星巴克进入日本 /37
(2) 星巴克“打入”法国首都巴黎 /38
课堂活动 咨询对话：是星巴克化还是本土化？ /39

第 3 单元 宜家的奢侈“低价品” /41
IKEA's Luxurious “Low-price Products”
补充阅读 (1) 宜家方式与中国习惯 /57
(2) 宜家亚洲第一大店在上海开业 /58
课堂活动 角色剧：逛家居商场 /59

第 4 单元 北京的山姆会员店 /61
Sam's Club in Beijing
补充阅读 沃尔玛的故事
(1)《财富》500 强第一 /77
(2) 顾客第一 /77
(3) 天天平价 /78
课堂活动 对话：山姆会员店在北京和在美国 /79

第 5 单元 宝洁的品牌策略 /81
P&G's Brand Strategy
补充阅读 宝洁公司的三段式广告 /97
课堂活动 制作三段式广告 /98
综合写作 中国消费市场的特点和跨国公司的营销策略 /99

第 6 单元 柯达的中国之路 /101
Kodak's Way in China
补充阅读 (1) 柯达与富士在中国的争夺战 /119
(2) 柯达冲印店开始零售服务 /120
课堂活动 对话：中国彩卷市场的“红、黄、绿” /121

下篇 中国企业走向世界
PART II CHINESE COMPANIES IN THE GLOBAL MARKETS

第 7 单元 中国名牌，美国制造 /125
A Chinese Brand, Made in America
补充阅读 (1) 海尔砸冰箱 /139
(2) 小小神童洗衣机 /140
(3) 海尔的国际化 /141
课堂活动 对话：海尔在美国建厂的利与弊 /142
实地调查：海尔产品在美国商店 /143

第 8 单元 价格“屠夫”格兰仕 /145
Galanz as a Price Butcher
补充阅读 (1) 格兰仕的市场促销 /160
(2) 格兰仕的价格战 /161
课堂活动 对话：格兰仕为什么在大幅降价 /162

第 9 单元 TCL 的跨国并购 /165
TCL International Acquisitions
补充阅读 (1) 欧盟对中国彩电的反倾销调查 /180
(2) 未受反倾销影响的 TCL 彩电海外销量倍增 /181
(3) 家电业与多品牌 /182
综合写作 中国企业的国际化道路 /183

第10单元　联想“蛇吞象”并购 IBM /185
A Snake Swallows an Elephant, Lenovo Acquires IBM
补充阅读　(1) 联想品牌与全球化 /201
(2) 联想集团董事会主席柳传志答记者问 /202
(3) 新联想的未来 /203
课堂活动　采访新联想总裁史蒂芬 · 沃德先生 /205

课文英文翻译　English Translation of the Text /207
课文拼音文本　*Pinyin* of the Text /229
部分练习答案　Key to some Exercises /247
各课句型总汇　Index of Patterns /261
生词索引　Index of Vocabulary/Words and Phrases /265

上 篇

跨国公司在中国

PART I
MULTINATIONAL COMPANIES IN CHINA

肯德基的中国化

KFC's Sinofication

课前热身 Warm-Up

肯德基点滴 A Few Words about KFC

肯德基是世界上最大的快餐连锁企业之一，在全球九十多个国家开有一万多家分店，并在不同国家的分店里分别供应着四百多种本土化产品。肯德基1987年进入中国，是第一家进入中国的西方快餐连锁店，到2004年底已开有一千二百家左右分店。

走近肯德基 A Closer Look at KFC

黄金烤腿堡

外带全家桶

肯德基北京前门店内的大红灯笼 陈柏／摄

肯德基的中式食品:番茄蛋花汤

交流分享 Share with Others

1. 你常去肯德基吃饭吗？为什么常去或不常去？
2. 你在国外吃过肯德基吗？如果吃过，你能用中文说出你在那里吃的什么、喝的什么吗？
3. 如果你去过其他国家的肯德基店,你认为这些肯德基店外表都差不多一样吗？
4. 供应的餐饮食品差不多一样吗？
5. 除了外表和餐饮食品以外，你还发现有什么不一样的地方或者让你感到特别的地方？
6. 你更喜欢哪一个？为什么？
7. 中国的菜世界闻名，你认为肯德基这样的西式快餐在中国会成功吗？
8. 如果会成功，你认为是由于肯德基的食品味道好还是有其他的原因？请解释一下。
9. 如果不会成功，也请你解释一下。

课　文

肯德基的中国化

肯德基的“中式外衣”

肯德基1987年进入中国市场时，它的标准化经营，即统一标识、统一配方、统一服务，给中国的餐饮业带来了强烈的冲击，因为几百年来中国的餐馆都是百店百味，各有特色。1999年是肯德基进入中国的第12年，标准化在中国也已经成为连锁快餐的代名词，可是肯德基又一次让中国餐饮业吃惊。这一年6月24日，中国最大的肯德基餐厅“北京前门店”停业装修4个月后，又重新开业了。这家餐厅第一次打破肯德基全球统一惯例，建筑和装饰风格非常中国化。它外表看起来有长城、四合院的建筑特色，里面用风筝、剪纸等传统工艺品装饰，三楼有一个小型美术馆，不定期地展览民间艺术品。这家西式快餐厅穿上了“中式外衣”。在这里，人们在吃着西式快餐的同时，还可以了解中西文化的不同，可能会有一种特别的用餐感受。

肯德基的“中国心”

肯德基的主打产品是鸡。中国人爱吃鸡，“鸡鸭鱼肉”中，鸡排在第一位。肯德基承认是中国人的胃帮了它的忙。但在竞争非常激烈的中国快餐市场上，肯德基并不因此而满足。从2000年开始，它就不断地推出带有中国特色的餐饮食品，如芙蓉鲜蔬汤、榨菜肉丝汤、粤味古老肉等，口味非常符合中国人的习惯。2003年中国的新年里，肯德基又推出了带有北京烤鸭风味的“老北京鸡肉卷”。一张面饼，放上炸好的鸡肉，加上黄瓜条、葱段，放上甜面酱和汉堡酱包起来。从吃法上讲，“老北京鸡肉卷”毫无疑问地“拷贝”了北京烤鸭的做法，吃过的人们说：肯德基更加中国化了。2003年4月，肯德基又在洋快餐中第一个推出了中式代表性食品——米饭："寒稻香蘑饭"，它是在米饭上放上蘑菇蔬菜汁，每份重180克，售价4元。

肯德基的变与不变

但为什么1987年肯德基在刚进入中国时没这样做呢？肯德基的有关人士解释说，那时中国的快餐市场还是一片空白，完全西式快餐风格的肯德基对于中国人来说既新鲜又时髦。人们把到肯德基去吃饭看成一种娱乐活动，就像走亲戚、逛公园一样。吃的口味并不重要，重要的是感受一下西方人的生活方式。现在不一样了。中国现在有麦当劳等十多种快餐，吃快餐和吃面条一样平常了。中国人已经习惯快餐，认为快餐文化代表的是现代社会的来去匆匆。在这样一种高速度的都市生活中，人们又喜欢起稳定和古老的东西。这就是肯德基为什么在进入中国十几年后才开始中国化的原因。

从穿上"中式外衣"到换上"中国心"，肯德基从外表到产品，越来越本土化了。但肯德基还是肯德基，它的标准化服务规则，要求世界各地每一个餐厅的每一位员工都严格执行。变化的是形式，不变的是肯德基的市场观念。一位经济学家曾说，最好的产品是最适应市场的产品。说起来简单，做起来却很难。但中国洋快餐的老大肯德基在这方面似乎走在了业界的前列。

资料来源：

《北京青年报》我变故我在肯德基扮酷 1999年8月2日 文/吴涛

《中华工商时报》中国口味决定"肯德基"风味 2002年9月24日 文/周勇刚 王婧

《北京青年报》肯德基"改造"北京烤鸭 2003年2月13日 文/王蔚

《北京青年报》在洋快餐中首开先河 肯德基开始卖米饭 2002年4月13日 文/朱鹰

課 文

肯德基的中國化

肯德基的“中式外衣”

肯德基1987年進入中國市場時，它的標準化經營，即統一標識、統一配方、統一服務，給中國的餐飲業帶來了强烈的衝擊，因爲幾百年來中國的餐館都是百店百味，各有特色。1999年是肯德基進入中國的第12年，標準化在中國也已經成爲連鎖快餐的代名詞，可是肯德基又一次讓中國餐飲業吃驚。那一年6月24日，中國最大的肯德基餐廳“北京前門店”停業裝修4個月后，又重新開業了。這家餐廳第一次打破肯德基全球統一慣例，建築和裝飾風格非常中國化。它外表看起來有長城、四合院的建築特色，裏面用風箏、剪紙等傳統工藝品裝飾，三樓有一個小型美術館，不定期地展覽民間藝術品。這家西式快餐廳穿上了“中式外衣”。在這裏，人們在吃著西式快餐的同時，還可以了解中西文化的不同，可能會有一種特别的用餐感受。

肯德基的“中國心”

肯德基的主打産品是鷄。中國人愛吃鷄，“鷄鴨魚肉”中，鷄排在第一位。肯德基承認是中國人的胃幫了它的忙。但在競爭非常激烈的中國快餐市場上，肯德基並不因此而滿足。從2000年開始，它就不斷地推出帶有中國特色的餐飲食品，如芙蓉鮮蔬湯、榨菜肉絲湯、粤味古老肉等，口味非常符合中國人的習慣。2003年中國的新年裏，肯德基又推出了帶有北京烤鴨風味的“老北京鷄肉捲”。一張面餅，放上炸好的鷄肉，加上黄瓜條、葱段，放上甜面醬和漢堡醬包起來。從吃法上講，“老北京鷄肉捲” 毫無疑問地“拷貝”了北京烤鴨的做法，吃過的人們說：肯德基更加中國化了。2003年4月，肯德基又在洋快餐中第一個推出了中式代表性食品——米飯："寒稻香蘑飯"，它是在米飯上放上蘑菇蔬菜汁，每份重180克，售價4元。

肯德基的變與不變

但爲什么1987年肯德基在剛進入中國時没這樣做呢？肯德基的有關人士解釋説，那時中國的快餐市場還是一片空白，完全西式快餐風格的肯德基對於中國人來説既新鮮又時髦。人們把到肯德基去吃飯看成一種娱樂活動，就像走親戚、逛公園一樣。吃的口味並不重要，重要的是感受一下西方人的生活方式。現在不一樣了。中國現在有麥當勞等十多種快餐，吃快餐和吃面條一樣平常了。中國人已經習慣快餐，認爲快餐文化代表的是現代社會的來去匆匆。在這樣一種高速度的都市生活中，人們又喜歡起穩定和古老的東西。這就是肯德基爲什么在進入中國十幾年後才開始中國化的原因。

從穿上"中式外衣"到換上"中國心"，肯德基從外表到産品，越來越本土化了。但肯德基還是肯德基，它的標準化服務規則，要求世界各地每一個餐廳的每一位員工都嚴格執行。變化的是形式，不變的是肯德基的市場觀念。一位經濟學家曾説，最好的産品是最適應市場的産品。説起來簡單，做起來却很難。但中國洋快餐的老大肯德基在這方面似乎走在了業界的前列。

資料來源：

《北京青年報》我變故我在肯德基扮酷　1999年8月2日　文/吴濤

《中華工商時報》中國口味决定"肯德基"風味　2002年9月24日　文/周勇剛 王婧

《北京青年報》肯德基"改造"北京烤鴨　2003 年2月13日　文/王蔚

《北京青年報》在洋快餐中首開先河　肯德基開始賣米飯　2002年4月13日　文/朱鷹

生词表 Vocabulary

1. 中国化	中國化	Zhōngguóhuà	Sinification; Sinofication; 化: -ize; -ify:电气化 electrify; 工业化 industrialize; 简化 simplify; 美化 beautify
2. 标准化	標準化	biāozhǔnhuà	standardization; standardizing
3. 经营	經營	jīngyíng	operation; management
4. 即	即	jí	namely; in other words; that is
5. 统一	統一	tǒngyī	uniform; unified; unitary: 统一惯例 uniform customs; 统一标准 unified standard
6. 标识	標識	biāozhì	identification; logo
7. 配方	配方	pèifāng	recipe; formula; ingredient
8. 餐饮	餐飲	cānyǐn	food and drink: 餐饮业 food industry; catering industry
9. 强烈	强烈	qiángliè	strong; intense
10. 冲击	衝擊	chōngjī	shock; assault; impact
11. 百店百味	百店百味	bǎidiàn bǎiwèi	different restaurants have their own special food
12. 特色	特色	tèsè	distinguishing feature; characteristics
13. 代名词	代名詞	dàimíngcí	synonym

14. 连锁	連鎖	liánsuǒ	chain stores
15. 快餐	快餐	kuàicān	fast food
16. 吃惊	吃驚	chī jīng	surprise; surprised; surprising
17. 停业	停業	tíng yè	stop doing business; suspense of business
18. 装修	裝修	zhuāngxiū	renovation
19. 开业	開業	kāi yè	open for business
20. 惯例	慣例	guànlì	convention; usual practice: 打破惯例 break away from old practices
21. 建筑	建築	jiànzhù	building; architecture; structure: 建筑风格 architectural style;
22. 装饰	裝飾	zhuāngshì	decoration; ornament; decorate
23. 风格	風格	fēnggé	style
24. 外表	外表	wàibiǎo	outward appearance; exterior
25. 四合院	四合院	sìhéyuàn	a compound with traditional Chinese houses of grey bricks and tiles built around a courtyard
26. 风筝	風箏	fēngzheng	kite
27. 剪纸	剪紙	jiǎnzhǐ	paper-cut
28. 工艺品	工藝品	gōngyìpǐn	workmanship; handicraft article
29. 小型	小型	xiǎoxíng	small-sized, small-scale; 型 scale; size: 中型 medium-sized; 大型: large scale, large-sized
30. 美术馆	美術館	měishùguǎn	gallery
31. 定期	定期	dìngqī	periodic; routine, fixed-date

32. 展览	展覽	zhǎnlǎn	exhibit; display
33. 民间	民間	mínjiān	folk: 民间工艺 folk crafts; 民间故事 folktale; folk story
34. 中式	中式	zhōngshì	Chinese style；式：type; style: 西式 western style;新式 new type (style)
35. 用餐	用餐	yòngcān	eating a meal
36. 感受	感受	gǎnshòu	experience; feeling
37. 主打产品	主打產品	zhǔdǎ chǎnpǐn	main products
38. 排	排	pái	put in order
39. 承认	承認	chéngrèn	admit; acknowledge
40. 胃	胃	wèi	stomach
41. 竞争	競爭	jìngzhēng	competition; competitive
42. 激烈	激烈	jīliè	intense, fierce: 激烈的竞争: keen competition
43. 此	此	cǐ	this; now; here: 此处 this place; here; 此人 this person; 从此以后 from now on; 因此 for this reason
44. 满足	滿足	mǎnzú	satisfied; contented
45. 推出	推出	tuīchū	release (a product)
46. 芙蓉鲜蔬汤	芙蓉鮮蔬湯	fúróng xiānshū tāng	soup with fresh vegetables and egg flakes
47. 榨菜肉丝汤	榨菜肉絲湯	zhàcài ròusī tāng	soup with hot pickled mustard tuber and shredded meat

48. 粤味古老肉	粤味古老肉	yuèwèi gŭlăoròu	Cantonese style sweet and sour meat
49. 口味	口味	kǒuwèi	taste; flavor
50. 符合	符合	fúhé	conform to: 符合…习惯 conform to the habit of...
51. 老北京鸡肉卷	老北京鷄肉捲	lăo Běijīng jīròujuăn	Beijing chicken wrap with traditional Beijing duck flavor
52. 面饼	面餠	miànbǐng	pancake
53. 黄瓜条	黄瓜條	huángguā tiáo	cucumber slip
54. 葱段	葱段	cōngduàn	scallion slip
55. 面酱	面醬	miànjiàng	sweet sauce made of fermented flour
56. 汉堡	漢堡	hànbăo	hamburger
57. 吃法	吃法	chīfă	way to eat; 法: 方法, means, method: 做法 the way to do sth.; 用法 the way to use sth.
58. 毫无疑问	毫無疑問	háo wú yíwèn	beyond (all) question; without doubt
59. 拷贝	拷貝	kăobèi	copy; replica
60. 代表性	代表性	dàibiăoxìng	representative; 性: nature; quality: 必要性 necessity; 复杂性 complexity; 可能性 possibility
61. 寒稻香蘑饭	寒稻香蘑飯	hándào xiāng mó fàn	mushroom rice
62. 蘑菇	蘑菇	mógu	mushroom
63. 蔬菜汁	蔬菜汁	shūcài zhī	vegetable juice

64. 份	份	fèn	(measure word) for food, newspaper, document: 一份饭a set of meal, 一份报纸 a copy of newspaper
65. 售价	售價	shòujià	selling price
66. 有关	有關	yǒuguān	related; have sth. to do with; in connection with: 有关人员 persons concerned; 有关方面 the parties concerned
67. 人士	人士	rénshì	personage; public figure: 爱国人士 patriotic personage; 各界人士 people of all walks of life; 知名人士 well-known figures
68. 解释	解釋	jiěshì	explain; explanation
69. 空白	空白	kòngbái	blank space
70. 时髦	時髦	shímáo	vogue; fashionable; stylish
71. 娱乐	娛樂	yúlè	entertainment; amusement; recreation
72. 走亲戚	走親戚	zǒu qīnqi	visit one's relatives
73. 逛	逛	guàng	stroll; wander about: 逛公园 stroll around the park; 逛商店 go window-shopping
74. 感受	感受	gǎnshòu	experience
75. 来去匆匆	來去忽忽	láiqù cōngcōng	come and go in haste
76. 都市	都市	dūshì	urban; metropolitan
77. 规则	規則	guīzé	rule; regulation
78. 本土化	本土化	běntǔhuà	localized; localization
79. 严格	嚴格	yángé	strict; rigorously

80. 执行	執行	zhíxíng	implement; carry out; execute
81. 形式	形式	xíngshì	form: 形式多样 be various in forms; 形式和内容 form and content
82. 观念	觀念	guānniàn	concept; idea; sense; mentality
83. 适应	適應	shìyìng	suit; adapt; get with it; fit: 适应新情况 adapt one'sthinking to the new conditions
84. 老大	老大	lǎodà	the first one in rank; the leader in a group; the eldest (child in a family)
85. 业界	業界	yèjiè	business circles; the field
86. 前列	前列	qiánliè	front row; front rank; forefront

综合练习 Exercises and Activities

一、对错选择 True or false based on the text

1. ( )中国几百年来各家餐馆的饭菜口味都不太一样。

2. ( )中国最大的肯德基餐厅"北京前门店"1987年开业的时候，从外表看就像一家中国餐厅，里面还用很多的中国传统工艺品装饰。

3. ( )1987年以前中国的餐饮业人士就知道，西式连锁快餐店的特点是标准化，即统一标识、统一配方、统一服务。

4. ( )肯德基的"中国心"是指在肯德基餐厅里人们可以吃到有中国风味的餐饮食品，如芙蓉鲜蔬汤、寒稻香蘑饭等。

5. ( )中国人爱吃鸡，肯德基的主打产品也是鸡，这是肯德基在中国市场成功的原因之一。

6. ( )从80年代末到现在，人们到肯德基用餐都是为了了解西方人是怎么生活的，而不仅仅是去吃饭。

7. ( )现在中国有很多西式快餐厅，但市场竞争不太激烈，因为百店百味，各有特色。

8. ( )肯德基进入中国十几年以后才开始本土化，这是因为中国市场发生了很大的变化。

9. ( )肯德基现在有很多中国风味的餐饮食品，因此跟美国的肯德基完全不一样了。

10. ( )中国洋快餐的老大肯德基不仅知道"最好的产品是最适应市场的产品"，而且还做得很好。

二、看英文写汉字 Write out the Chinese characters

1. 肯德基的<u>主打产品</u>(main products)是鸡，中国人爱吃鸡，是中国人的胃帮了肯德基的忙。

2. 1987 年肯德基刚进入中国时，中国的<u>快餐</u>(fast food)市场还是一片<u>空白</u>(blank)。

3. 肯德基越来越<u>本土化</u>(localization)了，但<u>服务</u>(service)观念和操作<u>规则</u>(rules)却是全球统一的。

4. 肯德基是第一家进入中国的西方快餐<u>连锁</u>(chains)，它的<u>标准化</u>(standardization), 即统一<u>标识</u>(logo)、统一<u>配方</u>(recipe)、统一服务，给中国的<u>餐饮业</u>(food industry)带来了强烈的冲击。

三、填空 Fill in the blanks

从穿上"__________外衣"到换上"中国心"，肯德基从外表到__________，越来越__________。但肯德基又是一致的，它的__________观念和操作规则，要求世界各地每一个餐厅的每一位__________都要严格执行。变化的是形式，不变的是肯德基的市场__________。一位经济学家曾说，最好的产品是最__________市场的产品。说起来简单，做起来却很__________。但中国洋__________的老大肯德基在这方面无疑走在了__________的前列。

四、解释下列词语 Explain the following phrases in Chinese

百店百味 ______________________________

来去匆匆 ______________________________

五、句型练习 Patterns and exercises

1. 给……带来冲击 give shock to...

例句：1987年以前，中国没有快餐连锁店，所以肯德基刚进入中国时，给中国的餐饮业*带来*了强烈的*冲击*。

用所给句型完成下列句子(Complete the following sentences using the pattern):

- 中国加入世界贸易组织(the World Trade Organization)后，很多外国公司进入中国，______________________________。
- 从发展中国家进口的便宜商品______________________________。

2．成为……的代名词 become another name of...;become the synonym of ...

例句：标准化在中国已经*成为*了西方连锁快餐的*代名词*。

用所给句型完成下列句子(Complete the following sentences using the pattern):

- 北京的四合院已成为了______________________________的代名词。
- 比尔·盖茨(Bill Gates)已成为了________________________的代名词。

3．让……(感到)吃惊 make ... (feel) surprised

例句：肯德基前门餐厅建筑、装饰全部中国化*让*熟悉它的消费者*吃惊*。

用所给句型翻译下列句子(Translate the following sentences into Chinese using the pattern):

- Peter feels very surprised at seeing so many expensive cars and modern buildings in Beijing. He thought Beijing was an old and traditional city.
____。
- His decision to apply to the Wharton Business School (沃顿商学院)made his parents very surprised since they thought he would become a scientist.
____。

4．打破……惯例 break away from the old practice of ...

例句：肯德基前门餐厅*打破*全球统一建筑外表和形象标识的*惯例*，建筑、装饰全部中国化。

用所给句型重写下列句子(Rewrite the following sentences using the pattern)

- 由于很多中国人没有汽车，宜家(Ikea)只好在中国开始给客户送货deliver)。__________________________________。
- 这所大学第一次雇佣(hire)了一个没有博士学位的人做教授。
____。

5．在……同时(还，也)…… at the time doing sth., also doing sth. else

meanwhile

例句：消费者*在*品尝洋快餐的*同时*，还可以了解中西文化各自的不同。

用所给句型完成下列句子(Complete the following sentences using the pattern):

- 上商业中文课，我们在________________的同时，还________________。
- 我们在星巴克(Starbucks)喝咖啡的同时，还________。

6.符合……习惯 conform to the habits of ...

例句：肯德基推出的带有中国特色的餐饮食品，口味非常*符合*中国人的*习惯*。

用所给句型完成下列句子(Complete the following sentences using the pattern):

- 美国的中国餐厅,食品口味________________________________。
- 跨国公司到一个新的市场推出产品时,颜色设计要________。

7.这(就)是……的原因 this is the reason ...

例句：当中国人习惯了西式快餐和高速度的都市生活后，肯德基开始做了很多的改变；*这就是*肯德基为什么进入中国12年后才开始中国化*的原因*。

用所给句型重写下列句子(Rewrite the following sentences using the pattern)

- 我打算将来到中国工作，所以现在学习商业中文。

  ________________________________。
- 很多美国人喜欢带有美国口味的中国菜，所以美国的中(式)餐馆的饭菜口味都有一点美国化。

  ________________________________。

六、根据课文回答问题 Answer the questions based on the text

1. 什么是快餐连锁店的标准化经营?
2. 1987年肯德基刚进入中国时为什么给中国的餐饮业带来了强烈的冲击?

3. 1999年肯德基给中国的餐饮业又带来了什么冲击?
4. 肯德基的“中式外衣”和“中国心”是指什么?
5. 说出几个肯德基带有中国特色的产品。
6. 为什么1999年肯德基才开始实施中国化?
7. 全球肯德基各店什么是统一的?
8. 全球肯德基各店什么是不统一的?
9. 除了市场竞争激烈外，还有什么原因促使(impel)肯德基在中国实施中国化?

七、市场调查 Market research

两人一组。分别圈出下表中适合自己情况的所有选择，互换答案，找出同伴答案中让你感到吃惊或有意思的选择，就这些选择互问问题，最后向全班汇报。

Pair up. Circle all the choices in the following table that fit you and then exchange your answers with your partner to see if there is anything that surprises or interests you. Ask each other questions about the choices chosen. Report your discovery about your partner to the class.

我喜欢的饮料是：	汽水	果汁	洋茶	中国茶	咖啡	酒类
我喜欢的食品是：	中餐	西餐	西式快餐	野味	甜品	烧烤类
我中午通常在____用餐：	学校餐厅	家或宿舍	西式快餐厅	高级餐厅	街边	办公室
我周末常和朋友：	喝茶	聊天	逛街	吃饭	运动	看电影
我中午一餐花：	5元	10元	20元	30元	40元	50元
我对时髦东西的态度是：	不感兴趣	落在后头	跟不上	跟上	紧追	走在前列
买东西时我最注重：	质量	品牌	价格	个人喜爱	朋友看法	用途
食物最重要的是：	好吃	好看	显示身份	便宜	卫生	便利
我没时间时：	不吃饭	吃快餐	吃方便面	喝麦片	吃饼干	吃面包
我愿意花_____钱买饮料：	2元	3元	4元	5元	7元	10元

八、补充阅读 Supplementary reading

肯德基两次进军香港

1973年6月，伴随着“好味道舔手指”的广告词，第一家肯德基快餐店在香港开业，吸引了不少香港人前来用餐。然而，肯德基的“香港热”没有持续多久。1974年9月，肯德基突然宣布多家餐店停业。到1975年2月，剩下的4家店也关门停业。

在世界各地的成功经验，使肯德基公司开始时对在香港的发展十分有信心，但却忽略了香港人是华人，华人有华人的传统、习俗和消费心理。“好味道舔手指”这句世界闻名的广告词，很难被注意风雅的香港人接受。肯德基的价格，对于当时收入普遍不高的香港人来说还是太贵。在服务方式上，肯德基采取的是典型的美式服务，店内一般没有坐位，人们没有地方坐下来吃饭，因此也会赶走一大批顾客。

1985年，肯德基决定再次进入香港市场。新的肯德基餐厅介于高级餐厅与自助快餐店之间，是一种比较高级的快餐厅，顾客对象主要是年轻白领。除炸鸡外，还增加了甜品、饮品的花样。在销售上，炸鸡以较高的价格出售，避免香港人把它看成低档快餐食品。而薯条、玉米等则以较低的价格出售，以在竞争中获得优势。在广告上，肯德基换上了“甘香鲜美好口味”的广告词，带有浓厚的香港味。从此，肯德基在香港发展顺利。

选自《北京青年报》肯德基两次进军香港纪实 1999年8月2日

生词：

舔：lick
忽略：neglect
习俗：custom
风雅：refined manner
介于：between
白领：white collar workers
花样：variety
以防：in order to avoid
薯条：fries
优势：advantage
甘：sweet
浓厚：thick; strong

填表：肯德基1973年和1985年进入香港市场的策略选择

Fill out the following chart about the strategies that KFC used to enter the Hong Kong market in 1973 and 1985:

	1973年	1985年	改变的原因
广告词	"好味道舔手指"	"甘香鲜美好口味"	香港味也最风雅
价格策略	太贵	更多的 choices	低档快餐食品
服务策略	典型的美式服务与自助快餐店之间主要是年轻白领		
你的结论	改变是最好因为KFC在香港有成功。		

understand consumers tastes, needs, likes, wants

九、课堂活动　Classroom activity

角色剧 Role Play：　中国肯德基的昨天和今天

四、五人一组，每组可有一人任解说员，根据课文提供的背景介绍并表演下列场景：

你是一个中国人，一直住在北京。(1) 现在是1987年，肯德基刚刚在北京开了第一家分店。今天是你十岁的生日，父母家人在肯德基为你庆祝生日。(2) 肯德基进入中国已经十几年了，而你现在也长大了，在一家跨国公司任职。你和同事在肯德基吃午餐。

Class is divided into groups of 4 or 5 and act out the following scenes using the information given in the text. One of the group members can be a narrator.

Imagine that you are a Chinese living in Beijing. (1) It was in 1987 when KFC had just opened its first store in Beijing. It is your tenth birthday today and you are celebrating your birthday with your family at KFC; (2) 15 years has passed since KFC started its business in China. You are a white collar worker of a multinational company now. You are having lunch with your colleagues at KFC.

十、作文　Essay：《中国肯德基的昨天和今天》

根据小组演出的场景剧，写一篇短文，描述并比较1987年和现在你在肯德基用餐的不同体验。

Based on the role play you have acted out to the class, write an essay to describe and compare your KFC experiences in 1987 and now.

小知识 Business Knowledge:

有限消费与无限消费

什么叫有限消费？什么叫无限消费？比如说我们买照相机，通常只要买一台就可以用很久，这是有限消费，但底片却是无限消费，需要一直买，所以现在全世界的底片工业要比照相机工业大10倍。买一个唱机是有限消费，但唱片是无限消费。我们需要的大部分东西，在20世纪都已经做出来了，整个世界出现供过于求的现象，任何产品、任何服务都是供过于求。因此公司就不应该再花大力气从事有限产品、有限服务的生产，而要从有限消费慢慢转向无限消费产品的生产，这样企业才能永久立足和发展。

摘改自温世仁《企业的未来》

星巴克的"第三空间"
Starbucks' Third Place

课前热身 Warm-Up

星巴克点滴 A Few Words about Starbucks

星巴克是全球最大的咖啡零售商和最有价值的咖啡品牌。它1971年在美国开业，到2004年，已进入30多个国家，全球分店总数达八千余家。它2003年名列《财富》500强第465位，还是《商业周刊》全球100个最佳品牌之一。星巴克1999年进入中国，现在北京、上海、天津等城市开设了几十家分店。

走近星巴克 A Closer Look at Starbucks

星巴克蛋卷礼盒

星巴克漫画

拿铁 Latte Caffe

又一家星巴克在北京开业

交流分享 Share with Others

1. 你常去星巴克吗？在星巴克你除了喝咖啡以外，还常做什么？其他顾客呢？
2. 在你的国家都是什么样的消费者常去星巴克？星巴克的价钱怎么样？咖啡味道怎么样？
3. 中国的传统饮料是茶，但有哪些中国人可能会喜欢喝咖啡？
4. 你去过中国的星巴克吗？如果去过，你能用中文说出几个星巴克的饮品名称吗？
5. 中国星巴克的价钱对一般中国人来说怎么样？（如果你没去过，请猜一猜）。
6. 中国星巴克的顾客多不多？都是什么样的消费者会到星巴克喝咖啡？（如果你没去过，请猜一猜）。
7. 你能说一说星巴克在全球成功的原因是什么吗？是它的咖啡比其他咖啡店的好还是有其他的原因？
8. 你认为星巴克在中国会成功吗？请谈谈你的看法。

课　文

星巴克的“第三空间”

餐饮业的奇迹

星巴克于1971年在美国西雅图市开业，开始时只出售咖啡豆，经过三十多年的发展，现在已进入全球三十多个国家和地区，开设了大约八千多家分店，其中在美国有五千多家，海外两千多家。星巴克的发展速度很快，据说每八个小时就有一家新店开业。星巴克于1992年上市，上市以来股价增长二十多倍。星巴克还是《商业周刊》全球100个最佳品牌之一。

星巴克的高速发展开创了餐饮业的奇迹。在星巴克出售咖啡饮品之前，咖啡在美国只是普通人家里的饮品，大多数美国人不知道也没喝过醇香的拿铁 (Latte)，没有想到咖啡店可以开成像酒吧那样的地方，也不相信注重风雅的日本人会在大街上边走边喝咖啡。是星巴克用咖啡改变了现代人的生活。星巴克董事长霍华德 · 舒尔茨 (Howard Schultz) 曾说：“我们喜欢打破常规，做出别人说不可能的事。”这可能就是星巴克成功的秘密。

出售的是咖啡体验

星巴克的发展是这样开始的。1983年，现任董事长舒尔茨到意大利参加商展。他走在街头，发现那里的咖啡馆一家接着一家，坐满了人。意大利人早也来、午也来，到了傍晚下班还要先到咖啡馆坐一会儿才回家。大家一进门就好像碰到了熟朋友，听着音乐，喝着咖啡，聊着天。舒尔茨敏锐地感觉到，美国人在家里喝了上百年的咖啡，星巴克在市场上卖了十多年的咖啡豆，但没有意识到咖啡馆是可以吸引人们一来再来的地方，它特有的轻松气氛能给人们提供社交和放松心情的空间。

舒尔茨把意大利的经验带回到美国。现在走进任何一家星巴克，都有柔和的灯光，清洁的环境，软软的沙发和木质桌椅，以及优美的背景音乐。尽管星巴克每杯咖啡的价钱，是其他店的两倍，但在这里你可以与朋友聊天，与同事、客户谈业务，也可以独自放松在音乐混着咖啡香的气氛中。与其说星巴克是在出售咖啡，不如说是在出售一种咖啡体验，让奔波在家庭与办公室之间的现代人，有了另一个空间，即舒尔茨所倡导的“第三空间”。这里第一空间指的是家庭，第二空间指的是工作单位，第三空间是指除了家庭、工作单位以外的空间，如电影院、商场等。

中国白领享受星巴克

星巴克1999年1月在北京开设了第一家分店，现已在中国开了几十家。尽管一杯星巴克咖啡的价钱可能相当于很多中国人一天的收入，但那里纯正的咖啡、优美的音乐、安静的环境、周到的服务，吸引了很多收入不错、在跨国公司工作的年轻白领，使他们多了一个似乎只属于他们的空间。于是在他们中间就有了这样一句很经典的话：我不在办公室，就在星巴克，我不在星巴克，就在去星巴克的路上。

在一家跨国公司天津办事处工作的孙婉小姐就是其中的一个。孙小姐一年前去北京时，见到了那里新开业的星巴克，立刻就被它优雅的环境、醇香的咖啡所吸引，用她的话说“简直就是完美”。2001年5月，第一家星巴克分店在天津开业了，地点就在公司大厦的一楼。从开业的第一天起，孙小姐就成了星巴克的常客，有时是为了放松，有时是为了谈业务，一星期少说也去两三次。慢慢地，孙小姐在这里看到了越来越多大厦里熟悉的面孔。去星巴克喝一杯咖啡，似乎成了一种地位的标志、成功的象征。后来天津又陆续开了许多国外的、本土的咖啡店。但孙小姐依然喜欢星巴克的“单调”——只有咖啡和一些甜点，没有其他咖啡店提供的西餐，这一切似乎让她觉得星巴克与咖啡这两个字更接近。

资料来源：

《CHEERS杂志》访北京美大咖啡有限公司副总经理李富强先生 2003年1月 文/吴韵仪

《深圳商报》走近星巴克 读解“美人鱼” 2002年10月17日 文/津丽

《环球时报》在亚洲推出“绿茶咖啡”星巴克满世界开店 2002年9月19日 文/董栢

課　文

星巴克的“第三空間”

餐飲業的奇迹

星巴克於1971年在美國西雅圖市開業，開始時只出售咖啡豆，經過三十多年的發展，現在已進入全球三十多個國家和地區，開設了大約八千多家分店，其中在美國有五千多家，海外兩千多家。星巴克的發展速度很快，據説每八個小時就有一家新店開業。星巴克於1992年上市，上市以來股價增長二十多倍。星巴克還是《商業周刊》全球100個最佳品牌之一。

星巴克的高速發展開創了餐飲業的奇迹。在星巴克出售咖啡飲品之前，咖啡在美國只是普通人家裏的飲品，大多數美國人不知道也没喝過醇香的拿鐵(Latte)，没有想到咖啡店可以開成像酒吧那樣的地方，也不相信注重風雅的日本人會在大街上邊走邊喝咖啡。是星巴克用咖啡改變了現代人的生活。星巴克董事長霍華德·舒爾茨(Howard Schultz) 曾說：“我們喜歡打破常規，做出别人説不可能的事。”這可能就是星巴克成功的秘密。

出售的是咖啡體驗

星巴克的發展是這樣開始的。1983年，現任董事長舒爾茨到意大利參加商展。他走在街頭，發現那裏的咖啡館一家接着一家，坐滿了人。意大利人早也來、午也來，到了傍晚下班還要先到咖啡館坐一會兒才回家。大家一進門就好像碰到了熟朋友，聽著音樂，喝著咖啡，聊著天。舒爾茨敏鋭地感覺到，美國人在家裏喝了上百年的咖啡，星巴克在市場上賣了十多年的咖啡豆，但没有意識到咖啡館是可以吸引人們一來再來的地方，它特有的輕鬆氣氛能給人們提供社交和放鬆心情的空間。

舒爾茨把意大利的經驗帶回到美國。現在走進任何一家星巴克，都有柔和的燈光，清潔的環境，軟軟的沙發和木質桌椅，以及優美的背景音樂。儘管星巴克每杯咖啡的價錢，是其他店的兩倍，但在這裏你可以與朋友聊天，與同事、客户談業務，也可以獨自放鬆在音樂混着咖啡香的氣氛中。與其説星巴克是在出售咖啡，不如説是在出售一種咖啡體驗，讓奔波在家庭與辦公室之間的現代人，有了另一個空間，即舒爾茨所倡導的“第三空間”。這裏第一空間指的是家庭，第二空間指的是工作單位，第三空間是指除了家庭、工作單位以外的空間，如電影院、商場等。

中國白領享受星巴克

星巴克1999年1月在北京開設了第一家分店，現已在中國開了幾十家。儘管一杯星巴克咖啡的價錢可能相當於很多中國人一天的收入，但那裏純正的咖啡、優美的音樂、安静的環境、周到的服務，吸引了很多收入不錯、在跨國公司工作的年輕白領，使他們多了一個似乎只屬於他們的空間。於是在他們中間就有了這樣一句很經典的話：我不在辦公室，就在星巴克；我不在星巴克，就在去星巴克的路上。

在一家跨國公司天津辦事處工作的孫婉小姐就是其中的一個。孫小姐一年前去北京時，見到了那裏新開業的星巴克，立刻就被它優雅的環境、醇香的咖啡所吸引，用她的話説“簡直就是完美”。2001年5月，第一家星巴克分店在天津開業了，地點就在公司大厦的一樓。從開業的第一天起，孫小姐就成了星巴克的常客，有時是爲了放鬆，有時是爲了談業務，一星期少説也去兩三次。慢慢地，孫小姐在這裏看到了越來越多大厦裏熟悉的面孔。去星巴克喝一杯咖啡，似乎成了一種地位的標誌、成功的象徵。后來天津又陸續開了許多國外的、本土的咖啡店。但孫小姐依然喜歡星巴克的“單調”——只有咖啡和一些甜點，没有其他咖啡店提供的西餐，這一切似乎讓她覺得星巴克與咖啡這兩個字更接近。

資料來源：

《CHEERS雜志》訪北京美大咖啡有限公司副總經理李富强先生　2003年1月　文／吴韵儀

《深圳商報》走近星巴克 讀解“美人魚”　2002年10月17日　文／津麗

《環球時報》在亞洲推出“緑茶咖啡”星巴克滿世界開店　2002年9月19日　文／董柘

生词表　Vocabulary

1. 空间	空間	kōngjiān	space; room; place: 活动空间 breathing spaces; 时间和空间 time and space
2. 奇迹	奇迹	qíjì	miracle; wonder; marvel; wonderful achievement
3. 于	於	yú	at（a time and place）他生于1950年3月9日。He was born on March 9, 1950. 闻名于世界 famous all over the world
4. 出售	出售	chūshòu	sell; sale
5. 咖啡豆	咖啡豆	kāfēidòu	coffee bean
6. 地区	地區	dìqū	region; area
7. 开设	開設	kāishè	(设立) open; set up; establish: 开设商店 open a store
8. 其中	其中	qízhōng	among (which, them); inside
9. 海外	海外	hǎiwài	overseas; abroad: 海外市场 overseas market; 海外投资 overseas investment; 海外银行 overseas bank
10. 据说	據説	jūshuō	it is said; allegedly
11. 上市	上市	shàng shì	appear on the market; publicly traded; become a listed company
12. 股价	股價	gǔjià	stock price
13. 《商业周刊》	《商業周刊》	Shāngyè Zhōukān	Business Week

14. 佳	佳	jiā	good; fine; beautiful: 最佳 the best; 佳景 fine landscape; beautiful view
15.……之一	……之一	...zhīyī	one of ...
16. 开创	開創	kāichuàng	create: 开创奇迹 create a miracle;开创新局面 bring about a new situation; open a new prospect
17. 饮品	飲品	yǐnpǐn	beverage; drink: 咖啡饮品 coffee beverages;中式饮品 Chinese-style drink
18. 醇香	醇香	chúnxiāng	savory; appetizing
19. 酒吧	酒吧	jiǔbā	bar
20. 注重	注重	zhùzhòng	pay attention to; attach importance to: 注重卫生 stress importance of hygiene
21. 风雅	風雅	fēngyǎ	elegant; refined: 举止风雅 have refined manners
22. 董事长	董事長	dǒngshìzhǎng	chairman of the board (of directors)
23. 常规	常規	chángguī	convention; common practice: 打破常规 break with convention; break the normal procedure
24. 体验	體驗	tǐyàn	experience
25. 现任	現任	xiànrèn	(现在担任) at present hold office of...; incumbent
26. 商展	商展	shāngzhǎn	trade fair
27. 聊天儿	聊天兒	liáotiānr	chat
28. 敏锐	敏銳	mǐnruì	sharp; acute; keen

29. 意识	意識	yìshí	realize; be aware of
30. 轻松	輕鬆	qīngsōng	relaxed；light: 轻松的音乐; sweet music; 轻松的工作 light work; 感到轻松 feel relief / relaxed
31. 气氛	氣氛	qìfēn	atmosphere
32. 社交	社交	shèjiāo	social contact
33. 放松	放鬆	fàngsōng	relax; relaxation
34. 心情	心情	xīnqíng	mood; feeling
35. 经验	經驗	jīngyàn	experience
36. 柔和	柔和	róuhé	soft; gentle
37. 清洁	清潔	qīngjié	clean; cleaning
38. 木质	木質	mùzhì	wooden
39. 优美	優美	yōuměi	beautiful: 优美的音乐 beautiful music; 风景优美 fine scenery
40. 背景	背景	bèijǐng	background: 背景音乐: back ground music
41. 同事	同事	tóngshì	colleague; fellow worker
42. 客户	客户	kèhù	customer; client
43. 业务	業務	yèwù	business; service; transaction:
44. 独自	獨自	dúzì	alone; by oneself; one's own:
45. 奔波	奔波	bēnbō	rush about; be busy running about
46. 倡导	倡導	chàngdǎo	advocate; propose
47. 相当于	相當於	xiāngdāng yú	equal to; equivalent to; as much as
48. 收入	收入	shōurù	income
49. 纯正	純正	chúnzhèng	authentic; pure
50. 周到	周到	zhōudào	attentive; thoughtful; considerate
51. 服务	服務	fúwù	service
52. 跨国公司	跨國公司	kuàguó gōngsī	multi-national company
53. 白领	白領	báilǐng	white collar (workers)

54. 似乎	似乎	sìhū	it seems; as if; seemingly; it looks like
55. 属于	屬於	shǔyú	belong to
56. 经典	經典	jīngdiǎn	classics；经典著作 classical works
57. 办事处	辦事處	bànshìchù	agency; office
58. 优雅	優雅	yōuyǎ	elegant; graceful
59. 简直	簡直	jiǎnzhí	simply; virtually
60. 完美	完美	wánměi	perfect; flawless
61. 地点	地點	dìdiǎn	place; location; site
62. 大厦	大廈	dàshà	edifice; large building
63. 常客	常客	chángkè	frequent customer
64. 熟悉	熟悉	shúxī	familiar
65. 面孔	面孔	miànkǒng	face
66. 地位	地位	dìwèi	status; position
67. 标志	標誌	biāozhì	identification; logo
68. 象征	象徵	xiàngzhēng	symbol; token; emblem
69. 陆续	陸續	lùxù	one after another; in succession
70. 单调	單調	dāndiào	monotonous; monotone
71. 甜点	甜點	tiándiǎn	dessert
72. 接近	接近	jiējìn	be close to; near; approach

综合练习　Exercises and Activities

一、对错选择　True or false based on the text

1.(　　)星巴克1971年在美国西雅图开业时主要出售咖啡饮品。

2.(　　)星巴克的发展速度很快，据说平均每三天有一家新店开业。

3.(　　)据星巴克董事长说，星巴克成功的秘密是他们能够做出看起来似乎不可能做出的事。

4.(　　)意大利的街头有很多咖啡馆，意大利人一天去几次咖啡馆。

5.(　　) 舒尔茨发现意大利的咖啡馆能够吸引人们一来再来，主要是因为那里的咖啡好喝。

6.(　　)出售咖啡体验的意思是指让人们品尝咖啡的味道。

7.(　　)舒尔茨所说的“第三空间”，既不是家庭，也不是工作单位，而是一些娱乐、休息、放松自己的地方。

8.(　　)星巴克在中国的主要顾客是在跨国公司工作的白领。

9.(　　)“我不在办公室，就在星巴克；我不在星巴克，就在去星巴克的路上。”这句话的意思是星巴克是我常去的地方。

10.(　　)孙小姐觉得星巴克与咖啡这两个字更接近，因为星巴克不但出售咖啡和甜点，还卖西餐。

二、看拼音写汉字 Write the Chinese characters based on the *pinyin* given

1. 星巴克1971年在美国西雅图________(kāiyè)，开始只________(chūshòu)咖啡豆，经过三十多年的________(fāzhǎn)，目前已进入________(quánqiú)三十多个________(shìchǎng)，共开设大约八千余家________(fēndiàn)，其中在美国有5千余家，________(hǎiwài)两千多家。

2. 第一________(kōngjiān)指的是家庭；第二空间指的是工作________(dānwèi)；第三空间是指除了家庭、工作以外的空间，如电影院、________(shāngchǎng)。星巴克成功地使咖啡店成为家庭和________(bàngōngshì)以外的第三空间。在这里，人们既可以与朋友聊天，与同事、________(kèhù)谈________(yèwù)，也可以独自要上一杯________(chúnzhèng)的咖啡，________(fàngsōng)自己紧张的心情。中国星巴克的________(chángkè)是在跨国公司工作的________(shōurù)不错的________(báilǐng)。

三、词语搭配 Match the two columns

形容词 Adjective	名词 Noun
纯正的	灯光
安静的	面孔
周到的	环境
优美的	服务
熟悉的	咖啡
柔和的	音乐

四、填空 Fill in the blanks

1. 星巴克1999年1月11日在北京________了第一家分店，现在北京、天津、上海等城市开了几十家，吸引了很多在________工作的________和青年学生。去星巴克喝一杯咖啡，似乎成了一种________的标志、成功的________。

2. 星巴克从一家普通的咖啡店发展成为今天________的星巴克，秘密在于它不仅仅是出售咖啡，而是出售一种咖啡________，让________在家庭与办公室之间的________，有了另一个生活的空间，即舒尔茨所______的"第三空间"。

五、句型练习 Patterns and exercises

1. 据……（说，报道，看） according to...

例句：星巴克发展速度很快，*据说*每8个小时就有一家新店开张。

用所给句型翻译下列句子（Translate the following into Chinese using the pattern）:

- It is reported that KFC has already opened 100 stores both in Shanghai and in Beijing.____。
- In my opinion, the taste of a cup of coffee is more important than where you drink coffee.____。

2. 一……接(着)一…… one... after another...

例句：舒尔茨到意大利参加商展。他走在街头，发现那里的咖啡馆*一家接着一家*，坐满了人。

用所给句型完成下列句子（Complete the following sentences using the pattern）:

- 你现在走在北京街头，会发现那里的外国快餐厅____________比如说有________________________________等。
- 星巴克今年夏天推出了一系列冰咖啡饮品，我要__________品尝。

3. 也……也……还…… ...also...as well as...

例句：意大利人早*也*来、午*也*来，到了傍晚下班*还*要先到咖啡馆坐一会儿才回家。

用所给句型重写下列句子（Rewrite the following sentences using the pattern）:

- 1987年当肯德基刚进入中国时，它的标准化给中国餐饮业带来了强烈的冲击，它的标识、配方、服务都是统一的。

  ____。
- 1999年开始肯德基大力实施本土化，肯德基前门店的建筑、装饰全部中国化，餐饮食品也带有中国特色。____________________。

4. 与其 A 不如 B It is better B than A

例句：*与其说*星巴克是一家咖啡店，*不如说*是现代人生活的另一个空间。

用所给句型重写下列句子(Rewrite the following sentences using the pattern):

- 很多在中国跨国公司工作的白领去星巴克，是为了放松自己，不是为了喝咖啡。＿＿＿＿＿＿＿＿＿＿＿＿＿＿＿＿＿＿＿＿。
- 星巴克董事长的经营理念是，星巴克要向消费者出售一种咖啡体验，而不是仅仅出售咖啡。

＿＿＿＿＿＿＿＿＿＿＿＿＿＿＿＿＿＿＿＿＿＿＿＿＿＿。

5. 指的是（是指）…… refer to...

例句：舒尔茨所说的第一空间*指的是家庭*；第二空间*指的是*工作单位；第三空间*是指*除了家庭、工作以外的空间，如电影院、商场等。

用所给句型完成下列句子(Complete the following sentences using the pattern):

- 连锁快餐的标准化＿＿＿＿＿＿＿＿＿＿＿＿＿＿＿＿＿＿＿＿。
- 跨国公司＿＿＿＿＿＿＿＿＿＿＿＿＿＿＿＿＿＿＿＿＿＿＿＿。

六、根据课文回答问题 Answer the questions based on the text

1. 星巴克创造了餐饮业的什么奇迹？
2. 意大利的咖啡馆为什么可以吸引顾客一来再来？
3. 意大利之行让舒尔茨意识到了什么？
4. 星巴克的“第三空间”是指什么地方？“第一空间”和“第二空间”呢？
5. 星巴克的咖啡店是什么样的？和意大利的咖啡馆有什么相同和不同的地方？
6. 星巴克是哪一年在中国开业的？发展的速度怎么样？
7. 中国星巴克的顾客大多是什么人？这和你的国家有什么不同？为什么有这样的不同？
8. 在跨国公司工作的中国白领为什么这么喜欢星巴克？
9. 课文中说星巴克在中国成了一种地位的标志和成功的象征，在你的国家也是这样吗？
10. 中国的星巴克和你们国家的星巴克有什么不同吗？星巴克也在中国化吗？
11. 如果星巴克也像肯德基一样1987年进入中国，它是否也会成功？为什么？请谈谈你的看法。

七、作文 Essay:

1. 段落作文 Paragraph writing: 《一个跨国公司的发展》

到网上寻找一家跨国公司的有关信息，模仿主课文第一段句式写一段这家跨国公司在本国及国际市场上发展的文章。

Go to the Internet and locate a multinational company. Imitate the sentences in the first paragraph to describe the development of that company domestically and internationally.

2. 叙述文 Narration: 《我在星巴克》

用本课所学词汇和句型写下你在星巴克的体验：你是否有课文所描述的那种体验？与同学交换写好的故事，看看别人的故事是不是让你觉得特别有趣。

Tell a story about your experience at Starbucks. Do you experience what was described about Starbucks in the reading? Exchange your story with your partner to see if there is anything that especially interests you. Try to use as much as possible the expressions and patterns we have just learned.

八、补充阅读 Supplementary readings

（1）星巴克进入日本

星巴克在日本开业之前，日本已经有了几家大型的连锁咖啡店，但顾客主要是一些老年男性。这些日式咖啡店大多光线暗，烟雾多。在星巴克进入日本市场前，咨询公司建议，如果星巴克不允许顾客在店内吸烟，就会失败，因为日本人喜欢边喝咖啡边吸烟。另外日本人没有在路上边吃边走的习惯，星巴克外带咖啡的做法与日本的传统格格不入。但是星巴克在日本坚持了自己的传统，并且获得了成功。除了咖啡好、服务好外，星巴克店内装饰优雅，不卖酒精饮料，禁止顾客吸烟。很多日本女性因为讨厌烟味而不到日式咖啡店，却成为了星巴克的忠实顾客，渐渐发展为“星巴克一族”，形成一种时尚。此外，外带咖啡方便卫生，也很受欢迎。日本成了星巴克最成功的海外市场。

改写自《环球时报》 在亚洲推出“绿茶咖啡”星巴克满世界开店 2002年9月19日文

生词：

烟雾：smoke
外带：take out
酒精：alcoholic
族：a group of people with common features or attribute
咨询公司：consulting firm
格格不入：out of tune with
禁止：forbid
时尚：fashion

填表 列出日式咖啡店和日本星巴克咖啡店的不同

List the differences between a typical Japanese coffee house and a Starbucks' coffee house in Japan:

日式咖啡店	星巴克
1. 光线暗；	1. ……
2. ……	2. 禁止吸烟
3.	3.
4.	4.

（2）星巴克"打入"法国首都巴黎

据报道，美国咖啡连锁店星巴克一月某个星期五在法国首都巴黎开设了第一家店，并计划一年内在法国至少开10家分店。星巴克总裁舒尔茨表示，他不敢教法国人如何喝咖啡，也没有想与法国咖啡店抢生意，只想向法国人介绍星巴克对咖啡文化的理解。舒尔茨表示，在未来的6周内，星巴克将有3家分店开业，分店将开在游客集中地、跨国公司集中地和巴黎艺术家集中地。

星巴克从外表上看更像快餐连锁店，而不像欧洲式的咖啡店。有批评者不看好星巴克在法国的发展，因为当地人习惯边吸烟边喝咖啡，而星巴克店内不许顾客吸烟，这不符合当地人的饮食文化。星巴克决心挑战法国的饮食文化，不过它也做了不少本土化的改变，例如店内出售法式面包。此外，因为法国人不喜欢用纸杯喝咖啡，星巴克提供了瓷杯。

星巴克于1998年选择英国作为进入欧洲市场的第一站，在英国现已有400家分店。过了5年之后它又进入巴黎。舒尔茨认为，法国人，尤其是年轻人，已开始关心星巴克。星巴克如果在法国成功，将是公司发展的另一个里程碑。

附近咖啡店主人对星巴克的开业并不担心。一家当地咖啡店老板说：“我们不打算作任何改变，有时候有竞争是好事。”星巴克一杯意大利咖啡售1.60欧元，而这家咖啡店只卖1.35欧元。

缩写改自新华社／法新社／路透社 美国星巴克“打入”巴黎2004年1月16日

生词：

打入: fight into	抢生意：take business away
瓷: porcelain; china	看好: optimistic about
非: non	里程碑: cornerstone

对错选择 True or false based on the above reading

1.(F)美国咖啡连锁店星巴克在2002年5月的一个星期五在法国首都巴黎开了第一家分店。

2.(F)星巴克计划2004年3月以前在法国巴黎开3家分店，2004年12月底以前开10余家分店。

3.(T)星巴克总裁舒尔茨认为，如果星巴克在法国成功，对公司的发展非常重要。

4.(T)星巴克实施法国化的做法包括店内有法式面包，为在店内喝咖啡的顾客提供瓷杯。

5.(F)星巴克从外面看，更像连锁快餐店，欧洲式的咖啡店也是这样。

6.(T)有人认为星巴克在法国的发展不会很好，因为法国人习惯边吸烟边喝咖啡。

7.(T)星巴克禁止店内吸烟，这并不符合法国人的饮食文化。

8.(T)英国是星巴克进入欧洲市场的第一个国家，现在发展得很好。

9.(T)法国的年轻人，到法国去的游客，在跨国公司工作的白领可能是星巴克的主要顾客。

10.(F)星巴克的咖啡比法国本土咖啡店的便宜，所以本土咖啡店的主人对星巴克开业有点担心。

九、课堂活动 Classroom activity

咨询对话：是星巴克化还是本土化？

两三人一组。根据主课文及补充阅读写出并表演咨询公司代表与星巴克公司代表关于星巴克进入日本或法国市场应采取什么策略的对话。对话开始时应有礼貌的自我介绍，结束时应表示感谢和祝愿对方成功。对话中可用以下表达方式，以示礼貌及专业态度：

Pair up or form a small group. Write a dialogue between a consulting firm and the Starbucks' representative when Starbucks planned to enter the Japanese or French market. Act the dialogue out with your partner. Please start with greetings and self-introduction, and conclude with thanks and good wishes. The following expressions can be used in your dialogue to make you sound more polite and professional.

A. 介绍计划 Start to introduce a plan: 我们按贵公司的要求，已经准备好了进入日本市场的计划。

B. 表达自己的看法 Express one's opinion: 对于这一点，我先来谈谈我的看法 / 我认为 / 觉得……

C. 征求对方意见 Seek other's opinion: 对于……, 你有什么见解 / 你的看法是什么？

D. 打断对方 Interrupt your partner：对不起，我插一句 // 我再说几句。

E. 弄清对方想法 Seek clarification/confirmation：这一点我还是不太明白，能再解释一下吗？ // 你的意思是不是……？ // 你这样安排的原因是不是……？

F. 表示不同意见 Express your disagreement：对于……，我恐怕不能同意您的看法。

小知识　Business knowledge：E + T > T

目前世界上有两种商务，一种是传统商务，一种是电子商务。过去大家不断地争执，电子商务跟传统商务哪个会赢？在街上卖百货，跟在网上卖百货哪个会赢？有些人说直接买，不用经过经销商，价格会比较便宜；但有些人反而认为通过网络摸不到实体，还是比较喜欢享受逛街购物的乐趣。曾有一个零售商人这样问："我这个便利店，客人进来买了可乐或是拿了报纸就走，需要什么电子商务？"我就问他："你一个店能摆多少种商品？"他说："大约2500到3000种。"我就说:"为什么不卖10000种？"他说："摆不下啊！"我说："那很简单，你就将那些比较占地方、不太畅销的7000种摆在网上，人家可以通过网络向你订货，然后再提货。如此一来，很多东西你都可以卖啦。"要把电子商务（E–commerce）与传统商务（T-commerce）的概念放在一起，形成所谓的"E + T>T"，企业就会发展更快。

改写自渐世《企业的未来》

宜家的奢侈“低价品”

IKEA's Luxurious “Low-price Products”

课前热身 Warm-Up

宜家点滴 A Few Words about IKEA

宜家是一家瑞典跨国公司，于1943年成立，目前已发展成为世界上最大的设计、生产、销售家居产品的零售企业。宜家的产品设计新颖，价格较低，购物环境轻松自在，商品展示灵活，在欧美市场发展迅速。宜家1998年进入中国市场，至2004年在北京、上海各开有一家分店。

走近宜家 A Closer Look at IKEA

宜家在中国（夜景）

宜家样板间

宜家自选区

宜家收银台

交流分享 Share with Others

1. 你去过宜家吗？印象怎么样？
2. 与其他家居商店比，宜家有什么特别的地方？
3. 宜家的价格怎么样？商品式样、质量怎么样？
4. 你知道宜家在美国、欧洲市场的目标市场是哪些消费者吗？
5. 宜家在欧美市场很成功，你认为理由可能是什么？
6. 宜家在中国的目标市场可能会是哪些消费者？你为什么这样认为？
7. 你认为宜家产品的价格对一般中国消费者来说太贵还是正好？请解释。
8. 课文题目中的“奢侈”是对谁而言？“低价”是对谁而言？
9. 你认为宜家在中国会成功吗？你为什么这样认为？请解释一下。

课　文

宜家的奢侈“低价品”

中国：一个潜在的市场

宜家是1998年进入中国的，与其他跨国公司比，算是一个迟到者。然而宜家并不这样认为。宜家相信是它把“家居”这个全新的概念带到中国来的。之前，中国只有商品类别单一的家具店，而宜家家居店里既有家具，也有日常生活用品。另外，中国城市居民的住房过去主要由政府分配，从1998年7月1日起才开始全面实施住房商品化。住房制度的改变，大大刺激了家居产品的消费，宜家此时进入，时机正好。的确，1999年宜家在北京开业时，其北欧风格的产品、商品交叉展示的方式和轻松自在的购物环境吸引了大批的消费者，使宜家品牌很快变得家喻户晓。

但是，宜家在中国的发展速度并不像人们期待得那么快，到2004年，还只是在北京、上海开了两家分店。宜家全球总裁安德斯.代尔维格(Anders Dahlvig)在上海接受记者采访时说，“资本回报率低是宜家在中国发展速度慢的主要原因”。的确，宜家在中国遇到的市场环境与欧美不同。宜家面对这一市场在做到完全适应之前，中国只能像其总裁所言，是“一个潜在的市场”。

价格瓶颈

宜家在欧美的快速发展和在中国的低速前进都是因为“价格”。在欧美国家，宜家通过大规模采购、建立自己的物流网络、在商店采用自选方式减少服务人员、使用平板包装节约运输费用等办法，使其价格降到比同类产品低。低价策略使宜家在欧美市场取得了绝对优势。然而，宜家的价格优势在中国并不能表现出来，相反，它成了一个相对高端的品牌，宜家店也成了中、高收入阶层的专卖店。例如在别的中国家具店可以买一张小沙发的价格，在宜家只能买到一个小木凳子。这就造成了宜家的客流量很大，但销售量并不大的情况。

由于价格过高，不少喜欢宜家设计的消费者便转向仿冒品，这是宜家在中国面对的另一个挑战。据报道，现在有不少家具厂在仿冒宜家家具的设计和样式。在离北京宜家不远的一个家具中心里，就有不少与宜家家具设计相似，但价格低很多的商品出售。有一些消费者先到宜家选好样式，再到那里购买低价的仿冒品。

宜家策略

面对中国特殊的市场环境，宜家应该如何做呢？据最新报道，为了从高端市场走出来，开拓大众消费市场，宜家计划以年均12%的幅度降低在中国市场的整体售价，其中家具的降幅最大。以某款沙发为例，其售价1999年是2999元，2004年降到955元。另外，宜家还从2004年开始增加每周特价商品，价钱不到原价的三分之一。宜家中国地区负责人说：降价的目的是把目标市场锁定在家庭月收入3350元以上的消费者，而以前，宜家消费者的家庭月收入很少有比6000元低的。为了降低价格，宜家增加了本土采购量，由原来的5%增加到现在的70%，这样做可以大大降低成本。

宜家大幅降价的另一个目的是抑制仿冒品，因为当价格降低到一定程度时，仿冒者会因为利润太低不再制造仿冒品。宜家抑制仿冒品的另一个做法是提高更新换代率，使仿冒者赶不上宜家新品上市的速度。另外，宜家相信随着中国市场环境的成熟和消费者品牌意识的增强，仿冒品会越来越少。

为了适应中国的市场环境，宜家还改变了一些它在欧美市场的一贯做法。例如，它在中国建的第一家标准店选在了上海繁华的商业区内，而不是像在欧美市场那样在郊区建店，这是因为中国的消费者大多数没有车，公共交通必须方便。另外，由于大多数消费者需要送货，宜家增加了送货车辆，并降低了送货费用。

资料来源：
《经济日报》宜家“入乡随俗”拓市场　2003年9月8日
《北京现代商报》宜家家居2004新品降幅12%　2004年2月24日　文/李丹
《经济观察报》宜家中国悖论：奢侈的“低价品”　2003年5月6日　文/王锐
宜家——世界最大家居用品零售商如何在中国加速“平价革命”《环球企业家》　2004年2月　文/赵嘉

課　文

宜家的奢侈“低價品”

中國：一個潛在的市場

宜家是1998年進入中國的，與其他跨國公司比，算是一個遲到者。然而宜家並不這樣認爲。宜家相信是它把“家居”這個全新的概念帶到中國來的。之前，中國只有商品類別單一的家具店，而宜家家居店裏既有家具，也有日常生活用品。另外，中國城市居民的住房過去主要由政府分配，從1998年7月1日起才開始全面實施住房商品化。住房制度的改變，大大刺激了家居產品的消費，宜家此時進入，時機正好。的確，1999年宜家在北京開業時，其北歐風格的產品、商品交叉展示的方式和輕鬆自在的購物環境吸引了大批的消費者，使宜家品牌很快變得家喻户曉。

但是，宜家在中國的發展速度並不像人們期待得那麼快，到2004年，還只是在北京、上海開了兩家分店。宜家全球總裁安德斯·代爾維格(Anders Dahlvig)在上海接受記者採訪時説，“資本回報率低是宜家在中國發展速度慢的主要原因。”的確，宜家在中國遇到的市場環境與歐美不同。宜家面對這一市場在做到完全適應之前，中國只能像其總裁所言，是“一個潛在的市場”。

價格瓶頸

宜家在歐美的快速發展和在中國的低速前進都是因爲“價格”。在歐美國家，宜家通過大規模採購、建立自己的物流網絡、在商店採用自選方式減少服務人員、使用平板包裝節約運輸費用等辦法，使其價格降到比同類產品低。低價策略使宜家在歐美市場取得了絶對優勢。然而，宜家的價格優勢在中國並不能表現出來，相反，它成了一個相對高端的品牌，宜家店也成了中、高收入階層的專賣店。例如在别的中國家具店可以買一張小沙發的價格，在宜家只能買到一個小木凳子。這就造成了宜家的客流量很大，但銷售量並不大的情况。

由於價格過高，不少喜歡宜家設計的消費者便轉向倣冒品，這是宜家在中國面對的另一個挑戰。據報導，現在有不少家具廠在倣冒宜家家具的設計和樣式。在離北京宜家不遠的一個家具中心裏，就有不少與宜家家具設計相似，但價格低很多的商品出售。有一些消費者先到宜家選好樣式，再到那裏購買低價的倣冒品。

宜家策略

面對中國特殊的市場環境，宜家應該如何做呢？據最新報導，爲了從高端市場走出來，開拓大衆消費市場，宜家計劃以年均12%的幅度降低在中國市場的整體售價，其中家具的降幅最大。以某款沙發爲例，其售價1999年是2999元，2004年降到955元。另外，宜家還從2004年開始增加每周特價商品，價錢不到原價的三分之一。宜家中國地區負責人説：降價的目的是把目標市場鎖定在家庭月收入3350元以上的消費者，而以前，宜家消費者的家庭月收入很少有比6000元低的。爲了降低價格，宜家增加了本土採購量，由原來的5%增加到現在的70%，這樣做可以大大降低成本。

宜家大幅降價的另一個目的是抑制倣冒品，因爲當價格降低到一定程度時，倣冒者會因爲利潤太低不再制造倣冒品。宜家抑制倣冒品的另一個做法是提高更新換代率，使倣冒者趕不上宜家新品上市的速度。另外，宜家相信隨着中國市場環境的成熟和消費者品牌意識的增强，倣冒品會越來越少。

爲了適應中國的市場環境，宜家還改變了一些它在歐美市場的一貫做法。例如，它在中國建的第一家標準店選在了上海繁華的商業區内，而不是像在歐美市場那樣在郊區建店，這是因爲中國的消費者大多數没有車，公共交通必須方便。另外，由於大多數消費者需要送貨，宜家增加了送貨車輛，並降低了送貨費用。

資料來源：
《經濟日報》宜家“入鄉隨俗”拓市場　2003年9月8日
《北京現代商報》宜家家居2004新品降幅12%　2004年2月24日　文/李丹
《經濟觀察報》宜家中國悖論：奢侈的“低價品”　2003年5月6日　文/王鋭
宜家——世界最大家居用品零售商如何在中國加速“平價革命”《環球企業家》　2004年2月　文/趙嘉

生词表 Vocabulary

1. 奢侈	奢侈	shēchǐ	luxurious; extravagant
2. 潜在	潛在	qiánzài	potential; lurking; latent: 潜在市场 potential market; 潜在竞争 potential competition
3. 算(是)	算是	suànshì	be considered as
4. 迟到者	遲到者	chídàozhě	latecomer
5. 之前	之前	zhīqián	before; prior to; ago: 五年之前 five years ago; 开会之前 before the meeting
6. 家居	家居	jiājū	home furnishing
7. 全新	全新	quánxīn	completely new
8. 概念	概念	gàiniàn	concept
9. 类别	類別	lèibié	category; classification; genre: 属于不同的类别 belong to different categories
10. 单一	單一	dānyī	single; unitary
11. 日常生活	日常生活	rìcháng shēnghuó	daily life
12. 用品	用品	yòngpǐn	articles for use; appliance: 生活用品 articles for daily use; daily necessities
13. 分配	分配	fēnpèi	allocation; distribution; assignment
14. 全面	全面	quánmiàn	overall; comprehensive; all-round; entire

15. 商品化	商品化	shāngpǐnhuà	commercialize; commercialization
16. 实施	實施	shíshī	implement; put into effect; carry out: 实施计划 implement a plan
17. 制度	制度	zhìdù	system
18. 刺激	刺激	cìjī	stimulate
19. 时机	時機	shíjī	opportunity; an opportune moment; the right moment
20. 的确	的確	díquè	indeed
21. 其	其	qí	his; her; its; their
22. 北欧	北歐	Běi'ōu	North Europe
23. 交叉	交叉	jiāochā	cross
24. 展示	展示	zhǎnshì	display: 交叉展示 showroom display
25. 轻松自在	輕鬆自在	qīngsōng-zìzài	happy and unrestrained; comfortable; relaxed
26. 购物	購物	gōu wù	shopping:购物袋 shopping bag; 购物指南 shopping guide; 购物中心 shopping centre; supermarket
27. 家喻户晓	家喻户曉	jiāyù-hùxiǎo	make known to every family; be known to every household
28. 期待	期待	qīdài	anticipate; await; expect; wait in hope
29. 采访	採訪	cǎifǎng	interview: 接受采访 accept an interview
30. 资本	資本	zīběn	capital:固定资本 fixed capital; 生产资本 production capital; 资本价值 capital value

31. 回报率	回報率	huíbào lǜ	return rate; rate of return
32. 适应	適應	shìyìng	suit; adapt; get with it; fit: 适应新情况 adapt one's thinking to the new conditions
33. 像……所言	像……所言	xiàng...suǒ yán	just as said by...
34. 瓶颈	瓶頸	píngjǐng	bottle neck
35. 通过	通過	tōngguò	by means of; by way of; through
36. 规模	規模	guīmó	scale; scope大规模 on a large scale; 规模经济 economies of scale
37. 采购	採購	cǎigòu	make purchase for an organization or enterprise
38. 物流	物流	wùliú	material circulation
39. 网络	網絡	wǎngluò	network
40. 采用……方式	採用……方式	cǎiyòng...fāngshì	adopt the way of
41. 自选	自選	zìxuǎn	self-service; self serve
42. 平板	平板	píngbǎn	flat
43. 包装	包裝	bāozhuāng	package
44. 节约	節約	jiéyuē	economize; save: 节约钱 save money; 节约开支 cut down expenses

45. 运输	運輸	yùnshū	transportation
46. 费用	費用	fèiyòng	cost
47. 策略	策略	cèlüè	strategy; tactics; policy
48. 绝对	絶對	juéduì	absolute
49. 优势	優勢	yōushì	advantage: 绝对优势 absolute advantage; 相对优势 relative advantage
50. 端	端	duān	end: 高端产品 high-end product; 低端市场 low-end market
51. 品牌	品牌	pǐnpái	brand; brand name
52. 阶层	階層	jiēcéng	(social) stratum; rank; section: 各阶级各阶层的人 people of all ranks and classes
53. 专卖店	專賣店	zhuānmài diàn	specialty store
54. 木凳	木凳	mùdèng	wooden stool
55. 客流量	客流量	kèliúliàng	volume of customers
56. 销售量	銷售量	xiāoshòuliàng	volume of sales
57. 仿冒品	倣冒品	fǎngmào pǐn	imitation
58. 面对……	面對……	miànduì...	face; 面对……挑战 face the challenge of
59. 设计	設計	shèjì	design
60. 样式	樣式	yàngshì	style
61. 相似	相似	xiāngsì	resemble; look like
62. 特殊	特殊	tèshū	special

63. 开拓	開拓	kāituò	explore：开拓市场 explore the market
64. 大众	大衆	dàzhòng	the mass ; the people; the public; the mass: 大众市场 the mass market; 大众消费品 popular consumer goods
65. 年均	年均	niánjūn	annual average
66. 幅度	幅度	fúdù	range
67. 整体	整體	zhěngtǐ	entire; whole
68. 降幅	降幅	jiàngfú	extent of decrease; percentage of decrease
69. 某	某	mǒu	certain; some: 李某 a certain person called Li; 在某些条件下 on certain conditions; 在某地工作 work at some place
70. 以……为例	以……爲例	yǐ...wéi lì	take...as an example
71. 特价	特價	tèjià	special offer; bargain price
72. 原价	原價	yuánjià	original price; prime cost
73. 目标市场	目標市場	mùbiāo shìchǎng	target market
74. 锁定	鎖定	suǒdìng	lock to; limited to
75. 抑制	抑制	yìzhì	restrain; control; hold-up: 抑制感情 control one's emotion; 抑制通货膨胀 bring down the inflation

76. 更新换代	更新換代	gēngxīn-huàndài	upgrade and update
77. 成熟	成熟	chéngshú	ripe; mature
78. 增强	增強	zēngqiáng	strengthen
79. 一贯	一貫	yíguàn	consistent; persistent
80. 繁华	繁華	fánhuá	flourishing; prosperous; bustling; busy: 繁华的地区 the downtown area
81. 郊区	郊區	jiāoqū	suburbs; suburban district

综合练习 Exercises and Activities

一、对错选择 True or false based on the text

1.(　　)宜家1998年进入中国时，很多跨国公司已经在中国发展得比较成功了，但宜家认为他们来的时间并不晚。

2.(　　)宜家是中国第一家既卖家具又卖日常生活用品的商店，但它刚进入中国时，很多中国人不喜欢它的商品展示方式和购物环境。

3.(　　)中国城市的住房一直可以在市场上买卖，从1998年7月1日起改成由政府分配，因此住房实施商品化。

4.(　　)宜家进入中国不久就非常有名了，每天都有很多顾客，但它的发展速度不快，销售量也不大。

5.(　　)宜家在全球各个市场的发展速度都很快，因为它有价格优势。

6.(　　)中国的市场环境与欧美不同，因为中国人的收入比较低，宜家在中国成了一个高端品牌。

7.(　　)宜家上海店在繁华的商业区内，而欧美市场的宜家店都在郊区，这是因为上海人不喜欢郊区。

8.(　　)仿冒品对宜家是一个挑战，提高更新换代率可以抑制这种现象。

9.(　　)宜家2004年降价幅度很大，这是为了让更多的中国消费者买得起他们的商品。

10.(　　)宜家相信中国市场成熟以后，仿冒品就会减少，所以现在不用担心，也不需要做任何事。

二、看拼音写汉字 Write the Chinese characters based on the *pinyin* given

1. 1999年宜家在北京开业时，其__________(Běi'ōu fēnggé)的产品、商品交叉展示的__________(fāngshì)和轻松自在的__________(gòuwù)环境吸引了大批的__________(xiāofèizhě)，使宜家__________(pǐnpái)很快变得家喻户晓。

2. 宜家在中国遇到了完全不同的__________(shìchǎng huánjìng)，在中国的消费者眼中，宜家是一家中高收入__________(jiēcéng)的__________(zhuānmài diàn)。在对此做到完全__________(shìyìng)之前，中国对于宜家而言，是"一个__________(qiánzài)的市场。"

3. 在北京有不少家具厂__________(fǎngmào)宜家家具的__________(shèjì)和__________(yàngshì)，以低很多的价格__________(chūshòu)。__________(rúhé)抑制仿冒品是宜家在中国__________(miànduì)的另一个__________(tiǎozhàn)。

三、选词填空 Fill in the blanks

仿冒品	商业区	公共交通	更新换代	成熟	运输
物流	采购	包装	大幅	标准店	意识
随着	自选	同类	抑制		

1. 在欧美国家，宜家通过大规模__________、建立自己的__________网络、在商店采用__________方式减少服务人员、使用平板__________节约__________费用等办法，使其价格降到比__________产品低。

2. __________仿冒品的一种做法是降价，宜家2004年在中国__________降价的其中一个目的就是抑制__________。另一个做法是提高__________率。宜家相信__________中国市场环境的__________和消费者品牌__________的增强，仿冒品会越来越少。

3. 宜家在中国建的第一家__________在上海繁华的__________内，这是因为中国的消费者大多数没有车，__________必须方便。

四、解释下列词语　Explain the Following Phrases in Chinese

家喻户晓 ____

更新换代 ____

五、句型练习　Patterns and exercises

1. 接受……采访　accept the interview of ...

例句：宜家全球总裁在上海*接受*记者*采访*时说：资本回报率低是宜家在中国发展速度慢的主要原因。

用所给句型翻译下列句子(Translate the following sentences into Chinese using the pattern):

• After raising the price, the store manager refused to accept an interview with the press.

____。

• During his interview with a reporter, the president of the company said that the company will make efforts to design some products to cater to the Chinese consumers.

____

____。

2. 像……所言／说　as said by...

例句：*像*宜家总裁*所言*，资本回报率低是宜家在中国发展速度慢的主要原因。

用所给句型完成下列句子(Complete the following sentences using the pattern)

• ____，肯德基更加中国化了。

• 宜家虽然客流量很大，但销售量并不大，正像课文所言，宜家在中国遇到的市场环境与欧美不同。

3. 在……眼中／里　in the eyes of

例句：*在*中国消费者*眼中*，宜家变成了中高收入阶层的专卖店，宜家商品也成了中高档产品。

用所给句型完成下列句子(Complete the following sentences using the pattern):

•__________，中国的劳动力便宜，到中国建厂__________

__________。

•__________，星巴克是一个舒适的社交场所，人们既可以

__________，又可以__________。

4. **以……为例** take ... as an example

例句：宜家2004年开始降低在中国市场的整体售价，*以*某款沙发*为例*，其售价1999年是2999元，2004年降到955元。

用所给句型完成下列句子(Complete the following sentences using the pattern):

•肯德基近几年推出不少中式食品，以__________为例，吃起来__________。

•西式快餐业在中国发展迅速，__________

__________。

5. **……的目的是……** the purpose of ... is ...

例句：宜家降价*的目的是*扩大目标市场及抑制仿冒品。

用所给句型回答下列问题(Answer the following questions using the pattern):

•宜家为什么在中国增大了本土采购量，由原来的5%增加到现在的70%？

__________。

•星巴克的咖啡比别处贵，可是为什么北京、上海的很多年轻白领喜欢到那里去？

__________。

六、根据课文回答问题：

1. 宜家认为它给中国带来了什么市场新概念？
2. 宜家为什么认为它到中国的时机正好？
3. 宜家有什么特别的地方让它在北京很快变得家喻户晓？
4. 为什么宜家总裁认为中国是一个潜在的市场？
5. 宜家为什么在中国发展的速度不那么快？瓶颈是什么？

6. 宜家为什么在欧美市场发展速度那么快？
7. 为什么中国市场会出现很多仿冒品?怎么才能抑制仿冒品？
8. 宜家从2004年开始在中国实施的价格策略是什么？
9. 宜家采用了什么主要方式降低价格并抑制仿冒品的？
10. 宜家在中国还做了什么改变？为什么做这样的改变？
11. 你认为宜家在中国会成功吗？你根据什么这样认为？

七、补充阅读　Supplementary Readings

(1) 宜家方式与中国习惯

宜家独特的经营方式与中国消费者的购物习惯之间有很大的差异。宜家刚到中国时，售货员常听到人们抱怨：为什么送货要收费？为什么让我们自己组装家具？为什么桌子面和桌子腿要分着卖？在宜家商店里，售货员最常听到的问题是："这个东西多少钱？"对此，宜家对消费者提出了明确的要求。在商场的入口处写着："我们有点儿特别，请您花点时间了解如何在宜家购物。"在中国，人们习惯了购买家具时免费送货，难以接受自己运货或花钱运货回家的做法。对此，宜家北京店在电梯出口处写着："我们做一些，你来做一些，宜家为你省一些。"

但在措施上，宜家还是考虑到中国消费者的消费习惯做出了一些的调整。比如说降低了送货费用；考虑到很多消费者离商店较远，宜家在中国市场的退货时间从14天延长到60天。另外，餐厅部的菜单中也增添了中国式的米饭和菜。"入乡随俗"还是必须的。

节选并改写自《环球企业家》2004年2月刊宜家——世界最大家居用品零售商如何在中国加速"平价革命"文/赵嘉

生词：

差异：difference; discrepancy
抱怨：complaint
组装：assemble
入口处：entrance
调整：adjustment
退货：return of goods
延长：extend; prolong
入乡随俗：do as Romans do

1) 根据主课文和补充阅读填写下面表格。
Fill in the following chart independently or with a partner.
2) 根据填好的表格写一篇有关宜家在中国策略转变的短文。
Write a short essay about Ikea in China based on the chart you have completed.

宜家在中国

	宜家全球策略	中国消费者的态度	宜家在中国的策略
价格			
产品出售方式			
送货方式			
商店选址			
退货日期			
其他			

(2) 宜家亚洲第一大店在上海开业

著名的国际家居业零售巨头宜家2003年在上海开业，这是宜家在亚洲的第一大店，全球的第三大店。上海宜家紧邻八万人的体育馆，面积33,000平方米，是亚洲第一，也是亚洲第一家标准的宜家商场。商场分为两层，底层是自选区和家居用品区，二层有56个样板间、家居区和一个可容纳500人的餐厅。商场的产品种类将超过7000种，并提供800个免费停车位以及170平方米的儿童游乐区。

宜家中国地区总经理介绍说：上海是亚洲最大的城市，这决定了我们用400-500万美元在这里建造亚洲最大规模的店。到2010年，我想会在中国的北部和东部城市至少建12家店。据了解，宜家已在全世界31个国家和地区拥有175家商场。宜家将加快它在中国大陆投资的步伐，预计到2010年，宜家将在中国大陆地区开设10家新店。

改自莲花卫视新闻报道2003年5月15日

生词：

巨头：giant	紧邻：next to
面积：area	容纳：accommodate
游乐：entertainment	投资：investment
步伐：pace	预计：estimate

问题：

1. 同其他亚洲宜家商场比，上海宜家有什么特点？
2. 宜家为什么在上海开设亚洲的第一大店？
3. 你认为宜家在中国的发展前景怎么样？很慢但是是一个潜在的市场.

八、课堂活动　Classroom activity

角色剧 Role Play：逛家居商场

1. 仔细研读下面的商店导购图，如有生词请查字典并练习发音。
   Study the following maps carefully. Look up all the new words in the dictionary. Practice until you can pronounce each word correctly.
2. 两人一组。分别列出你打算在家居商场要做的五件事，如购物、用餐、退换货物等。做对话练习：问你的同伴到哪里做这些事，同伴用地图向你解释。然后交换角色。
   Work in pairs. List 5 things you plan to do (e.g. shopping, eating, and exchanging goods) in Ikea Shanghai. Your partner will explain to you where to do these things in the store. Then exchange roles.
3. 用中文画一张一家商店的导购图，请用上进口、出口、顾客退换处、收银处、卫生间等词汇。
   Draw in Chinese a simple map for a store layout. Please use the words: entrance, exit, customer service, checkout, restroom, etc. in your map.

商场一楼导购

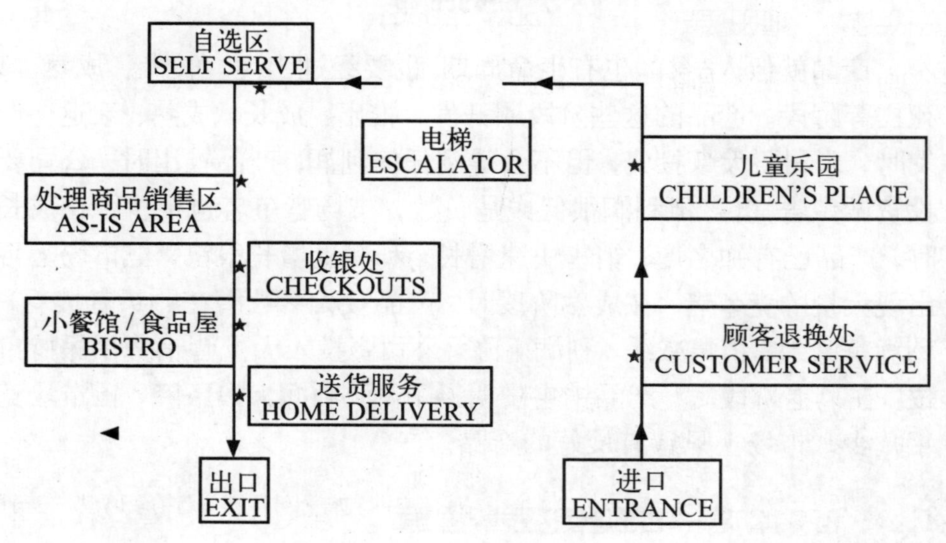

商场二楼导购

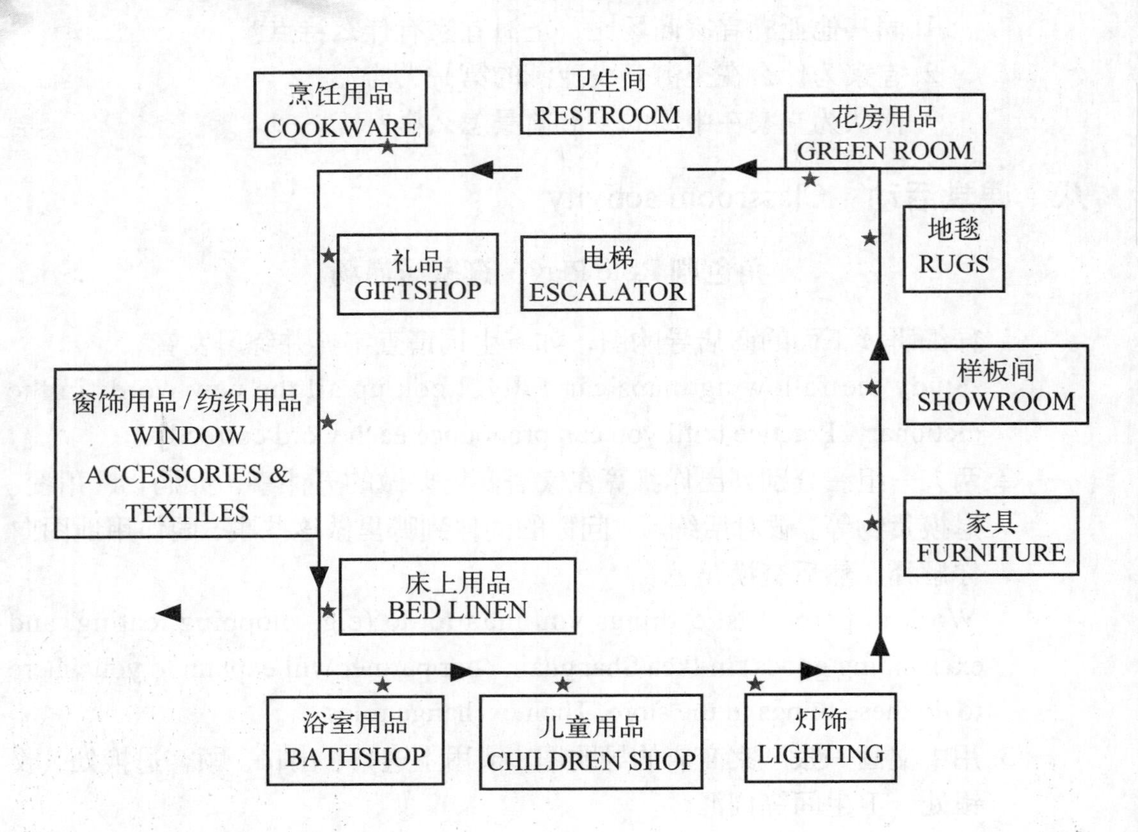

小知识 Business Knowledge

产品的生命

产品就像人一样，也有生命周期，也要经过出生、长大、成熟、衰老、死亡等阶段。产品的这些阶段叫开发、推出、成长、成熟、衰退。产品开发时，公司要大量投资，但不会得到任何利润；产品推出时，公司要大量投资做广告宣传，但利润很低或是负数，市场竞争者也很少；在成长阶段时，产品已有知名度，销售快速增长，利润也增长很快，但市场上可能会出现大量的竞争者；在成熟阶段时，产品被大多数潜在购买者接受，但市场竞争激烈，销售减缓，利润下降，公司要投入大量营销费用保持市场地位；在衰退阶段时，产品销售量明显下降，利润大幅下降，但市场竞争对手减少，市场上只留有最好的产品。

改写自菲利普 · 科特勒《营销学原理》第五版 p358

第4单元

沃尔玛连锁公司
WAL-MART STORES Inc.

WAL★MART®

北京的山姆会员店
Sam's Club in Beijing

课前热身 Warm-Up

沃尔玛点滴 A Few Words about Wal-Mart

沃尔玛公司于1962年成立，现在是美国最大的私人雇主和世界最大的连锁零售商。沃尔玛1991年开始进入海外市场，到2004年底在全球十个国家开设了5000余家商场，员工总数150多万，每周顾客人数近1.4亿。沃尔玛1996年进入中国，到2004年底已在20个城市开设了40家商店，其中包括3家山姆会员店。

走近沃尔玛 A Closer Look Wal-Mart

中国沃尔玛

全球沃尔玛

交流分享 Share with Others

1. 你常去沃尔玛商店吗？沃尔玛商店都是什么人常去？为什么？
2. 你或你的家人或朋友是沃尔玛山姆会员商店或者其他会员商店的会员吗？
3. 在欧美国家都是什么样的消费者会加入会员制商店？
4. 人们为什么要加入会员制商店？会员制商店跟普通超市比有什么优势？
5. 你认为在北京或上海这样的中国大城市里会有很多人愿意加入会员制商店吗？
6. 你认为中国大城市里都是什么样的消费者会成为会员制商店的会员？和欧美有什么不同？
7. 你认为会员制商店目前在中国会成功吗？如果不会，为什么？将来会不会？

课　文

北京的山姆会员店

（一）

北京是中国市场潜力最大、但竞争也最激烈的市场。2003年7月，北京沃尔玛山姆会员店开业了，由此开始了这个全球最大的零售商沃尔玛公司在中国市场的新一轮扩张计划。

这家仓储式会员店是沃尔玛在北京开的第一家店，也是它在中国开的第28家连锁店、第5家山姆会员店(到2004年底减为3家)。这家店位于北京西郊，离市中心约有40分钟的车程。它占地18,000平方米，有一个两层楼的商场和1300个车位的停车场。走进这家店，熟悉山姆会员店的人会发现，它的内部设计与美国山姆会员店不太一样。比如，店里有一个大型的生鲜食品区，里面有养在水箱里的活鱼，还有现场制作的比萨饼和各种主、副食品。一楼有很大一部分是电子产品销售区，出售平面电视、个人电脑以及各种新奇的高科技产品，这些对北京的有钱人应该会有吸引力。而在美国的店里，电子产品可能只占一、两个货架。另外北京山姆会员店里还有不少中国厂家专为中国消费者开发、定做的商品。显然，北京店的这样安排是迎合中国人的消费习惯，也是在经营上本土化的结果。

（二）

但是，很多人并不看好这家店。根据规定，在这家店购货的消费者必须持有年费150元人民币(相当于18美元)的会员证，也就是说，会员在这里一年至少要消费1500元至3000元才能收回成本，这个价格对中国的普通消费者来说太高了。但北京山姆店的目标市场与美国不同，它主要面向富裕阶层，即高学历、高收入的消费者，这些人当中有很多人有私家车和私人住房。

其实，对于会员制商店，北京的消费者并不陌生。早已进入北京的普尔斯马特(Price-Mart)、万客隆(Makro - Cash & Carry)等都属于这一类商店。然而事实证明，会员制商店在北京的发展并不乐观，普尔斯马特前不久刚刚把自己的会员制商店转为普通超市，而万客隆只需花两块钱就可以办一张会员证，会员制已经名存实亡。清华大学的一位教授指出，会员制目前在北京发展的条件并不成熟。在西方发达国家，会员制是人均国民生产总值达到1万美元后产生的，商店是面向那些平时工作繁忙、一次采购就买一大批的开车人士的。北京目前的人均国民生产总值才3000多美元，另外，虽然很多市民家庭买了小汽车，但离每家都有一辆车还差很远。因此会员制在北京要获得成功，还需要一定的时间。

(三)

对于这些担心，沃尔玛似乎并不在意。深圳山姆会员店的杜总经理认为，沃尔玛的会员制商店会有很好的前景，山姆店在深圳开业的时候也有很多人不理解，但曾在深圳店创下了全球山姆会员店单日销售额的最高纪录。沃尔玛北京分公司负责商品销售和市场营销的副总裁汤姆·麦克劳夫林(Tom McLaughlin)说，消费者都希望省钱，并且喜欢有点与众不同，这一点正是会员制成功的基础。

但无论如何，北京山姆会员店的开业，标志着沃尔玛在华发展速度的加快。的确，中国目前零售市场竞争非常激烈，全国已有数百家大型超市，大都在以相差无几的价格出售千篇一律的商品。对于全球零售王国沃尔玛来说，法国的家乐福(Carrefour SA)是它在中国的最大竞争对手。后者无论在开店数量上还是在营业数额上都超过了沃尔玛。而沃尔玛的“天天平价”在家乐福的“超低价”面前也显示不出优势。据《华尔街日报》分析，沃尔玛严谨的公司文化可能是制约它迅速发展的因素。比如沃尔玛不允许采购人员与供应商一起吃饭，这是公司在全球实行的保持健康业务关系、控制经营成本的制度之一，而在中国做生意请客吃饭却是必不可少的。

资料来源：

华尔街日报中文网络版：沃尔玛挺进中国首都山姆会员店北京开张　2003年7月11日

北京晨报 沃尔玛山姆会员店将开业 不禁要问其前途何在？　2002年12月23日　文/马小森

北京青年报：沃尔玛今开北京第一家店 首批会员已前来购物　2003年7月11日　文/朱鹰 蔺丽爽

《财经》杂志 沃尔玛发力收购战与家乐福贴身肉搏　2004年8月25日　文/李纬娜

沃尔玛中国网站

課　文

北京的山姆會員店

(一)

北京是中國市場潛力最大、但競爭也最激烈的市場。2003年7月，北京沃爾瑪山姆會員店開業了，由此開始了這個全球最大的零售商沃爾瑪公司在中國市場的新一輪擴張計劃。

這家倉儲式會員店是沃爾瑪在北京開的第一家店，也是它在中國開的第28家連鎖店、第5家山姆會員店(到2004年底減爲3家)。這家店位於北京西郊，離市中心約有40分鐘的車程。它占地18,000平方米，有一個兩層樓的商場和1300個車位的停車場。走進這家店，熟悉山姆會員店的人會發現，它的内部設計與美國山姆會員店不太一樣。比如，店裏有一個大型的生鮮食品區，裏面有養在水箱裏的活魚，還有現場製作的比薩餅和各種主、副食品。一樓有很大一部分是電子産品銷售區，出售平面電視、個人電腦以及各種新奇的高科技産品，這些對北京的有錢人應該會有吸引力。而在美國的店裏，電子産品可能只佔一兩個貨架。另外北京山姆會員店裏還有不少中國廠家專爲中國消費者開發、定做的商品。顯然，北京店的這樣安排是迎合中國人的消費習慣，也是在經營上本土化的結果。

(二)

但是，很多人並不看好這家店。根據規定，在這家店購貨的消費者必須持有年費150元人民幣(相當于18美元)的會員證，也就是説，會員在這裏一年至少要消費1500元至3000元才能收回成本，這個價格對中國的普通消費者來説太高了。但北京山姆店的目標市場與美國不同，它主要面向富裕階層，即高學歷、高收入的消費者，這些人當中有很多人有私家車和私人住房。

其實，對於會員制商店，北京的消費者並不陌生。早已進入北京的普爾斯馬特(Price-Mart)、萬客隆(Makro - Cash & Carry)等都屬於這一類商店。然而事實證明，會員制商店在北京的發展並不樂觀，普爾斯馬特前不久剛剛把自己的會員制商店轉爲普通超市，而萬客隆只需花兩塊錢就可以辦一張會員證，會員制已經名存實亡。清華大學的一位教授指出，會員制目前在北京發展的條件并不成熟。在西方發達國家，會員制是人均國民生産總值達到1萬美元後産生的，商店是面向那些平時工作繁忙、一次採購就買一大批的開車人士的。北京目前的人均國民生産總值才3000多美元，另外，雖然很多市民家庭買了小汽車，但離每家都有一輛車還差很遠。因此會員制在北京要獲得成功，還需要一定的時間。

(三)

對於這些擔心，沃爾瑪似乎並不在意。深圳山姆會員店的杜總經理認爲，沃爾瑪的會員制商店會有很好的前景，山姆店在深圳開業的時候也有很多人不理解，但曾在深圳店創下了全球山姆會員店單日銷售額的最高紀録。沃爾瑪北京分公司負責商品銷售和市場營銷的副總裁湯姆·麥克勞夫林(Tom McLaughlin)説，消費者都希望省錢，並且喜歡有點與衆不同，這一點正是會員制成功的基礎。

但無論如何，北京山姆會員店的開業，標志著沃爾瑪在華發展速度的加快。的確，中國目前零售市場競爭非常激烈，全國已有數百家大型超市，大都在以相差無幾的價格出售千篇一律的商品。對於全球零售王國沃爾瑪來説，法國的家樂福(Carrefour SA)是它在中國的最大競争對手。後者無論在開店數量上還是在營業數額上都超過了沃爾瑪。而沃爾瑪的“天天平價”在家樂福的“超低價”面前也顯示不出優勢。據《華爾街日報》分析，沃爾瑪嚴謹的公司文化可能是制約它迅速發展的因素。比如沃爾瑪不允許採購人員與供應商一起吃飯，這是公司在全球實行的保持健康業務關係、控制經營成本的制度之一，而在中國做生意請客吃飯却是必不可少的。

資料來源：

華爾街日報中文網絡版：沃爾瑪挺進中國首都山姆會員店北京開張 2003年7月11日

北京晨報 沃爾瑪山姆會員店將開業 不禁要問其前途何在？ 2002年12月23日 文/馬小森

北京青年報：沃爾瑪今開北京第一家店 首批會員已前來購物 2003年7月11日 文/朱鷹 藺麗爽

《財經》雜志 沃爾瑪發力收購戰與家樂福貼身肉搏 2004年8月25日 文/李緯娜

沃爾瑪中國網站

生词表 Vocabulary

1. 会员店	會員店	huìyuán diàn	membership store
2. 潜力	潛力	quánlì	potential; potentiality
3. 由此	由此	yóucǐ	from this; thereout
4. 零售商	零售商	língshòushāng	retailer
5. 轮	輪	lún	round (mw): 一轮比赛 one round of competition; 另一轮的外交谈判 another round of diplomatic talks
6. 扩张	擴張	kuòzhāng	expansion: 市场扩张 market expansion
7. 仓储式	倉儲式	cāngchǔshì	warehouse style
8. 位于	位於	wèiyú	be located; be situated
9. 西郊	西郊	xījiāo	western suburb
10. 车程	車程	chēchéng	driving distance
11. 占地	佔地	zhàndì	occupy the land of
12. 车位	車位	chēwèi	parking spot
13. 停车场	停車場	tíngchēchǎng	parking lot
14. 大型	大型	dàxíng	large scale; large size: 大型企业 large enterprise
15. 生鲜	生鮮	shēngxiān	live and fresh
16. 养	養	yǎng	raise

17. 水箱	水箱	shuǐxiāng	water tank
18. 现场	現場	xiànchǎng	on the spot: 现场服务 field service; 现场交货 delivery on spot
19. 比萨饼	比薩餅	bǐsàbǐng	pizza
20. 主、副食品	主、副食品	zhǔ、fùshípǐn	main and side dishes
21. 电子产品	電子產品	diànzǐ chǎnpǐn	electronic product
22. 平面电视	平面電視	píngmiàn diànshì	flat panel TV
23. 新奇	新奇	xīnqí	new; novel
24. 有吸引力	有吸引力	yǒu xīyǐnlì	attractive
25. 货架	貨架	huòjià	shelf
26. 厂家	廠家	chǎngjiā	manufacturer
27. 开发	開發	kāifā	develop: 开发新产品 develop new products; development: 开发中心 development centre
28. 定做	定做	dìngzuò	customer order; special order
29. 显然	顯然	xiǎnrán	obvious; evident;
30. 迎合	迎合	yínghé	cater to: 迎合顾客的需要 cater to the needs of customers
31. 看好	看好	kànhǎo	optimistic about; look to further increase
32. 持有	持有	chíyǒu	hold; possess

33. 年费	年費	niánfèi	annual fee
34. 会员证	會員證	huìyuánzhèng	membership card
35. 收回	收回	shōuhuí	regain；take back; call in
36. 成本	成本	chéngběn	prime cost; cost: 生产成本 production cost; 经营成本 operating cost
37. 面向	面向	miànxiàng	be geared to the needs of; cater to: 面向广大读者 be geared to the needs of reading public
38. 富裕	富裕	fùyù	rich; wealthy; prosperous: 富裕阶层 rich people; rich class 富裕地区 better off area
39. 学历	學歷	xuélì	educational background: 高学历 well-educated
40. 私家车	私家車	sījiāchē	private car
41. 私人住房	私人住房	sīrén zhùfáng	own house
42. 陌生	陌生	mòshēng	strange; unfamiliar
43. 乐观	樂觀	lèguān	optimistic; hopeful; sanguine
44. 超市	超市	chāoshì	supermarket
45. 名存实亡	名存實亡	míng cún shí wáng	ease to exist except in name; be only an empty title; exist in name only

46. 人均	人均	rénjūn	per capita
47. 国民生产总值	國民生產總值	guómín shēngchǎn zǒngzhí	gross national product(GNP)
48. 在意	在意	zàiyì	care about; mind; take to heart: 他说的那些话你别在意。Never mind what he said.
49. 前景	前景	qiánjǐng	prospect:美好的前景 good prospects; a bright future;
50. 创下……纪录	創下……紀錄	chuàngxià...jìlù	set a record; set the highest record
51. 单日	單日	dānrì	single day
52. 营销	營銷	yíngxiāo	marketing
53. 省钱	省錢	shěngqián	save money; be economical
54. 与众不同	與衆不同	yǔ zhòng bù tóng	out of the ordinary; different from the rest; distinctive
55. 无论如何	無論如何	wúlùn rúhé	in any case; anyhow; at all events; at any rate; by all possible means
56. 标志	標誌	biāozhì	indicate; symbolize;
57. 以	以	yǐ	use; take

58. 相差无几	相差無幾	xiāng chā wūjǐ	not much difference between /among; very nearly the same; little difference
59. 千篇一律	千篇一律	qiān piān yílǜ (↳ negative; keep doing the same thing; nothing different)	same; follow the same pattern
60. 对于……来说	對於……來説	duìyú...láishuō	for; to; with regard to
61. 对手	對手	duìshǒu	competitor; opponent; rival
62. 后者	後者	hòuzhě	the latter
63. 在……上	在……上	zài...shàng	in the respect of; in terms of
64. 超过	超過	chāoguò	exceed; outnumber
65. 平价	平價	píngjià	fair price; parity price
66. 在……面前	在……面前	zài...miànqián	in (the) face of; in front of; before
67. 优势	優勢	yōushì	advantage
68. 华尔街日报	華爾街日報	Huá'ěrjiē Rìbào	the Wall Street Journal
69. 严谨	嚴謹	yánjǐn	strict; rigorous
70. 制约	制約	zhìyuē	restrict; constraint; restrain
71. 因素	因素	yīnsù	factor: 决定因素 decisive factor; 积极因素 positive

			factor; 关键因素 the key factor
72. 供应商	供應商	gōngyìngshāng	supplier
73. 控制	控制	kòngzhì	control; regulate
74. 经营成本	經營成本	jīngyíng chéngběn	operation cost
75. 制度	制度	zhìdù	rules and regulations
76. 必不可少	必不可少	bì bù kě shǎo	indispensable; absolutely necessary; essential

words to describe a place

面积

位于 + pw

车程

位置(n)

种类

建筑

销售区

楼层

综合练习　Exercises and Activities

一、对错选择　True or false based on the text

1. (　　)沃尔玛在中国的第一家店是在北京开的，因为北京是中国市场潜力最大、但竞争也最激烈的市场。

2. (　　)北京沃尔玛山姆会员店的开业标志着沃尔玛在中国的发展速度加快。

3. (　　)北京沃尔玛山姆会员店的目标市场跟美国山姆会员店差不多，都是收入中等的消费者。

4. (　　)到北京沃尔玛山姆会员店买东西必须是会员,年费要150元人民币，这对普通消费者来说并不是太高。

5. (　　)北京沃尔玛山姆会员店从内部设计到销售的商品和美国都有些不一样，这是为了迎合中国人的消费需要。

6. (　　)会员制商店在北京发展得不错，尽管有的店已经改成普通超级市场。

7. (　　)深圳山姆会员店的总经理说，深圳山姆会员店现在发展得很好，因此北京店也应该不错。

8. (　　)沃尔玛是全球最大的零售商，在中国也是零售业的老大。

9. (　　)有的专家认为，中国的人均国民生产总值不高，不适合开设会员制商店。

10. (　　)沃尔玛采购人员在中国经常与供应商一起吃饭，因为在中国做生意请客吃饭是必不可少的。

二、看英文写汉字 Write the Chinese characters based on the *pinyin* given

1. 这家 __________(occupy the land of)18,000 平方米的山姆 __________(membership store)位于北京西郊，离市中心约有 40 分钟的 __________(driving distance)。它有一个两层楼的商场和一个有 1,300 个车位的停车场，店里有一个 __________(large sized)的生鲜食品区，里面有养在水箱里的活鱼，还有 __________(on the spot)制作的比萨饼和各种主、副食品。一楼店面的很大一部分是 __________(electronic products)销售区，销售的商品有平面电视、个人电脑以及各种 __________(high-tech)的新奇产品。

2. 根据 __________(regulations)，在这家 __________(warehouse style)会员商店购物, 购物者必须持有__________(annual fee)相当于18美元的会员证，这么高的价格对中国人来说还不太常见。一位专家指出,会员制目前在北京发展的条件并不 __________(ripe)。在西方发达国家，会员制是__________(per capita)国民生产总值__________(reach the number of) 1万美元后产生的，而北京目前的人均__________(GNP)才3000多美元。

三、选词填空 Fill in the blanks

营销　　与众不同　　必不可少　　营业额
业务　　供应商　　相差无几　　千篇一律
超市　　零售商　　会员制　零售市场

1. 沃尔玛北京分公司负责商品销售和市场 __________ 的副总裁说，消费者都希望省钱，并且喜欢有点 __________，这一点正是 __________ 商店成功的基础。

2. 中国目前 __________ 竞争非常激烈，数百家大型 __________ 都在以 __________ 的价格出售 __________ 的商品。沃尔玛是全球最大的 __________，但它的开店数量以及 __________ 都不如法国的家乐福 (Carrefour SA)。

3. 沃尔玛不允许采购人员与 __________ 一起吃饭，这是该公司在全球实行的保持健康＿＿＿＿＿关系、控制经营成本的制度之一，而在中国做生意请客吃饭却是＿＿＿＿＿的。

四、解释下列词语 Explain the following phrases in Chinese

名存实亡 ＿＿＿＿＿＿＿＿＿＿＿＿＿＿＿＿＿＿

与众不同 ＿＿＿＿＿＿＿＿＿＿＿＿＿＿＿＿＿＿

相差无几 ＿＿＿＿＿＿＿＿＿＿＿＿＿＿＿＿＿＿

千篇一律 ＿＿＿＿＿＿＿＿＿＿＿＿＿＿＿＿＿＿

必不可少 ＿＿＿＿＿＿＿＿＿＿＿＿＿＿＿＿＿＿

五、句型练习 Patterns and exercises

1. **是……的结果** be the result/outcome/fruit of ...

例句：北京山姆会员店内展示货物的方式是迎合中国人的消费习惯、经营本土化*的结果*。

用所给句型重写下列句子（Rewrite the following sentences using the pattern）：

- 经过大量的市场调查，公司决定减少小尺寸电视的生产量，增加大型电视的生产量。

＿＿＿＿＿＿＿＿＿＿＿＿＿＿＿＿＿＿＿＿＿＿＿＿＿＿。

- 中国的改革开放吸引了很多国外企业到中国投资、建厂。

＿＿＿＿＿＿＿＿＿＿＿＿＿＿＿＿＿＿＿＿＿＿＿＿＿＿。

2. **看好 ……** be optimistic about ...

例句：很多人并不*看好*北京山姆会员店，因为会员制商店在北京的发展并不乐观。

用所给句型重写下列句子（Rewrite the following sentences using the pattern）：

- 宜家总裁认为宜家在欧美市场有更大的市场潜力。

＿＿＿＿＿＿＿＿＿＿＿＿＿＿＿＿＿＿＿＿＿＿＿＿＿＿。

•星巴克对其在海外市场的发展非常有信心，目前已开设了两千余家分店。

____。

3. **面向……** be geared to the needs of ...; cater to...

例句：北京山姆店的市场定位与美国不同，它主要是*面向*高学历、高收入的开车人士的。

用所给句型重写下列句子（Rewrite the following sentences using the pattern）：

•宜家的产品便宜，它在欧美国家的市场定位是住在公寓的年轻人和收入不太高的消费者。

____。

•中国的一些电脑公司开发了一批专门为中国消费者使用的中文软件。

____。

4. **创（下）……纪录** set a record in...; establish a new record in ...;

例句：深圳山姆会员店曾*创下*了全球山姆会员店单日销售额的最高*纪录*。

用所给句型重写下列句子（Rewrite the following sentences using the pattern）：

•今年圣诞节期间，这个商店的销售量比过去哪一年都高。

____。

2004年该厂的彩电生产量超过了历史上最高纪录。

____。

5. **是……的基础** be the basis of ...

例句：沃尔玛北京分公司的副总裁说，消费者都希望省钱，并且喜欢有点与众不同，这一点正*是*会员制成功的*基础*。

用所给句型翻译下列句子（Translate the following sentences using the pattern）：

•Mutual understanding is the basis of cooperation between the two parties.

____。

•This is the basis on which our bilateral relations can develop.

____。

六、根据课文回答问题:

1. 沃尔玛连锁公司在北京开张的第一家商店对它在中国的发展有什么意义?
2. 北京山姆会员店的目标顾客群是什么? 和美国有什么不同?
3. 北京山姆会员店的商品展示和出售的商品和美国有什么不同? 为什么会有这样的不同?
4. 北京其他会员制商店发展得好不好? 专家对北京发展会员制商店有什么看法?
5. 沃尔玛公司的人同意专家的看法吗? 你呢? 请解释你的看法。
6. 沃尔玛在中国最大的竞争对手是哪一家? 为什么?
7. 沃尔玛在中国有什么优势和劣势? 它的发展前景怎么样?

七、补充阅读　Supplementary readings:

沃尔玛的故事

(1)《财富》500强第一

2002年《财富》杂志评选出的美国企业500强，大型零售商沃尔玛以2198.1亿美元的营业总额成为了美国甚至世界企业的第一名。这是美国历史上服务业公司第一次成为《财富》500强的第一名。1959年，《财富》杂志开始为巨型企业排名次时，沃尔玛还根本不存在。1979年，沃尔玛全年销售额才首次达到10亿美元，可是到了1993年，沃尔玛一周的销售额就达到了10亿美元，到了2001年一天的销售额就可达到10亿美元。沃尔玛并不经营利润高的汽车、石油，而是靠出售廉价的零售百货。一位记者写道:"一个卖廉价衬衫和鱼杆的摊贩怎么会成为美国最有实力的公司呢?"

改自中国沃尔玛中国网站

生词:

排名次: ranking
廉价: low price
渔杆: fishing pole
摊贩: peddler
实力: actual strength

(2) 顾客第一

沃尔玛的创始人山姆·沃尔顿曾经说过:"我们的老板只有一个，那就是我们的顾客。是他付给我们每月的薪水，只有他有权解雇上自董事长的每一个人。道理很简单，只要他改变一下购物习惯，到别家商店买东西就是了。”沃尔玛的商场总是这样写着：“第一条：顾客永远是对的；第二条：如有疑问，请参照第一条。”沃尔顿要求职员：“当顾客走到距离你10英尺的范围内时，你要温和地(gently)看着顾客的眼睛，向他打招呼并询问是否需要帮助。”这就是有名的“十英尺态度”。对于职工的微笑，沃尔顿还有个量化的标准：“请对顾客露出你的八颗牙。”

改自沃尔玛中国网站

生词：

创始人: founder
薪水: salary
解雇: fire
疑问: doubt
参照: refer to
温和地: gently
量化: quantization

(3) 天天平价

沃尔玛非常重视价格的竞争，长期实行薄利多销的经营原则。创始人沃尔顿的名言是：“一件商品，成本8角，如果标价1元，商品销售数量就是标价1.2元的3倍。我在一件商品上赚得不多，但卖多了，我就有利可图了。”所以，沃尔玛提出了一个响亮的口号：“销售的商品总是最低的价格。”不管你走进哪里的沃尔玛，“天天平价”都是最醒目的标志。

改自沃尔玛中国网站

生词：

薄利多销：small profit but quick turnover
标价：marked price
有利可图: may obtain some profit
醒目: eye-catching
标志: sign
温和地: gently

对错选择 True or false based on the above readings

1.(　　)沃尔玛2002年第一次被《财富》评为500强第一名。
2.(　　)沃尔玛1979年一天的销售额等于2001年一年的销售额。
3.(　　)沃尔玛销售的商品价格总是尽可能最低。
4.(　　)沃尔玛的创始人山姆·沃尔顿要求职工对顾客微笑时要露出八颗牙。

5.(　　)沃尔玛的创始人山姆·沃尔顿认为，顾客才是沃尔玛公司的老板，而不是他本人。
6.(　　)沃尔玛卖出的每件商品利润都不高，但卖多了，利润就不少了。
7.(　　)在全球每个沃尔玛商店都能看见"天天平价"的口号。
8.(　　)"第一条：顾客永远是对的，第二条：如有疑问，请参照第一条。"这句话的意思是顾客有时对有时错。

八、写作 Essay

模仿主课文第二段的句式描述一家你熟悉的超级市场，包括这家市场的地理位置、建筑、停车场、店面布置等。(可用词汇：位于、车程、占地、停车场、店面、销售区、货架……)

Imitate the sentences in the second paragraph to describe a supermarket that you are familiar with. Please include its location, building, parking lot, inside layout etc. (Words you can use: 位于、车程、占地、停车场、店面、销售区、货架……)

九、课堂活动　Classroom activity

对话：山姆会员店在北京和在美国

两人一组。根据课文介绍的情况，和你的同伴讨论分析山姆会员店在北京和在美国的相同处和不同处。最后写下你对山姆会员店在北京成功的可能性的预测。讨论时可用以下表达方式，以示礼貌及专业态度：

Discuss the following chart based on the information you have obtained from the text with your partner and then fill out the following chart to compare and contrast Sam's clubs in Beijing and America. Write a paragraph about your predictions about Beijing Sam's Club's future. Please use the following expressions in your discussion:

A. 开始讨论 Start the discussion：对于这一点，我先来谈谈我的看法。// 对于……你有什么见解？
B. 打断对方 Interrupt your partner：对不起，我有一个问题。// 对不起，我打断你一下。
C. 弄清对方想法 Seek clarification/confirmation：这一点我不太清楚，能再解释一下吗？// 你的意思是不是……
D. 表示同意或不同意 Agree/disagree：我同意，但有一点补充。// 你说的有道理，但我认为/觉得……

山姆会员店在北京和在美国

	北京沃尔玛山姆会员店	美国的山姆会员店
目标市场		
人均国民生产总值		
汽车普及度 （popularity）		
市场竞争程度		
会员费高低		
商品价格高低		
住房情况 你的结论：山姆会员店在北京成功的可能性	根据以上分析，我认为……	

小知识 Business Knowledge

什么是外包（outsourcing）？

外包是指公司把部分服务或生产工作交给另一方去完成，这“另一方”可以是另一家公司，也可以是在公司内部。随着全球化的发展，许多公司把外包的目光投向海外，于是就出现了离岸外包(offshore outsourcing)。离岸外包是公司将某个业务流程(business process)全部外包给海外的某个服务提供商或者公司在海外的子公司。例如，把客户服务外包给另外一家企业，即让那家公司接听本公司客户的电话，接收顾客电邮、传真、信函等。外包的意义是购买具有比较优势地方所提供的服务，以此降低企业的成本，并最终使消费者受益。另外，外包还可以发挥规模经济的效益、使那些具备高素质劳动力而且劳动力成本低的国家发挥自己的优势。

改写自中华人民共和国商务部网

宝洁的品牌策略

P&G's Brand Strategy

课前热身 Warm-Up

宝洁点滴 A Few Words about P & G

宝洁公司于1837年成立，是世界最大的日用消费品公司之一，在2003年《财富》500强中排名第86位，全球雇员近10万人，在80多个国家设有工厂及分公司，经营300多个品牌，产品在160多个国家和地区销售；宝洁1988年进入中国市场，在中国建有十几家合资、独资企业，其中众多品牌已家喻户晓。

走近宝洁 A Closer Look at P & G

顾客在挑选宝洁产品

广州宝洁厂

宝洁生产线

交流分享 Share with Others

1. 你知道哪些产品、哪些品牌是宝洁公司的吗？
2. 你在买这些商品时，是因为它们自身的质量、功能、价格、品牌知名度还是因为它们是宝洁生产的？
3. 你能总结一下宝洁实施的这种品牌经营方式吗？
4. 还有没有其他的品牌经营方式呢？如果有，是什么？
5. 你知道宝洁在中国都有什么品牌吗？能不能说出它们的中文名称？
6. 宝洁产品的价格对一般中国人来说怎么样？
7. 宝洁产品在中国销售得好不好？如果你不清楚，能猜猜看吗？
8. 宝洁在中国成功吗？如果你不清楚，能猜猜看并解释吗？

课　文

宝洁的品牌策略

宝洁的多品牌

宝洁公司的特点一是产品种类多，有洗发、护发用品、洗涤用品，食品、纸制品、药品等；二是品牌多，一共有三百余种品牌，仅洗衣粉就有汰渍(Tide)、奇尔(Cheer)、格尼(Gain)等九个品牌。宝洁多年来的成功一是由于其产品质量高，二是由于其成功的多品牌策略。

多品牌是指企业的同一种类产品有多个品牌，如宝洁的洗衣粉。但宝洁不是把一种产品简单地贴上几种商标，而是找出同类产品不同品牌之间的差异，使每个品牌都有自己的发展空间。以洗衣粉为例，有人认为洗涤和漂洗功能最重要，有人认为织物柔软最重要，还有人认为物美价廉最重要。宝洁公司就把洗衣粉市场细分成九个目标市场，设计出九个不同的品牌。目前宝洁占领了美国55%的洗涤剂市场，这恐怕是单一品牌无法做到的。另外，宝洁在制造卖点、广告宣传上非常成功。卖点是指让消费者知道推出的产品有独一无二的特点，这些特点是其他产品没有的，或者是人们没有意识到的，但却是消费者需要的。广告宣传再成功地将这些特点介绍给消费者，使他们心甘情愿地去买。有人认为，这种多品牌策略会引起企业内部自己品牌之间的竞争，但宝洁认为，市场经济是竞争经济，与其让对手开发出新产品去抢占自己的市场，不如自己向自己挑战，让本企业各种品牌的产品分别占领不同的市场。

宝洁在中国

宝洁于1988年进入中国，十几年来，在广州、北京、天津等地建立了多家工厂及分公司，将众多的一流产品带入中国市场，汰渍(Tide)、玉兰油（Olay)、飘柔(Rejoice)等都已成为家喻户晓的品牌。

宝洁进入中国仅仅3年就实现盈利，此后至1997年，其销售额以平均每年50%的速度增长。以洗发液为例，海飞丝(Head & Shoulders)、飘柔 (Rejoice)、潘婷(Pantene)三大品牌的推出，使宝洁拥有了当时中国洗发液市场的60%。的确，在宝洁未进入中国之前，中国的普通消费者不知道洗发液除了能把头发洗干净之外，还可以有去屑、柔顺和营养的功能，也不知道洗发之外还要护发。洗发、护发合二为一的产品让他们感到非常新鲜。尽管买一瓶飘柔洗发液可能要用去他们工资的十分之一，但他们还是心甘情愿地去买去试。

宝洁进入中国以来一直采取高价策略，这对宝洁迅速实现在中国的盈利以及前十年的高速发展起了重要作用。但到90年代中、后期时，中国市场上出现了越来越多的进口品牌和本土产品，宝洁的高价策略给众多的企业留下了在中、低端市场上发展的空间。在进入中国10年后的1998年，宝洁销售额出现了大幅下降。据有关统计，广州宝洁的收入从1997年的80多亿下降至1998年的52.42亿，1999年继续下降至39.17亿，直到2003年宝洁销售额才恢复到1997年的水平。

飘柔在中国

在市场发展新趋势和电子商务的挑战下，现任宝洁全球总裁雷富礼（A.G.Lafley）自2000年上任以来便把重点放到发展十几个大品牌上，用他的话说："销售更多的汰渍，比发明一个新汰渍要容易得多。"而飘柔近几年在中国的发展就是宝洁品牌新战略的结果。

飘柔是宝洁进入中国市场最早、最成功的品牌之一，占领中国洗发液市场的40%。从2000年8月起，飘柔产品一直在升级换代，陆续推出了飘柔系列洗发液，将纯粹的"飘柔"扩大到"营养的飘柔、去屑的飘柔、柔顺的飘柔、黑发的飘柔"等。2004年3月，又推出了飘柔沐浴液、飘柔香皂等，将飘柔品牌向其他产品种类延伸。"一品多牌"似乎变成了"多品一牌"。而飘柔这一品牌也从宝洁（中国）网站消失，取而代之的是飘柔（中国）独立网站。尽管有人不看好这一战略转变，但宝洁的目的非常明显，用重点品牌飘柔巩固原来的市场份额，同时抢占相关市场，甚至抢占宝洁其他品牌的市场。

宝洁在中国市场的另一个战略转变是向中、低端市场延伸。中国的大众消费市场比例大，消费者对价格的敏感度高，但品牌忠诚度相对较低，价格的高低及变化往往是购买的重要因素。为此，2003年宝洁多次降价，汰渍洗衣粉、飘柔洗发液、舒肤佳(safeguard)香皂等降价幅度均在20%以上。

资料来源：
《销售与市场：营销版》2004-12-15　2005宝洁标　文/王路 彭旭知
中国营销传播网 2004-09-30 宝洁战略新思维——大飘柔背后的温柔革命　文/高剑锋
中国证券网 2000年7月 多子多福亦风流——宝洁公司多品牌策略评析

課 文

寶潔的品牌策略

寶潔的多品牌

寶潔公司的特點一是產品種類多，有洗髮、護髮用品、洗滌用品，食品、紙製品、藥品等；二是品牌多，一共有三百餘種品牌，僅洗衣粉就有汰漬(Tide)、奇爾(Cheer)、格尼(Gain)等九個品牌。寶潔多年來的成功一是由於其產品質量高，二是由於其成功的多品牌策略。

多品牌是指企業的同一種類產品有多個品牌，如寶潔的洗衣粉。但寶潔不是把一種產品簡單地貼上幾種商標，而是找出同類產品不同品牌之間的差異，使每個品牌都有自己的發展空間。以洗衣粉爲例，有人認爲洗滌和漂洗功能最重要，有人認爲織物柔軟最重要，還有人認爲物美價廉最重要。寶潔公司就把洗衣粉市場細分成九個目標市場，設計出九個不同的品牌。目前寶潔佔領了美國55%的洗滌劑市場，這恐怕是單一品牌無法做到的。另外，寶潔在制造賣點、廣告宣傳上非常成功。賣點是指讓消費者知道推出的產品有獨一無二的特點，這些特點是其他產品没有的，或者是人們没有意識到的，但却是消費者需要的。廣告宣傳再成功地將這些特點介紹給消費者，使他們心甘情願地去買。有人認爲，這種多品牌策略會引起企業内部自己品牌之間的競爭，但寶潔認爲，市場經濟是競爭經濟，與其讓對手開發出新產品去搶佔自己的市場，不如自己向自己挑戰，讓本企業各種品牌的產品分别佔領不同的市場。

寶潔在中國

寶潔於1988年進入中國，十幾年來，在廣州、北京、天津等地建立了多家工廠及分公司，將衆多的一流產品帶入中國市場，汰漬(Tide)、玉蘭油 (Olay)、飄柔 (Rejoice)等都已成爲家喻户曉的品牌。寶潔進入中國僅僅3年就實現盈利，此後至1997年，其銷售額以平均每年50%的速度增長。以洗髮液爲例，海飛絲(Head &Shoulders)、飄柔、潘婷(Pantene)三大品牌的推出，使寶潔擁有了當時中國洗髮液市場的60%。的確，在寶潔未進入中國之前，中國的普通消費者不知道洗髮液除了能把頭髮洗乾凈之外，還可以有去屑、柔順和營養的功能，也不知道洗髮之外還要護髮。洗髮、護髮合二爲一的產品讓他們感到非常新鮮。儘管買一瓶飄柔洗髮液可能要用去他們工資的十分之一，但他們還是心甘情願地去買去試。

寶潔進入中國以來一直採取高價策略，這對寶潔迅速實現在中國的盈利以及前十年的高速發展起了重要作用。但到90年代中後期，中國市場上出現了越來越多的進口品牌和本土產品，寶潔的高價策略給衆多的企業留下了在中、低端市場上發展的空間。在進入中國10年后的1998年，寶潔銷售額出現了大幅下降。據有關統計，廣州寶潔的收入從1997年的80多億下降至1998年的52.42億，1999年繼續下降至39.17億，直到2003年寶潔銷售額才恢復到1997年的水平。

飄柔在中國

在市場發展新趨勢和電子商務的挑戰下，現任寶潔全球總裁雷富禮（A · G · Lafley）自2000年上任以來便把重點放到發展十幾個大品牌上，用他的話説“銷售更多的汰漬，比發明一個新汰漬要容易得多。”而飄柔近幾年在中國的發展就是寶潔品牌新戰略的結果。

飄柔是寶潔進入中國市場最早、最成功的品牌之一，佔領中國洗髮液市場的40%。從2000年8月起，飄柔產品一直在升級換代，陸續推出了飄柔系列洗髮液，將純粹的“飄柔”擴大到“營養的飄柔、去屑的飄柔、柔順的飄柔、黑髮的飄柔”等。2004年3月，又推出了飄柔沐浴液、飄柔香皂等，將飄柔品牌向其他產品種類延伸。“一品多牌”似乎變成了“多品一牌”。而飄柔這一品牌也從寶潔（中國）網站消失，取而代之的是飄柔（中國）獨立網站。儘管有人不看好這一戰略轉變，但寶潔的目的非常明顯，用重點品牌飄柔鞏固原來的市場份額，同時搶佔相關市場，甚至搶佔寶潔其他品牌的市場。

寶潔在中國市場的另一個戰略轉變是向中、低端市場延伸。中國的大衆消費市場比例大，消費者對價格的敏感度高，但品牌忠誠度相對較低，價格的高低及變化往往是購買的重要因素。爲此，2003年寶潔多次降價，汰漬洗衣粉、飄柔洗髮液、舒膚佳(safeguard) 香皂等降價幅度均在20%以上。

資料來源：

《銷售與市場：營銷版》2004-12-15 - 2005寶潔標　文／王路彭旭知

中國營銷傳播網 2004-09-30 寶潔戰略新思維——大飄柔背後的温柔革命　文／高劍鋒

中國證券網 2000年7月 多子多福亦風流——寶潔公司多品牌策略評析

生词表 Vocabulary

1.特点	特點	tèdiǎn	characteristic; distinguishing feature; peculiarity
2.种类	種類	zhǒnglèi	category; kind; type; variety
3.洗涤	洗滌	xǐdí	cleanse; cleaning
4.用品	用品	yòngpǐn	articles for use; appliance:生活用品 articles for daily use;文化用品 stationery; 体育用品 sports goods
5.纸制品	紙製品	zhǐzhìpǐn	paper products
6.洗衣粉	洗衣粉	xǐyīfěn	washing powder
7.贴	貼	tiē	stick; glue
8.商标	商標	shāngbiāo	trademark
9.同类	同類	tónglèi	of the same kind; in the same category
10.差异	差異	chāyì	difference; divergence; discrepancy
11.漂洗	漂洗	piǎoxǐ	rinse; rinsing
12.功能	功能	gōngnéng	function
13.织物	織物	zhīwū	fabric; textile
14.柔软	柔軟	róuruǎn	soft: 柔软剂 softening agent; softener
15.物美价廉	物美價廉	wù měi jià lián	excellent quality and reasonable price
16.市场细分	市場細分	shìchǎng xì fēn	market segmentation
17.占领	佔領	zhànlǐng	occupy
18.洗涤剂	洗滌劑	xǐdíjì	detergent
19.卖点	賣點	màidiǎn	selling point

20.宣传	宣傳	xuānchuán	give publicity to
21.独一无二	獨一無二	dú yī wú èr	the one and only
22.心甘情愿	心甘情願	xīngān qíngyuàn	be most willing to; be perfectly happy to do sth.
23.内部	内部	nèibù	interior; inside: 内部联系 internal relations; 内部消息 inside story
24.与其……不如……	與其……不如……	yǔqí…bùrú…	it is better than
25.抢占	搶佔	qiǎngzhàn	seize; race to control; grab
26.众多	衆多	zhòngduō	numerous
27.一流	一流	yīliú	first class; first-rate: 一流的服务 first class service 一流酒店 luxurious hotel
28.实现	實現	shíxiàn	realize; bring about; come true: 实现利润 profit realized; 实现目标 achieve an end
29.盈利	盈利	yínglì	profit; gain; make profit: 盈利性企业 profit-making enterprise; 盈利率 profit margin;实现盈利 achieve gain
30.当时	當時	dāngshí	at that time; then
31.去屑	去屑	qùxiè	get rid of dandruff
32.柔顺	柔順	róushùn	gentle and agreeable
33.营养	營養	yíngyǎng	nutrition; nourishment

34.合二为一	合二爲一	hé èr wéi yī	two in one
35.采取	採取	cǎiqǔ	adopt; take: 采取紧急措施 take emergency measures
36.起……作用	起……作用	qǐ...zuòyòng	play a part in
37.统计	統計	tǒngjì	statistics; numerical statement
38.恢复	恢復	huīfù	return to: 恢复正常 return to normal
39.趋势	趨勢	qūshì	trend; tendency
40.电子商务	電子商務	diànzǐ shāngwù	E-commerce
41.上任	上任	shàng rèn	take up an official post; assume office
42.重点	重點	zhòngdiǎn	key point; focal point; stress emphasis: 工作重点 focal point of the work; 重点产品 major products
43.发明	發明	fāmíng	invent; invention: 发明家 inventor; 最新发明 the latest invention
44.升级换代	升級換代	shēngjí huàndài	upgrade and update
45.陆续	陸續	lùxù	one after another; in succession
46.系列	系列	xìliè	series; set family: 系列产品 series of products; 产品系列化 serialization of products
47.纯粹	純粹	chúncuì	solely; purely; only
48.扩大	擴大	kuòdà	expand; extend;enlarge broaden; 扩大营业 extend one's business; 扩大市场 expand the market; 扩大销路 expand sales
49.沐浴液	沐浴液	mùyùyè	body lotion
50.香皂	香皂	xiāngzào	toilet soap; perfumed soap: 一块香皂 a cake of toilet soap
51.延伸	延伸	yánshēn	extend; stretch
52.网站	網站	wǎngzhàn	website

53.消失	消失	xiāoshī	disappear
54.取而代之	取而代之	qǔ ér dài zhī	replace by; take the place of
55.独立	獨立	dúlì	independent
56.明显	明顯	míngxiǎn	clear; obvious; evident
57.巩固	鞏固	gǒnggù	consolidate; strengthen; solidify
58.相关	相關	xiāngguān	be interrelated; be related to; be bound up with
59.比例	比例	bǐlì	proportion; ratio; proportionality
60.敏感度	敏感度	mǐngǎndù	sensitivity
61.忠诚度	忠誠度	zhōngchéngdù	loyalty: 品牌忠诚度 brand loyalty
62.为此	爲此	wèi cǐ	for this reason; therefore; to this end;
63.幅度	幅度	fúdù	range; scope; extent
64.均	均	jūn	without exception; all

综合练习　Exercises and Activities

一、对错选择　True or false based on the text

1.(　　)宝洁是个产品种类多、品牌又多的一家大型公司，已经有一百多年历史了。

2.(　　)"一品多牌"是指公司有很多不同种类的产品，同一种类的产品都用一个品牌。

3.(　　)宝洁的多品牌策略是根据消费者对某一种产品的不同需要把市场细分成不同的目标市场，再设计出不同的品牌。

4.(　　)宝洁的多品 牌 策略可能会造成本企业内部不同品牌之间的竞争，但人们认为这种品牌策略是唯一正确的策略。

5.(　　)宝洁进入中国的前十年，市场发展很快，这是因为宝洁生产的都是低端产品。

6.(　　)宝洁刚进入中国时，给中国消费者带来了很多新鲜的消费观念。

7.(　　)现在中国日用消费品市场上的产品比宝洁刚进入中国时多很多。

8.(　　)"销售更多的汰渍，比发明一个新汰渍要容易得多"意思是汰渍应该重点发展，因为它是宝洁的一个大品牌。

9.(　　)飘柔在中国已经不是一个洗发、护发液的品牌了，而是一个沐浴液、香皂的品牌了。

10.(　　)宝洁在中国降低了很多产品的价格，因为中国的大众消费者希望买到物美价廉的商品。

二、看拼音写汉字 Write the Chinese characters based on the *pinyin* given

1. 宝洁公司的__________(tèdiǎn)一是产品的__________(zhǒnglèi)多，二是__________(pǐnpái)多，它多年来成功的原因一是产品__________(zhìliàng)高，二是成功地实施了“多品牌”__________(cèlüè)。但许多人认为，“多品牌”策略会引起企业_______(nèibù)品牌之间的_______(jìngzhēng)。可宝洁认为，市场经济是竞争经济，与其让__________(duìshǒu)开发出新产品去瓜分自己的市场，不如自己向自己_______(tiǎozhàn)，让自己企业各种品牌的产品分别__________(zhànlǐng)不同的市场。

2. 1998年开始，宝洁在中国的____________(xiāoshòu'é)大幅下降，直到2003年才_________(huīfù)到1997年的水平。这是因为中国的________(dàzhòng)消费市场__________(bǐlì)大，消费者对价格的__________(mǐngǎndù)高，对品牌的__________(zhōngchéngdù)较低，价格往往是购买的重要__________(yīnsù)。而宝洁过去一直采取__________(gāojià)策略。现在宝洁开始发展过去忽视的__________(dīduān)市场，并多次__________(jiàngjià)，__________(fúdù)均在20%以上。

三、选词填空并翻译成英文 Fill in the blanks and translate into English

意识到	重点	卖点	通过	家喻户晓	销售额
低端	调整	影响	高价	盈利	心甘情愿
作用	升级换代	独一无二	功能	延伸	

营养、去屑、柔顺都是宝洁为其洗发、护发产品制造的__________，宝洁__________广告宣传让消费者知道自己的产品有着__________的特点。在宝洁进入中国之前，中国的消费者没有__________洗发液还可以拥有滋润、去屑、柔顺的__________。他们__________地花掉月工资的十分之一试用宝洁产品。海飞丝、飘柔、潘婷成了洗发用品市场__________的品牌。

宝洁的__________策略对其三年实现__________以及十年的高速发展起了重要的__________，但也给众多的本土企业留下了在__________

市场发展的空间，导致了1998年开始的__________大幅下降的情况。宝洁在全球市场上受到新经济的__________，现已__________策略，把__________放到大品牌的销售上。飘柔就是中国市场重点发展的品牌。2003年以来，飘柔产品一直在__________，并向其他产品种类__________。

四、解释下列词语　Explain the following phrases in Chinese

物美价廉 ______________________________

独一无二 ______________________________

心甘情愿 ______________________________

取而代之 ______________________________

五、句型练习　Patterns and exercises

1. **一是……二是……** the first is ... the second is ...

例句：宝洁的特点**一是**产品种类多，有洗发、护发用品、洗涤用品，食品、纸制品、药品等；**二是**品牌多，共有三百余种品牌，

用所给句型重写下列句子（Rewrite the following sentences using the pattern）:

- 宝洁多年来成功的因素包括：它的产品质量非常高，它成功地实施了"一品多牌"的品牌策略。

______________________________。

- 北京山姆会员店的目标消费者是那些拥有私家车和私人住房的高收入人士。

______________________________。

2. **不是……而是……** it is not ... but ...

例句：宝洁的多品牌策略*不是*把一种产品简单地贴上几种商标，*而是*找出同类产品不同品牌之间的差异，使每个品牌都有自己的发展空间。

用所给句型完成下列句子（Complete the following using the pattern）

- 肯德基______________________，而是1999年才开始中国化。
- 宜家虽然客流量很大，但销售量并不多。这不是因为__________。

3. **对（于）……有人认为……有人认为……还有人认为……** for a certain topic, some people believe ..., some people believe ... , and some people believe...

例句：不同的消费者*对*产品有不同的要求，以洗衣粉为例，*有人认为*洗涤和漂洗功能最重要，*有人认为*使织物柔软功能最重要，*还有人认为*物美价廉最重要。

用所给句型完成下列句子(Complete the following sentence using the pattern):

• 对于会员制商店在北京是否能成功，不同的人有不同的看法__________，
____。

• 不同的人对宝洁的多品牌策略有着不同的看法__________________，
______________________________________。

4. **对……（在……上） 起（重要／好／副）作用** play a(n) important/good/negative role in ...

例句：宝洁刚进入中国时的高价策略*对*宝洁迅速实现在中国的盈利以及十年的高速发展*起*到了重要*作用*。

用所给句型重写下列句子(Rewrite the following sentences using the pattern):

• 如果没有中国政府的支持和帮助，柯达（Kodak）可能不会成功地收购(purchase)了中国的有关企业。

____。

• 中国的普通消费者对价格的敏感度非常高，价格的高低及变化往往是消费者是否决定购买的重要因素。

____。

5. **为此** for this reason; therefore; to this end;

例句：中国的消费者对价格的敏感度高，价格往往是购买的重要因素。*为此*，2003 年宝洁多次降价，降价幅度均在 20%以上。

用所给句型重写下列句子(Rewrite the following sentences using the pattern):

• 宝洁开发出不同功能的产品来满足不同的消费者对洗发、护发产品的 不同需要。

____。

• 如果宝洁还继续在中国实施高价策略，其市场份额可能还会下降，宝洁从 2003 年开始改变策略，大幅降价。

____。

六、根据课文回答问题　Answer the questions based on the text

1. 宝洁公司的经营特点是什么？
2. 什么是宝洁的多品牌策略？除了宝洁以外，还有哪些公司实施多品牌策略？
3. 举例说明什么是产品的卖点？
4. 为什么宝洁认为多品牌策略是正确的？你同意宝洁的看法吗？
5. 宝洁进入中国的前十年是怎么成功的？
6. 为什么后来销售额下降了呢？
7. 2000年以后，宝洁的全球品牌策略有什么改变？为什么要做这些改变？
8. 举例说明宝洁中国的品牌策略有什么改变？为什么要做这样的改变？
9. 你认为宝洁的新策略会成功吗？为什么？
10. 在中国除了实施新策略以外，宝洁还有什么改变？它为什么要做这样的改变？

七、补充阅读　Supplementary readings

宝洁公司的三段式广告

案例 1：海飞丝洗发水

a. 提出问题：很多朋友的头发都经常会有头屑，并被头屑问题所困扰。
b. 分析问题：为什么会有头皮屑呢？主要原因是……
c. 解决问题：好了，全新“海飞丝”，可以有效地解决头屑问题。“头屑去无踪，秀发更出众”。

案例 2：汰渍洗衣粉

a. 提出问题：洗衣服经常会遇到领口及袖口难洗的问题，领口及袖口容易脏，普通洗衣粉很难把领口及袖口洗干净。
b. 分析问题：为什么领口及袖口这样难洗？主要是因为……
c. 解决问题：好了，现在我们用“汰渍”洗衣粉。“‘汰渍’洗衣粉，善洗领和袖，经济又实惠”。

案例 3：“汰渍”洗衣粉户外展示宣传

a. 提出问题：先将一块白布用酱油、菜汁、果汁等弄脏，主持人对现场的观众讲：“现在这块白布脏成这个样子，该怎么办呢？”

b. 分析问题：主持人对现场的观众说："生活当中我们经常被这些油渍和污渍所困扰，这些污渍如果没有特殊的洗衣粉很难洗干净，因为它们浸在衣服的纤维中很难去除。"

c. 解决问题：主持人帮助解决问题："大家不用担心，现在我们将这块脏的白布浸泡在水中，并放入适量的'汰渍'洗衣粉，十五分钟后我们拿出来洗一下。看，只要轻轻一揉，就洗得干干净净，因为'汰渍'洗衣粉含有独特的衣领和衣袖配方，可以有力地去除油渍和污渍。不要忘了，'汰渍洗衣粉，善洗领和袖，经济又实惠'"。

改自中国营销传播网，2002-02-28

生词：

头屑: dandruff
困扰: be puzzled
有效: effectively
无踪: no trace
秀发: beautiful hair
出众: outstanding
领口: neckband
袖口: wristband
善: good at
实惠: tangible benefits
展示: demonstration
主持人: host
油渍: oil stain
污渍: dirty stain
浸在: soak
纤维: fiber

八、课堂活动 Classroom activity

制作三段式广告

1. 看电视广告，从中选出两个运用"三段式"方式制作的广告。用中文解释这两个广告是如何运用"三段式"方式宣传表现产品特性的。
   Watch some TV advertisements and choose two that use the three-step approach to advertise the product. Describe them in Chinese.
2. 个人或小组设计一个"三段式"广告，并向全班汇报你（们）设计制作的广告。
   Design an advertisement on your own or with a partner using the above three-step approach. Present your advertisement for the class.

九、段落写作 Paragraph writing

根据以下表中提供的情况，写一至两段宝洁概况介绍。

Write one or two paragraphs about P&G based on the information provided in the following table:

宝洁概况

成立时间	1837年
总部	美国俄亥俄州辛辛那提市
销售额	434亿美元(2002-2003财政年度)
利润额	51.9亿美元(2002-2003财政年度)
分公司分布	超过80个国家
产品销售	超过160个国家
产品种类	洗发、护发、护肤用品、化妆品、婴儿护理产品、妇女卫生用品、医药、食品、饮料、织物、家居护理及个人清洁用品
品牌约	300个
员工数	约100，000
董事长	雷富礼(A.G.Lafley)
总裁兼首席执行官	雷富礼(A.G.Lafley)
进入中国市场	一九八八年成立广州宝洁有限公司，后陆续在广州、北京、上海、成都、天津等地建有十几家合资、独资企业。

资料来源：宝洁中国网站

十、综合写作 Essay:

中国消费市场的特点和跨国公司的营销策略

我们已经学过了五家跨国公司在华发展的典型案例。请你根据这些案例，撰写一篇报告，重点分析中国消费市场的特点，并总结这五家跨国公司是如何调整策略以适应中国消费市场的。请用课文中提到的例子解释你的观点。

Based on the cases we have studied (KFC, Starbucks, Ikea, Wal-Mart, and P&G), please write an analysis about Chinese consumers' characteristics and summarize the strategies these companies have used to adapt to the Chinese market. Please use examples to illustrate your points. Examples can be from the readings.

小知识 Business Knowledge

品牌模式

品牌模式一般来说有四种，即单一品牌、多品牌、主副品牌和背书品牌。单一品牌是指多种产品使用共同的一个品牌，因此也称一牌多品，比如说日本索尼公司的产品都是索尼牌。多品牌是指一个产品一个品牌或同一类产品用多个不同品牌，也称一品多牌，比如说宝洁的洗发水。主副品牌是指产品有一个主品牌，另外加上一个副品牌，广告宣传时突出的是主品牌，即企业品牌，副品牌则传达的是产品特点，比如说海尔小小神童洗衣机。背书品牌也是有企业品牌和产品品牌，但广告宣传时突出的是具体的产品品牌，而不是企业品牌，企业品牌只是对产品品牌的保证与承诺，比如说丰田－佳美。

改自智网；黄云生　刘威

第6单元

伊士曼柯达公司
Eastman Kodak Company

Kodak

柯达的中国之路
Kodak's Way in China

课前热身 Warm-Up

柯达点滴 A Few Words about Kodak

美国柯达公司成立于1880年，目前是世界上最大的感光材料生产企业，全球市场占有率42%左右，在美国、加拿大、中国等设有工厂，产品出售到几乎全球每个国家。柯达1979年进入中国，1998年成功地收购了中国3家感光材料企业，成立了两家控股公司，并因此引起国内外的广泛关注。2003年柯达又入股中国唯一的一家感光材料企业，再次引起关注。

走近柯达 A Closer Look at Kodak

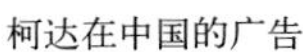
柯达在中国的广告

柯达胶卷

柯达相机

柯达专卖店

交流分享 Share with Others

1. 除了柯达以外，你还知道什么全球有名的胶卷品牌？
2. 你知道中国本土的胶卷品牌有什么吗？
3. 你知道柯达公司和富士（Fuji）公司之间的竞争情况吗？
4. 你知道柯达公司和富士公司在中国分别发展得怎么样吗？
5. 你知道柯达公司全行业收购中国感光材料业的案例吗？如果不知道，你听说后怎么想？
6. 你认为在什么情况下一家外国公司才可能在中国实施这样的大规模收购？
7. 你知道柯达公司在中国的经营情况吗？如果不知道，你能做一下猜测并分析吗？

课　文：

柯达的中国之路

"红、黄、绿"大战

世界感光材料行业，长期以来一直被美国柯达、日本富士(Fuji)两大公司垄断。1979年，柯达作为第一家外国感光材料企业进入中国，把彩色胶卷带到了中国。日本富士公司后来居上，其彩色胶卷在中国的市场份额曾高达70%。柯达公司后来调整战略，加快在中国的发展速度，夺回了一部分市场份额。当时，中国本土的乐凯公司(Lucky)发展速度也很快，产品得到了越来越多的市场认可。有人称90年代的中国彩卷市场是"红、黄、绿"大战，即红色的乐凯、黄色的柯达、绿色的富士，但柯达占有明显的优势。

1994年初,新任柯达公司董事长裴学德(George Fisher)访问中国时，向中国政府提出了全行业收购中国感光材料企业的设想。裴学德解释说：只要中国有一半人口每年拍一个36片的胶卷，世界市场便会扩大25%；中国每秒多拍500张相片，便相当于多出一个美国市场。中国的潜力比其他任何地方都大。柯达希望通过收购中国感光材料厂，实现本土化生产，以降低成本，增加销售渠道，扩大在中国的市场份额。当时富士也提出了与中国厂家合资，但由于柯达提出的合资条件更为优越，最后获胜。

柯达全行业收购

上个世纪90年代中后期，中国感光材料行业的7家国营企业都陷入困境，有近百亿元的亏损和负债，政府已无法帮助它们摆脱困境。柯达的收购计划得到了政府的支持。在中国政府的帮助下，柯达与中方企业进行了近4年的谈判，最后达成协议，称"98协议"。根据协议，柯达公司出资3.75亿美元收购中国3家感光材料企业，建立柯达(中国)股份有限公司和柯达(无锡)股份有限公司，柯达分别持股80%和70%。柯达给予另外3家企业经济补偿。作为保护柯达的在华投资，中国政府承诺，在未来的三年之内，其他外资感光材料企业不允许在中国国内投资建厂。这一条显然是针对富士的，它极大地限制了富士在中国的发展。柯达则承诺，在今后10年内投资10亿美元，用来改造中国的感光材料工业。在中国7家感光材料厂中，只有乐凯公司没有被柯达收购。

柯达收购一案在国内外引起了广泛的关注，因为这是跨国公司第一次在中国实施的大规模收购行动，几乎是对中国感光材料业的全行业收购。对于柯达来说，10亿美元的投入，一口气吃下6个厂，跨越6个省10个城市，是一个意义重大的行动。此次收购行动后，柯达在中国的市场占有率上升到60%，而富士的市场占有率则大幅下降；另外柯达冲印店的数量也上升到9000家左右，大约是富士的三倍左右。

柯达与乐凯合作

但对柯达来说，1998年收购行动的唯一遗憾就是未能与乐凯合资合作。如果“98协议”三年期后乐凯与富士合作，将对柯达在中国的发展形成极大的威胁。当外面纷纷传言乐凯将与富士合资时，形势发生突然变化。2003年10月，柯达公司与乐凯集团在北京正式签署了一个为期20年的合作协议，柯达以1亿美元的现金和其他资产换取了乐凯20%的股份，并承诺长期向乐凯提供技术支持。乐凯则将向柯达支付技术使用费及股息。乐凯之所以放弃富士、选择柯达，是因为柯达满足了它的三个条件：乐凯控股、使用乐凯品牌，乐凯拥有经营决策权。乐凯希望通过与柯达的合作，进一步开拓中国市场并向国际市场发展。

有人说柯达与乐凯的合作并不合算。但一位业界人士分析说：柯达现在投入一亿美元，是非常值得的。如果柯达不接受乐凯的条件，而乐凯和富士又合作成功，到那时柯达再同他们竞争，将会付出更多。从中国感光材料市场的情况看，这种分析的确有道理。柯达目前在中国胶卷的市场份额约占50%至60%，富士约15%至20%，乐凯就更少一些。但如果后两者合作，将一定会成为柯达在中国市场上有力的竞争者，向它的龙头老大地位挑战。由此看来，柯达即使付出再高的代价也是值得的。

资料来源：
经济导刊 2001年第一期 刘文军：柯达收购案带来的启示
北京晨报2003年10月24日　富士意外出局 柯达1亿美元收购乐凯20%股份
北京现代商报 2003年10月31日，记者 方芳　乐凯与柯达联姻富士出局——演出落幕了 谁乐
北京娱乐信报，2003年11月19日　记者 张煦　十年合资困惑乐凯一朝破局 牵手柯达共谋全球

課　文：

柯達的中國之路

“紅、黄、緑”大戰

世界感光材料行業，長期以來一直被美國柯達、日本富士(Fuji)兩大公司壟斷。1979年，柯達作爲第一家外國感光材料企業進入中國，把彩色膠捲帶到了中國。日本富士公司後來居上，其彩色膠捲在中國的市場份額曾高達70%。柯達公司後來調整戰略，加快在中國的發展速度，奪回了一部分市場份額。當時，中國本土的樂凱公司(Lucky)發展速度也很快，産品得到了越來越多的市場認可。有人稱90年代的中國彩捲市場是“紅、黄、緑”大戰，即紅色的樂凱、黄色的柯達、緑色的富士，但柯達占有明顯的優勢。

1994年初，新任柯達公司董事長裴學德(George Fisher)訪問中國時，向中國政府提出了全行業收購中國感光材料企業的設想。裴學德解釋説：只要中國有一半人口每年拍一個36片的膠捲，世界市場便會擴大25%；中國每秒多拍500張相片，便相當於多出一個美國市場。中國的潛力比其他任何地方都大。柯達希望通過收購中國感光材料廠，實現本土化生産，以降低成本，增加銷售渠道，擴大在中國的市場份額。當時富士也提出了與中國廠家合資，但由於柯達提出的合資條件更爲優越，最後獲勝。

柯達全行業收購

上個世紀90年代中後期，中國感光材料行業的7家國營企業都陷入困境，有近百億元的虧損和負債，政府已無法幫助它們擺脱困境。柯達的收購計劃得到了政府的支持。在中國政府的幫助下，柯達與中方企業進行了近4年的談判，最後達成協議，稱“98協議”。根據協議，柯達公司出資3.75億美元收購中國3家感光材料企業，建立柯達(中國)股份有限公司和柯達(無錫)股份有限公司，柯達分别持股80%和70%。柯達給予另外3家企業經濟補償。作爲保護柯達的在華投資，中國政府承諾，在未來的三年之内，其他外資感光材料企業不允許在中國國内投資建廠。這一條顯然是針對富士的，它極大地限制了富士在中國的發展。柯達則承諾，在今後10年内投資10億美元，用來改造中國的感光材料工業。在中國7家感光材料廠中，只有樂凱公司没有被柯達收購。

柯達收購一案在國内外引起了廣泛的關注，因爲這是跨國公司第一次在中國實施的大規模收購行動，幾乎是對中國感光材料業的全行業收購。對於柯達來説，10億美元的投入，一口氣吃下6個廠，跨越6個省10個城市，是一個意義重大的行動。此次收購行動後，柯達在中國的市場佔有率上升到60%，而富士的市場佔有率則大幅下降；另外柯達沖印店的數量也上升到9000家左右，大約是富士的三倍左右。

柯達與樂凱合作

但對柯達來説，1998年收購行動的唯一遺憾就是未能與樂凱合資合作。如果“98協議”三年期後樂凱與富士合作，將對柯達在中國的發展形成極大的威脅。當外面紛紛傳言樂凱將與富士合資時，形勢發生突然變化。2003年10月，柯達公司與樂凱集團在北京正式簽署了一個爲期20年的合作協議，柯達以1億美元的現金和其他資產换取了樂凱20%的股份，並承諾長期向樂凱提供技術支持。樂凱則將向柯達支付技術使用費及股息。樂凱之所以放棄富士，選擇柯達，是因爲柯達滿足了它的三個條件：樂凱控股、使用樂凱品牌、樂凱擁有經營决策權。樂凱希望通過與柯達的合作，進一步開拓中國市場并向國際市場發展。

有人説柯達與樂凱的合作並不合算。但一位業界人士分析説：柯達現在投入一億美元，是非常值得的。如果柯達不接受樂凱的條件，而樂凱和富士又合作成功，到那時柯達再同他們競爭，將會付出更多。從中國感光材料市場的情況看，這種分析的確有道理。柯達目前中國膠捲的市場份額約佔50%至60%，富士約佔15%至20%，樂凱就更少一些。但如果後兩者合作，將一定會成爲柯達在中國市場上有力的競爭者，向它的龍頭老大地位挑戰。由此看來，柯達即使付出再高的代價也是值得的。

資料來源：
經濟導刊 2001年第一期 劉文軍：柯達收購案帶來的啓示
北京晨報2003年10月24日　富士意外出局 柯達1億美元收購樂凱20%股份
北京現代商報 2003年10月31日，記者 方芳　樂凱與柯達聯姻富士出局——演出落幕了 誰樂
北京娛樂信報，2003年11月19日 記者 張煦　十年合資困惑樂凱一朝破局 牽手柯達共謀全球

生词表 Vocabulary

1.感光	感光	gǎnguāng	sensitization; photoreception; photosensitive
2.材料	材料	cáiliào	material: 感光材料 sensitive material
3.垄断	壟斷	lǒngduàn	monopolize; monopoly: 国家垄断 a state monopoly; 垄断价格 monopoly prices; 垄断资本 monopoly capital
4.胶卷	膠捲	jiāojuǎn	roll film; film; film strip: 彩色胶卷 color film; 全色胶卷 panchromatic film; 冲胶卷 have one's film developed
5.市场份额	市場份額	shìchǎn fèn'é	market share
6.后来居上	後來居上	hòulái jūshàng	catch up from behind; latecomers become the first.
7.达	達	dá	reach; attain; amount to
8.调整	調整	tiáozhěng	adjust; adjustment; readjustment
9.战略	戰略	zhànluè	strategy: 全球战略 global strategy
10.认可	認可	rènkě	acceptance; approve; accept: 得到认可 be accepted
11.称	稱	chēng	state; claim
12.占有	佔有	zhànyǒu	own; possess; occupy; hold
13.明显	明顯	míngxiǎn	clear; obvious; evident

14.新任	新任	xīnrèn	newly appointed
15.访问	訪問	fǎngwèn	visit: 正式访问 an official visit; 私人访问 private visit
16.全行业	全行業	quánhángyè	entire industry; entire business
17.收购	收購	shōugòu	purchase; buy；acquire; acquisition
18.设想	設想	shèxiǎng	tentative plan; tentative idea: 提出设想 put forward a tentative plan
19.渠道	渠道	qúdào	channel
20.合资	合資	hézī	joint venture
21.优越	優越	yōuyuè	favorable; superior; advantageous:优越条件 favorable conditions
22.获胜	獲勝	huòshèng	win victory; be victorious; triumph
23.国营	國營	guóyíng	state-own: 国营企业 state enterprise
24.陷入	陷入	xiànrù	sink into; fall into; land oneself in; be caught in
25.困境	困境	kùnjìng	difficult position: 陷于困境 find oneself in a tight corner
26.亏损	虧損	kuīsǔn	loss; deficit: 企业亏损 loss incurred in an enterprise
27.负债	負債	fùzhài	be in debt; incur debts
28.摆脱	擺脱	bǎituō	break away from: 摆脱困境 extricate oneself from a predicament
29.支持	支持	zhīchí	support

30.谈判	談判	tánpàn	negotiate: 与某人谈判 hold negotiations with sb.; 举行谈判 hold talks; hold negotiations
31.达成	達成	dáchéng	reach (agreement); conclude: 达成交易 conclusion of business
32.协议	協議	xiéyì	agreement: 达成协议 reach an agreement
33.出资	出資	chūzī	invest; investment
34.股份有限公司	股份有限公司	gǔfèn yǒuxiàn gōngsī	limited-liability company; limited company (Ltd.)
35.持股	持股	chígǔ	hold the amount of stock shares
36.补偿	補償	bǔcháng	compensation
37.保护	保護	bǎohù	protect; safeguard
38.承诺	承諾	chéngnuò	promises
39.合作	合作	hézuò	cooperation
40.显然	顯然	xiǎnrán	obvious; evident; clear; explicit; manifest; pointed; apparent
41.针对	針對	zhēnduì	be directed against; be aimed at
42.改造	改造	gǎizào	transform; reform
43.限制	限制	xiànzhì	restrict

44.行动	行動	xíngdòng	action
45.案	案	àn	case
46.引起	引起	yǐnqǐ	give rise to; lead to; set off; touch off; cause; arouse
47.广泛	廣泛	guǎngfàn	extensive;widespread
48.关注	關注	guānzhù	concern; attention
49.投入	投入	tóurù	put into; throw into; input; investment in: 投入大量资金 invest much capital in
50.一口气	一口气	yìkǒuqì	without a break; in one breath
51.跨越	跨越	kuàyuè	stride across; stretch over
52.意义	意義	yìyì	significance
53.市场占有率	市場佔有率	shìchǎng zhànyǒulǜ	market share percentage
54.冲印	冲印	chōngyìn	film develop and print
55.唯一	唯一	wéiyī	only; sole: 唯一出路 the only way out; 唯一的理由 the sole reason
56.遗憾	遺憾	yíhàn	regret; pity
57.形成	形成	xíngchéng	form; take shape
58.威胁	威脅	wēixié	threat; threaten
59.纷纷	紛紛	fēnfēn	one after another; in succession: 纷纷提出建议 offer proposals one after an other

60.传言	傳言	chuányán	rumor
61.形势	形勢	xíngshì	situation; circumstances: 国际形势the international situation; 国内形势 the domestic situation
62.正式	正式	zhèngshì	formal; official; formally; officially: 正式协议 a formal agreement正式访问 official [formal] visit; 正式通知 rightful notice; formal notification
63.签署	簽署	qiānshǔ	sign
64.为期	爲期	wéiqī	by a definite date: 为期一周的会议hold a one-week meeting
65.现金	現金	xiànjīn	cash
66.资产	資産	zīchǎn	asset; capital: 固定资产 fixed assets 资产负债 assets and liabilities 资产收益 assets income
67.换取	换取	huànqǔ	exchange sth. for; get in return
68.股份	股份	gǔfèn	stock share
69.支付	支付	zhīfù	pay (money); defray
70.股息	股息	gǔxī	dividend; stock dividend
71.放弃	放棄	fàngqì	give up; abandon; renounce; back-out;
72.条件	條件	tiáojiàn	condition; term; factor: 工作条件 working

			conditions; 生活条件 living conditions; 贸易条件 terms of trade
73.控股	控股	kōng gǔ	hold a controlling percentage of the stock; with a controlling percentage of the stock
74.决策权	决策權	juécèquán	decision-making power
75.开拓	開拓	kāituō	open up; develop; extend; extension: 开拓市场 develop/explore market
76.合算	合算	hésuàn	worthwhile
77.值得	值得	zhídé	be worth; merit; deserve: 值得考虑 warrant consideration
78.有道理	有道理	yǒu dàolǐ	reasonable
79.角度	角度	jiǎodù	angle: 从不同的角度来研究问题 examine the matter from different angles

综合练习　Exercises and Activities

一、对错选择　True or false based on the text

1.(　　)柯达1979年进入中国后，市场份额一直最高。

2.(　　)九十年代，柯达和富士都打算同中国企业合资、合作，并且都得到了成功。

3.(　　)富士无论在中国还是在全球都是柯达最大的对手。

4.(　　)九十年代，在中国政府不支持也不反对的情况下，柯达收购了中国感光材料企业。

5.(　　)柯达收购案引起了广泛的关注，因为这是第一次跨国公司在中国的大规模收购行动。

6.(　　)柯达收购后的前三年，得到经济补偿的3家中国企业不能与富士合资合作。

7.(　　)柯达收购后,在中国的市场份额和开店数量都超过了富士两倍多。

8.(　　)乐凯同柯达合作后，不能再使用自己的品牌，所以今后中国没有自己品牌的彩色胶卷了。

9.(　　)柯达与乐凯的合作，有人说合算，有人说不合算。

10.(　　)乐凯之所以放弃富士、选择柯达是因为柯达给予的合作条件更好。

二、看拼音写汉字，然后译成英文 Write the Chinese character based on the pinyin given, and translate the passage into English

柯达是第一家__________(jìn rù)中国的外国感光材料企业，但80年代时其市场__________(fēn'é)低于富士，90年代柯达__________(jiākuài)在中国的发展速度，夺回了一部分市场份额。当时，中国__________(běntǔ)的乐凯公司发展速度也很快，产品得到了越来越多__________(shìchǎng rènkě)。为了更好的发展，柯达提出__________(quánhángyè)收购中国感光材料企业的设想，以降低__________(chéngběn)，增加__________(xiāoshòu qúdào)，__________(kuòdà)市场份额。在中国__________(zhèngfǔ)的帮助下，柯达与中方企业最后达成的__________(xiéyì)是：柯达__________(chūzī)3.75亿美元__________(shōugōu)中国3家感光材料企业，__________(jiànlì)两家公司，柯达分别__________(chígǔ)80%及70%。柯达给予另外3家企业经济__________(bǔcháng)。

____

____

____

____

____

____

____

____

三、填空 Fill in the blanks

垄断	为期	签署	激烈	通过	开拓
支付	材料	设想	困境	负债	股份
股息	控股	满足	长期	放弃	

1. 美国柯达、日本富士两大公司________以来垄断全球感光__________行业。由于专家预计，中国将超过美国和日本，成为世界第一大感光材料消费市场，两大公司进入中国市场后，展开了__________的市场竞

争，以 ________ 中国市场，九十年代均提出收购中国相关企业的 ________。而当时中国感光行业的7家企业都陷入 ________，有近百亿元的亏损和 ________。

2. 2003年10月柯达公司与乐凯集团在北京正式 ________ 了一个 ________ 20年的合作协议,柯达将以1亿美元的现金和其他资产换取乐凯20%的 ________，并长期向乐凯提供技术支持。乐凯将向柯达 ________ 技术使用费及 ________。乐凯之所以 ________ 富士、选择柯达是因为柯达 ________ 了它的三个条件：乐凯 ________、使用乐凯品牌、乐凯拥有经营决策权。乐凯希望 ________ 与柯达的合作，进一步 ________ 中国市场并向国际市场发展。

四、句型练习　Patterns and exercises

1. **……以来**　since...; for a certain period of time

例句：世界感光材料行业长期*以来*一直被美国柯达、日本富士两大公司垄断。

用所给句型翻译下列句子　(Translate the following sentences into Chinese using the pattern):

- For a long time, Kodak and Fuji have fought for (争夺) the majority of the market share in China.

____。

- Since China opened its door to the outside world, more and more multinational companies as well as medium and small foreign companies have come to China to invest and set up factories.

____。

2. **相当于**　equal to; equivalent to; as much as

例句：中国每秒多拍500张相片，便*相当于*多出一个美国市场。

用所给句型重写下列句子 (Rewrite the following sentences using the pattern):

- 中国如果有一半人口每年拍一个36片的胶卷，世界胶卷市场便会扩大25%。

____。

- 1979年，沃尔玛全年销售额为10亿美元，1993年，它一周的销售额为10亿美元，2001年它一天的销售额为10亿美元。

____。

3. **在……的帮助下** with the help of ...

例句：*在*中国政府的*帮助下*，柯达成功地收购了中国感光材料企业。

用所给句型完成下列句子（Complete the following sentences using the pattern）:

• ____________，这家美国公司制定出了在中国设立分公司和开办工厂的计划。

• 在本土公司的帮助下____________

____。

4. **进行(谈判/合作/收购)** something in progress; carry on sth.; carry out sth.

例句：柯达与中方企业*进行*了近4年的谈判，最后达成收购、合作协议。

用所给句型造句(Make up sentences using the pattern):

• A和B进行谈判

____。

• A和B在……方面进行合作

____。

• A对B进行收购

____。

5. **对于……来说** to; for; about; with regard to

例句：*对于*柯达*来说*，10亿美元的投入，一口气吃下6个厂，跨越6个省、10个城市，是一个意义重大的行动。

用所给句型完成下列句子(Complete the following sentences using the pattern):

• 对于普通消费者来说，____________是最重要的。

• 对于打算到中国建厂的外国企业来说，____________。

6. **通过** by means of; by way of; by; through

例句：乐凯希望*通过*与柯达的合作，进一步开拓中国市场并向国际市场发展。

用所给句型完成下列句子(Complete the following sentences using the pattern):

•柯达希望通过与乐凯的合作，______________________________。
•通过上商业中文课，我__________________________________。

五、根据课文回答问题　Answer the questions based on the text

1. 90年代中国彩卷市场的“红、黄、绿”大战指的是什么？
2. 为什么柯达和富士都想与中国感光材料厂家合资、合作？
3. 中国政府为什么支持柯达收购中国感光材料企业的计划？
4. 柯达收购中国感光材料企业的条件是什么？
5. 中国政府做出了什么承诺？这对柯达和富士在中国的发展有什么影响？
6. 柯达收购案为什么在国内外引起了广泛的关注？
7. 为什么对柯达来说1998年未能与乐凯合作成功是一个遗憾？
8. 柯达与乐凯的合作条件是什么？
9. 乐凯为什么放弃富士而与柯达合作？
10. 如果富士与乐凯合作成功，对柯达在中国的发展有什么影响？
11. 你认为柯达、富士、乐凯这三家企业在中国的发展前景怎么样？

六、补充阅读　Supplementary readings

（1）柯达与富士在中国的争夺战

目前，柯达与富士在中国的竞争变得更加激烈。一个月前，富士中国公司曾宣布将在今年对华增加投资1亿美元，以扩大数码业务。与富士比较，柯达在中国占有明显的优势。柯达希望把这个优势变得更大些，5年后使中国超过美国，变成柯达最大的市场。据报道，在华成功投资12亿美元之后，柯达将增加对中国的投资，这些投资将主要用于扩大公司的销售网络，增加数码冲印店的数量，使柯达冲印店超过9000家。

柯达的计划获得了中国银行的支持。中国银行上海分行一位副行长对记者说，几年前柯达通过对中国几家感光企业的收购，解决了这几家企业职工的就业问题，并上交了2亿美元的税，为中国经济做出了很大的贡献。中国银行曾在去年与柯达中国公司达成了一项银（行）企（业）合作协议。根据此协议，柯达中国公司获得了中国银行的21亿元人民币贷款，用于发展销售网络。上千家柯达冲印店在中行提供的贷款帮助下建立起来，中行将继续为柯达的扩张计划提供支持。

节选自：《财经时报》 柯达与富士在中国的争夺战 2003年1月11日 文/易强

生词：

数码：digital
贡献：contribution
贷款：loan

对错选择 True or false based on the above reading

1. ( )柯达和富士都在准备增加在中国的投资。
2. ( )柯达和富士将把增加的投资用在建立各自的新工厂上。
3. ( )现在中国是柯达最大的市场。
4. ( )中国银行曾给柯达贷款，帮助建立柯达冲印店。
5. ( )中国银行也准备给富士贷款，因为富士冲印店的数量少于柯达。
6. ( )柯达收购中国感光企业后，对中国经济的发展有好处。

（2）柯达冲印店开始零售服务

对于城市消费者而言，柯达品牌的意义正在发生变化，它不仅仅是柯达牌胶卷、相机，还是其现代生活的一部分。近两年一个最明显的变化是柯达冲印店开始提供零售服务，增添了一些娱乐与生活方面的服务。在上海，所有的柯达店都已经开始代售各种门票。很多演出、电影票，原来要去剧院购买，现在可以很方便地从柯达冲印店购买。据说，一场演唱会的门票，使一家柯达店的老板赚了2万元佣金。一场体育比赛的门票，卖得最好的一家店达到了40多万元销售额。据说，与航空公司的谈判也正在柯达的计划之中，北京柯达与联邦快递（FedEx）的合作已经进行了半年的市场测试。柯达亚太区零售业务总经理说："人们可以在上班的路上到柯达店交手机费、水电费，买机票或车票，放下要快递的东西，再把上次拍的照片冲印出来。"而柯达的另一个理想过程是：消费者用数码相机拍下照片，上传到电脑中，通过网络发给柯达，用信用卡支付，柯达洗出照片后再由快递公司送到消费者家中。柯达另一位负责人说，"作为市场领导者，我们有必要先走一步。"但柯达不希望外界将柯达店比喻成7-11店，那位负责人说，柯达店不会卖鱼丸，我们只会经营与影像有关的业务。

节选并修改自：南方日报集团-南方都市报：柯达富士：影像双寡头营销策略变迁 文/吴伟洪

生词：

代理：act as agent　　佣金：commission
测试：testing　　快递：express delivery

上传：upload　　比喻：compared to
鱼丸：fish ball　　影像：image; photo

问题：

1. 为什么对中国城市消费者来说，柯达品牌的意义正在发生变化？
2. 柯达冲印店除了冲印照片以外，还有什么服务？
3. 美国的柯达冲印店也有这些服务吗？
4. 这对中国的消费者能带来什么好处？对冲印店老板呢？
5. 为什么柯达不希望外界将柯达店比喻成7-11店？
6. 你认为柯达这种业务扩张会成功吗？为什么？

七、课堂活动　Classroom activity

对话：中国彩卷市场的"红、黄、绿"

1. 根据课文内容，就柯达、富士及乐凯在中国的经营情况填写下表。
Fill in the table with the information you have read in the text about the operations of Kodak, Fuji and Lucky in China.
2. 与邻桌讨论填好的下表，看看你们是否看法相同。讨论时可使用以下表达方式，以示礼貌及专业态度。
Pair up and share your opinions with your partner to see if you agree with each other. While exchanging your thoughts, you can use the following expressions to make you sound more polite and professional.

A 表示自己的观点　State one's opinion: 我认为……

B 寻求对方的看法　Seek an opinion:
对于这一点，你的看法如何？ // 对于……你同意我的看法吗？

C 补充看法　Add an opinion:
我赞成你的看法/观点，但有一点补充……

D 表示不赞成　Express disagreement:
你的看法很有意思，不过考虑到……，是不是……更有道理？

E 弄清对方想法　Seek clarification/confirmation:
对于……你是不是再解释一下？ // 你的意思是不是……

F 打断对方　Interrupt:

对不起，我插一句。

G 结束讨论 Conclude the dialogue:

今天我们的讨论很有意思，希望我们以后多多交流。//时间不早了，我们明天再继续谈，好吗？

中国彩卷市场的“红、黄、绿”

	“98 协议”之前	“98 协议”至柯达乐凯合作	未来预测
中国乐凯			
日本富士			
美国柯达			

小知识 Business Knowledge：

六个西格玛（sigma）

“西格玛”是统计学里的一个单位，表示偏差(deviation)，用在计算产品合格率上，就是表示缺陷。七八十年代，摩托罗拉公司(Motorola)面对日本高质量产品的挑战，决心改善本企业产品的质量。1987 年，它把以前“三个西格玛”即合格率为 99.73% 的质量要求提高到“六个西格玛”，也就是说把传统合格率百分比的要求改变为百万分比。“六个西格玛”代表产品合格率达 99.9997% 或以上，换句话说，每一百万件产品只有 3.4 件有缺陷，这是一个接近“零缺陷”的标准要求。而三个西格玛等于每一百万件产品中有 66800 件缺陷产品。

资料来源：博锐网

下 篇

中国企业走向世界

PART II

CHINESE COMPANIES IN THE GLOBAL MARKETS

第7单元

海尔集团

Haier Group

Haier

中国名牌，美国制造

A Chinese Brand, Made in America

课前热身 Warm-Up

海尔点滴 A Few Words about Haier

海尔集团公司是中国在国际上最有影响力的家电企业之一，品牌价值在中国最高。海尔原是一家地方工厂，1984年改名为海尔集团公司，现已在国内外建立了11个工业园区，18个设计中心，生产九十多种产品。海尔1999年在美国建厂，引起了国内外的广泛关注，也引发了中国企业应如何走向国际的讨论。

走近海尔 A Closer Look at Haier

青岛海尔总部

美国纽约海尔大厦

美国海尔工厂

交流分享 Share with Others

1. 你听说过中国有个海尔公司吗？如果听说过，是从哪儿听说的？听说的什么？
2. 你或你的家人、朋友、同事、同学有用过海尔产品的吗？如果有，是什么产品？质量怎么样？价格贵不贵？
3. 你都知道哪些中国品牌？怎么知道的？
4. 为什么那么多发达国家的国际名牌产品要到发展中国家（如中国）制造？这对企业有什么好处？
5. 这对发达国家经济的发展是好事还是坏事？
6. 这对发展中国家经济的发展是好事还是坏事？
7. 你能列出发展中国家（如中国）的非国际名牌产品（如海尔）到发达国家（如美国）制造的优势和劣势吗？

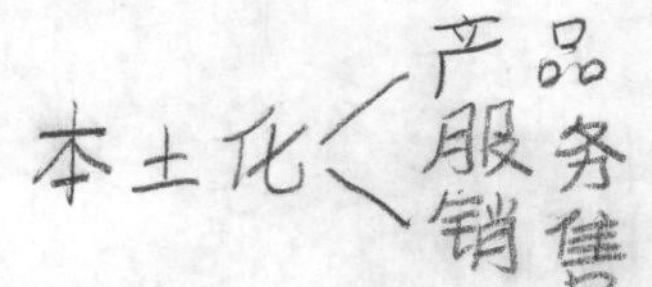

课　文：

中国名牌，美国制造

在美国的商店里，人们可以见到许多美国的大众品牌贴着"中国制造"的字样在出售(如耐克鞋)，而贴着"美国制造"的中国品牌几乎没有。然而这种情况已经被中国家电的龙头企业——海尔集团公司改变了。海尔(Haier)牌电冰箱、空调机已贴上了"美国制造"的字样，在美国的大型连锁商店里出售。众所周知，中国的劳动力比较便宜。正是因为这个原因，跨国公司纷纷到中国建厂，以降低生产成本，获取更多的利润。而海尔却在1999年到美国建厂，雇佣高于中国工人工资10倍的美国工人，生产电冰箱等劳动力密集型产品，在家电市场竞争非常激烈的美国出售。很多人对海尔提出了批评，认为这种发展策略违背了经济学的基本原则。

必须走出去

海尔集团的首席执行官张瑞敏是这样解释的：中国加入世界贸易组织之后，外国公司进入中国市场更加容易。对于中国企业来说，市场已经没有了国内、国际的区分，竞争对手不再只是国内同行，而是国际同行。海尔是中国的名牌，但是现在世界的名牌在中国都可以找到，生产名牌的企业都在中国建厂。因此，海尔要在这样的竞争环境中生存和发展，必须走出国门，建立世界性的名牌，在国际市场上占有一席之地。

中国的劳动力是比较便宜。外国公司之所以来中国建厂，是因为它们可以用较低的工资雇佣中国的工人。这样，廉价劳动力就不再是中国企业独有的优势了。至于外国公司具有的品牌、技术、人才等优势，中国企业依然没有。在美国建厂，海尔的确付出了比较高的成本，但是却得到了一流的技术、更大的品牌影响力、更大的国际市场份额和本土化人才。比如说，作为美国企业，海尔可以享受美国企业的待遇，避开进口美国的关税和非关税壁垒。作为一个本土化的品牌，海尔会更容易地获得美国大型零售商的信任，更顺利地进入美国主流消费市场。另外，海尔可以加入美国的家电协会，获得最新的行业信息，更平等地与美国的家电同行交流。这些对海尔的国际化发展都是非常重要的。

"海尔美国造"及"海尔中国造"

据专家分析，海尔在美国建厂的另一个好处是用"海尔美国造"带动"海尔中国造"，扩大海尔产品对美国市场以及全球市场的出口。例如，海尔酒柜在美国非常畅销。事实上，除了酒柜的设计是在美国完成以及最初的产品由美国工厂生产以外，大部分酒柜都是海尔（中国）生产出口到美国的。海尔牌小冰箱在美国的市场占有率已达到35%以上，但实际上市场出售的产品也并不全部都是在美国制造的，其中一部分是在中国生产的。海尔的做法是用美国生产的产品打开市场，创立了"Haier"品牌。消费者接受这个品牌后，市场逐渐增加了对海尔产品的需求。但海尔(美国)工厂的产量不能满足美国市场的需求，这时订单就会自然转向海尔(中国)。另外海尔(美国)还可以向海尔(中国)购买成品或零部件，进行所谓的贴牌生产。这样，海尔(中国)就可以借用海尔(美国)的产品渠道，销售国内的低成本产品，以充分利用中国廉价的劳动力资源。反过来，海尔产品在美国的畅销，也扩大了海尔品牌在中国国内市场和世界其他市场的影响。

资料来源：
《环球市场》2003-1 为海尔在美国建厂辩护　文/覃谊
《21世纪经济报道》张瑞敏：沃顿商学院演讲谈海尔的跨国战略 2004年6月25日
《中外管理》2002年第9期 中国制造业的挑战　文/流金

課　文：

中國名牌，美國制造

在美國的商店裏，人們可以見到許多美國的大衆品牌貼着“中國制造”的字樣在出售(如耐克鞋)，而貼着“美國制造”的中國品牌幾乎没有。然而這種情况已經被中國家電的龍頭企業——海爾集團公司改變了。海爾(Haier)牌電冰箱、空調機已貼上了“美國制造”的字樣，在美國的大型連鎖商店裏出售。衆所周知，中國的勞動力比較便宜。正是因爲這個原因，跨國公司紛紛到中國建廠，以降低生産成本，獲取更多的利潤。而海爾卻在1999年到美國建廠，僱傭高於中國工人工資10倍的美國工人，生産電冰箱等勞動力密集型産品，在家電市場競争非常激烈的美國出售。很多人對海爾提出了批評，認爲這種發展策略違背了經濟學的基本原則。

必須走出去

海爾集團的首席執行官張瑞敏是這樣解釋的：中國加入世界貿易組織之後，外國公司進入中國市場更加容易。對於中國企業來説，市場已經没有了國内、國際的區分，競争對手不再只是國内同行，而是國際同行。海爾是中國的名牌，但是現在世界的名牌在中國都可以找到，生産名牌的企業都在中國建廠。因此，海爾要在這樣的競争環境中生存和發展，必須走出國門，建立世界性的名牌，在國際市場上佔有一席之地。

中國的勞動力是比較便宜。外國公司之所以來中國建廠，是因爲它們可以用較低的工資僱傭中國的工人。這樣，廉價勞動力就不再是中國企業獨有的優勢了。至於外國公司具有的品牌、技術、人才等優勢，中國企業依然没有。在美國建廠，海爾的確付出了比較高的成本，但是卻得到了一流的技術、更大的品牌影響力、更大的國際市場份額和本土化人才。比如説，作爲美國企業，海爾可以享受美國企業的待遇，避開進口美國的關税和非關税壁壘。作爲一個本土化的品牌，海爾會更容易地獲得美國大型零售商的信任，更順利地進入美國主流消費市場。另外，海爾可以加入美國的家電協會，獲得最新的行業信息，更平等地與美國的家電同行交流。這些對海爾的國際化發展都是非常重要的。

“海爾美國造”及“海爾中國造”

據專家分析，海爾在美國建廠的另一個好處是用“海爾美國造”帶動“海爾中國造”，擴大海爾產品對美國市場以及全球市場的出口。例如，海爾酒櫃在美國非常暢銷。事實上，除了酒櫃的設計是在美國完成以及最初的產品由美國工廠生產以外，大部分酒櫃都是海爾(中國)生產出口到美國的。海爾牌小冰箱在美國的市場佔有率已達到35%以上，但實際上市場出售的產品也並不全部都是在美國製造的，其中一部分是在中國生產的。海爾的做法是用美國生產的產品打開市場，創立了“Haier”品牌。消費者接受這個品牌後，市場逐漸增加了對海爾產品的需求。但海爾(美國)工廠的產量不能滿足美國市場的需求，這時訂單就會自然轉向海爾(中國)。另外海爾(美國)還可以向海爾(中國)購買成品或零部件，進行所謂的貼牌生産。這樣，海爾(中國)就可以借用海爾(美國)的產品渠道，銷售國内的低成本產品，以充分利用中國廉價的勞動力資源。反過來，海爾產品在美國的暢銷，也擴大了海爾品牌在中國國内市場和世界其他市場的影響。

資料來源：
《環球市場》2003-1 爲海爾在美國建廠辯護　文／覃誼
《21世紀經濟報道》張瑞敏：沃頓商學院演講談海爾的跨國戰略 2004年6月25日
《中外管理》2002年第9期 中國製造業的挑戰　文／流金

生词表　Vocabulary

1.名牌	名牌	míngpái	famous brand
2.制造	製造	zhìzào	make; manufacture; produce: 中国制造 made in china
3.字样	字樣	zìyàng	printed or written words (which succinctly inform, instruct, warn, etc.)
4.耐克(鞋)	耐克(鞋)	nàikè	Nike（sneakers）
5.然而	然而	rán’ér	however
6.众所周知	衆所週知	zhòng suǒ zhōu zhī	as everyone knows; as is known to all
7.劳动力	勞動力	láodònglì	labor; labor force
8.以	以	yǐ	in order to; so as to
9.降低	降低	jiàngdī	reduce; cut down; lower
10.获取	獲取	huòqǔ	gain; obtain; achieve
11.利润	利潤	lìrùn	profit: 利润额 amount of profit; 利润分配 distribution of profits
12.雇佣	僱傭	gùyōng	employ; hire
13.劳动力密集型	勞動力密集型	láodònglì mìjíxíng	labor-intensive
14.家电	家電	jiādiàn	household electronic appliances
15.批评	批評	pīpíng	criticize; criticism
16.违背	違背	wéibèi	violate; go against; run counter to
17.经济学	經濟學	jīngjìxué	economics
18.原则	原則	yuánzé	principle
19.首席执行官	首席執行官	shǒuxí zhíxíngguān	chief executive officer (CEO)

20.加入	加入	jiārù	join
21.世界贸易组织	世界貿易組織	Shìjiè Màoyì Zǔzhī	the World Trade Organization (WTO)
22.区分	區分	qūfēn	differentiation; distinction
23.同行	同行	tónghā́ng	in the same industry; in the same field
24.生存	生存	shēngcún	survival
25.国门	國門	guómén	the gateway of a country (fig.)
26.占有	佔有	zhànyǒu	own; possess
27.一席之地	一席之地	yì xí zhī dì	a tiny space
28.之所以……是因为……	之所以……是因爲……	zhī suǒyǐ... shì yīnwèi...	... happens because...
29.廉价	廉價	liánjià	cheap; at a low price; inexpensive
30.人才	人才	réncái	a person of ability; a talented person
31.影响力	影響力	yǐngxiǎnglì	influence
32.享受	享受	xiǎngshòu	enjoy
33.待遇	待遇	dàiyù	treatment
34.避开	避開	bìkāi	avoid
35.关税	關税	guānshuì	customs; customs duties; tariff
36.非	非	fēi	un-; non-; in-; il-; ir-; im-:非关税 non-tariff
37.壁垒	壁壘	bìlěi	barrier: 关税壁垒 tariff wall; 贸易壁垒 trade barrier
38.信任	信任	xìnrèn	trust; faith
39.主流	主流	zhǔliú	main stream; main trend
40.协会	協會	xiéhuì	association
41.信息	信息	xìnxī	information
42.平等	平等	píngděng	equally; equal; equality
43.交流	交流	jiāoliú	exchange:交流经验 exchange

			experience;文化交流 cultural exchange
44.据	據	jū	(根据) according to; on the grounds of
45.专家	專家	zhuānjiā	specialist; expert
46.分析	分析	fēnxī	analysis
47.带动	帶動	dàidòng	lead; bring along; spur on
48.酒柜	酒櫃	jiǔguì	wine cooler
49.畅销	暢銷	chàngxiāo	sell well; be in great demand; have a ready market for products; popular among the customers
50.事实上	事實上	shìshí shàng	in fact; in reality; actually
51.实际上	實際上	shíjì shàng	in fact; in reality; actually
52.打开市场	打開市場	dǎkāi shìchǎng	open the market
53.创立	創立	chuànglì	found; set up
54.逐渐	逐漸	zhújiàn	gradually
55.需求	需求	xūqiú	demand
56.产量	產量	chǎnliàng	output; yield; volume of production:日产量 the daily output; 总产量 the total output
57.订单	訂單	dìngdān	order
58.自然	自然	zìrán	naturally
59.转向	轉向	zhuǎnxiàng	turn to
60.购买	購買	gòumǎi	purchase
61.成品	成品	chéngpǐn	finished product
62.零部件	零部件	líng-bùjiàn	components and parts;
63.所谓	所謂	suǒwèi	what is called; so-called
64.贴牌生产	貼牌生產	tiē pái shēngchǎn	original equipment manufacture (OEM)

65.充分	充分	chōngfèn	thoroughly
66.资源	資源	zīyuán	resources; 人力资源 human resources
67.反过来	反過來	fǎn guòlái	conversely; in turn; vice verse

充分利用 - fully use something

对…+的+N - ex: …对美国市场的出口.

综合练习 Exercises and Activities

一、对错选择 True or false based on the text

1.(　　)在美国的商店里，美国名牌、中国制造的商品比中国品牌、美国制造的商品多得多。

2.(　　)海尔集团公司的家电产品不是用Haier牌在美国连锁商店出售的，因为它是一个中国品牌。

3.(　　)跨国公司到中国建厂是因为中国的劳动力比较便宜。

4.(　　)海尔在美国雇佣高于中国工人工资10倍的美国工人，是因为电冰箱、空调机不是劳动力密集型产品。

5.(　　)对于中国企业来说，中国加入世界贸易组织之后，市场竞争更加激烈了。

6.(　　)海尔是一个中国名牌，但它想发展成为一个世界名牌。海尔到美国建厂就是为了这个目的。

7.(　　)海尔在美国生产的成本比在中国高，但它得到了很多在中国得不到的东西，例如技术、品牌影响力、国际市场份额和本土化人才。

8.(　　)尽管海尔在美国建厂，但它依然是一个中国企业，不能享受美国本土企业的待遇。

9.(　　)海尔牌小冰箱在美国的市场占有率已达到了35%以上，这些产品都是在美国制造的。

10.(　　)海尔（美国）向海尔（中国）购买成品或零部件进行贴牌生产，是因为中国国内的生产成本比较低。

二、看拼音写汉字 Write the Chinese characters based on the *pinyin* given

1. 正是因为海尔要在新的竞争__________(huánjìng)__________(shēngcún)和发展，所以它才走出__________(guómén)，到美国建厂，以建立世界性的__________(míngpái)。

2. 跨国公司之所以来中国建厂，是因为中国的__________(láodònglì)比较便宜，它们可以用较低的工资__________(gùyōng)中国工人，以降低__________(shēngchǎn chéngběn)，获取更大的__________(lìrùn)。这样，廉价劳动力就不再是中国企业独有的__________(yōushì)了。

3. 海尔1999年到美国建厂，雇佣高于中国工人工资10倍的美国工人，生产________________(láodònglì mìjíxíng)产品，在市场竞争激烈的美国__________(chūshòu)。很多人认为这样做违背了__________(jīngjìxué)的基本原则。

三、填空 Fill in the blanks

信息	国际同行	产量	零部件	订单
竞争对手	零售商	壁垒	贴牌生产	交流
世界贸易组织	避开			

1. 中国加入__________之后，外国公司进入中国市场更加容易。对于中国企业来说，市场已经没有了国内、国际的区分，__________不再只是国内同行，而是__________。

2. 当海尔(美国)工厂的__________不能满足美国市场的需求，__________就会自然转向海尔(中国)，另外海尔(美国)还可以向海尔(中国)购买成品或__________，进行所谓的__________。

3. 海尔在美国建厂，可以享受美国企业的待遇，__________关税和非关税__________，也更容易地获得美国大型__________的信任，得到最新的行业__________，平等地与美国的家电同行__________。

四、解释下列词语　Explain the following phrases in Chinese

众所周知 ______________________________

一席之地 ______________________________

五、句型练习　Patterns and exercises

1. **正是……**　it is exactly ... that ...; exactly; precisely

例句：*正是*因为中国的劳动力比较便宜，跨国公司纷纷到中国建厂。

用所给句型重写下列句子（Rewrite the following sentences using the pattern）：

•海尔的目标是把自己的品牌打造成一个世界名牌，为此，它来到美国建厂。

______________________________。

•宜家的低价策略使它在全球市场发展迅速。

______________________________。

2. **之所以**(A)，**是因为**(B)　the reason for A is B; the reason that A happens is because of B

例句：外国公司*之所以*在中国建厂可以获得更多的利润，*是因为*它们可以用比本国工人低几倍的工资雇佣中国工人。

用所给句型重写下列句子（Rewrite the following sentences using the pattern）：

•现在生产微波炉（microwave）的利润已经很少，是跨国公司要放弃的产业。

______________________________。

•中国政府支持柯达全行业收购中国感光材料企业，原因是政府已经无法帮助这些企业摆脱困境。

______________________________。

3. **至于……**　（when bringing up another topic）as for; as to; with regard to

例句：中国加入世界贸易组织后，廉价劳动力已不再是中国企业独有的优势了，*至于*外国公司具有的品牌、技术、人才等优势，中国企业依然没有。

用所给词汇 / 句型将下列句子翻译成汉语 (Translate the following sentences using the given pattern):

- Starbucks provides the customers a place to drink coffee and relax. But as for its price, it is twice as high as other coffee houses.

____。

- China has developed rapidly in the past 20 years. As for its local fast food sector, it needs to develop further.

____。

4. **……对……（是）重要（的）** ... is important to ...

例句：海尔到美国建厂可以跟美国的家电同行交流，可以获得最新的行业信息，这些*对*海尔的国际化发展都是很*重要*的。

用所给词汇 / 句型回答问题 （Answer the following questions using the given pattern）:

- 你买计算机时，什么对你是最重要的？品牌、性能还是价格？

____。

- 跨国公司到中国投资建厂，什么对它们更重要？市场还是利润？

____。

5. **所谓……** so-called...; what is called

例句：海尔（美国）向海尔（中国）购买成品或零部件，进行*所谓*的贴牌生产，这样做可以扩大海尔产品的出口。

用所给词汇 / 句型完成下列句子（Complete the following sentences using the given pattern）：

- 宝洁公司同一类产品有不同的品牌，这种品牌策略就是________星
- 巴克总裁提倡的______________第三空间就是____________。

六、回答问题 Answer the questions based on the text

1. 海尔集团公司改变了美国商店里常见到的什么情况？
2. 跨国公司纷纷到中国建厂的原因是什么？
3. 为什么很多人对海尔的国际化发展策略提出了批评？
4. 对于中国企业来说，中国加入世界贸易组织后，市场环境有了什么改变？

5. 海尔集团的首席执行官张瑞敏为什么说中国企业必须走出去？
6. 张瑞敏认为海尔到美国建厂对海尔的国际化发展有什么益处？
7.“海尔美国造”是怎么带动“海尔中国造”的？
8. 你认为海尔到美国建厂是正确的发展策略吗？为什么？
9. 什么样的中国企业才可以像海尔那样到美国建厂生产产品？

七、补充阅读　Supplementary readings

（1）海尔砸冰箱

1985年海尔集团刚成立时，中国的家电市场还是卖方市场。一方面，冰箱、洗衣机对普通家庭来说还是奢侈品，要一年甚至几年的工资才能买下来；另一方面，人们即使有钱，也很难买到，因为市场上商品很少。那个时候，工人的质量观念也差，因为无论产品有什么质量问题，也有人买。一天，海尔总经理张瑞敏从消费者的投诉信中发现海尔生产的部分冰箱有质量问题，他又在仓库中找到76台这种有问题的冰箱。张瑞敏决定由责任人亲手把这些质量不合格的冰箱砸掉。海尔的工人都不愿意这样做，认为冰箱有一点毛病并不影响使用，再说海尔工人可以自己买下来，特别当时冰箱对一般中国家庭来说还是奢侈品。但是张瑞敏坚持把不合格的冰箱砸了。他认为只有这样做才能强化员工的质量观念：“有问题的产品就是废品。”砸冰箱这件事让海尔的工人们认识到产品质量的重要性。

节选并修改自张瑞敏在第八次中日产业研讨会发言提要：
兼收并蓄 融汇贯通 自成一家 2003年11月

生词：

砸：smash
卖方市场：seller's market
投诉信：complaint letter
仓库：warehouse
责任人：responsible person
合格：up to the standard
毛病：defect
强化：strengthen
废品：waste product

问题:

1. 什么是卖方市场？什么是买方市场？
2. 1985年,中国的家电市场是卖方市场还是买方市场？
3. 那时候，中国人的生活水平比现在高还是低？
4. 那时候，工人的质量观念怎么样？为什么？
5. 张瑞敏从消费者的投诉信中发现了什么？
6. 他决定怎样做？
7. 海尔的工人愿意这样做吗？为什么？
8. 张瑞敏为什么坚持把质量不合格的冰箱砸掉？
9. 这件事对海尔以后的发展产生了什么影响(可结合六个西格玛理论)？

（2）小小神童洗衣机

1996年夏季快到的时候，海尔洗衣机的销售出现了下降。销售部门的工作人员说，之所以这样，是因为夏季是销售洗衣机的淡季。夏天人们每天换衣服，但很少有人用一个普通型的5公斤容量洗衣机来洗，因为既麻烦又浪费水，多少年都是这样。张瑞敏却认为，人们在夏天不用洗衣机洗衣服，是因为没有一种合适的洗衣机让消费者夏天使用，如果有一种所谓的“夏日即时”洗衣机，市场就不会下降。海尔的技术人员很快就开发出一种1.5公斤小容量可让人们夏天即时洗的洗衣机，名字叫做“小小神童”洗衣机。产品一推到市场，便得到了市场的欢迎，从1996年到1998年在中国市场就销售了150多万台。从1999年开始出口到美国、日本、加拿大、西班牙、韩国、新加坡等68个国家。“小小神童”洗衣机既解决了消费者夏日洗衣问题，又创造了一个新的市场。

节选自张瑞敏在第八次中日产业研讨会发言提要：
兼收并蓄 融汇贯通 自成一家 2003年11月，有修改。

生词：

神童：child prodigy
洗衣机：washing machine
淡季：dull season
容量：capacity
即时：immediate

问题：

1. 什么是商品销售的淡季？
2. 为什么夏季是销售洗衣机的淡季？
3. 张瑞敏的看法是什么？
4. “小小神童”洗衣机和普通洗衣机比有什么特殊的地方？它为什么叫这个名字？
5. “小小神童”洗衣机成功了吗？
6. 这个故事告诉了我们什么？

（3）海尔的国际化

海尔的国际化实际上是同时走在两条道路上。一条是在劳动力成本低、需求大的低端消费市场建立工厂，比如在印尼、墨西哥等国市场。这是符合比较优势原则的。在这类市场上投资生产，海尔的目的是赚取“利润”。而这种生产布局占了海尔国际化很大的比重。海尔的另一条国际化道路，是选择到生产成本高、世界知名品牌集中的高端消费市场投资建厂，比如在美国和欧洲市场。在这类市场上，劳动力成本、甚至市场占有率和利润，在海尔眼里并不是特别重要的。更重要的是可能产生的“广告”效应，即对品牌知名度的提升作用。简言之，海尔在美国和欧洲市场投资建厂，“知名度”比“利润”更重要。

事实上，“海尔”品牌在1999年以前在中国的知名度只是中等，1999年在美国投资建厂后，市场知名度大大提高，品牌价值上升很快。海尔现在是中国最有价值的品牌，2004年被选入世界最具影响力的前100个品牌，排名第95位。这不能不说是海尔在美国建厂带来的巨大的无形收益——品牌和企业形象的提升。

节选自《中外管理》2002年第9期
中国制造业的挑战 文/流金海尔网站，有修改。

生词：

布局：overall arrangement
比重：proportion
效应：effect
提升：promotion
简言之：in short
形象：image

对错选择　True or false based on the reading

1. (T)海尔在不同的市场建厂有不同的目的。
2. (F)海尔到劳动力成本低、需求大的低端消费市场建厂是为了提升知名度。
3. (T)美国是制造成本高、世界知名品牌集中的高端消费市场。
4. (T)提高国际知名度是海尔到美国建厂的重要目的。
5. (F)海尔到美国建厂后，国际知名度同1999年以前相比没有什么改变。
6. (T)海尔牌现在是世界上最具影响力的100个品牌之一。

八、课堂活动　Classroom activity:

对话：海尔在美国建厂的利与弊

1. 根据课文内容及你自己的判断，列出海尔在美国建厂的利与弊，并填在下表中，然后写下你对海尔在美国建厂的看法：海尔在美国建厂是一个正确的抉择吗？无论是否，都要陈述理由。
In the following table, list the pros (利)and cons(弊bì)of Haier's setting up a factory in America in the following table. They can be from the readings above or based on your own judgment. Do you think if Haier made a wise decision? Why or why not? Write your conclusion at the bottom of the table.

2. 就海尔在美建厂这一案例，与邻座交换看法，并把对方的看法也填在下表中。讨论时可使用以下表达方式，以示礼貌及专业态度。
Pair up and share your opinions with your partner to see if you agree with each other. Put his/her opinion down. While exchanging your thoughts, you can use the following expressions to make you sound more polite and professional.

A 陈述自己的看法 State one's opinion:
我认为……// 对于……我的看法是……

B 征求对方的看法 Seek an opinion:
对于这一点，你的看法如何？

C 补充看法 Add an opinion:
我赞成你的看法 / 观点，但有一点补充……

D 表示不赞成 Express disagreement:
你的看法很有意思，不过考虑到……// 从……角度看，……是不是更有道理。

E 具体阐述自己的观点 Elaborate your point:
我这样看是因为第一……；第二……；

	海尔在美国建厂的利与弊	同伴意见
利	1. 2. 3. ……	
弊	1. 2. 3. ……	
总结	海尔应该/不应该在美建厂，因为……	

实地调查 Field Work：**海尔产品在美国商店**

到附近一家出售电器的大型连锁店实地调查海尔冰箱或空调的销售情况，详细记录下来商店所出售海尔产品的价格、型号、产地、目标市场等，同时也看一看其他品牌同类产品的销售情况。就地采访售货人员，问一问海尔产品的销售情况：卖得好不好？为什么好或者不好？向全班汇报你实地调查的结果。

Go to a nearby supermarket such as Wal-Mart or Sears to see if Haier's mini-refrigerators or air-conditioners are sold there. If yes, please describe the product(s) as detailed as possible in terms of price, size, place they were made, and possible target market. Please also look at the competitive products at the store. Ask the sales person if Haier's products sell well, why and why not. Present to the class what you have found out at the store.

小知识　Background knowledge

"请进来"和"走出去"

在中国改革开放的20多年时间里，中国主要是实施以"请进来"战略为主的开放，一大批跨国公司及外国中、小型企业纷纷到中国投资建厂，由此加快了中国的工业化进程，带动了中国经济的增长。自2000年起，中国政府又提出了将"请进来"与"走出去"相结合的开放战略，鼓励中国企业到国际市场去，建成一批中国的跨国公司，以保证中国经济的可持续发展。据报道，未来几年内中国的对外投资量将增加，有可能达到每年80至100亿美元。

资料来源：新华社

第8单元

广东格兰仕集团有限公司
Guang Dong Galanz Enterprise (Group)Co.

Galanz

价格“屠夫”格兰仕
Galanz as a Price Butcher

课前热身 Warm-Up

格兰仕点滴 A Few Words about Galanz

格兰仕于1978年成立，开始时只是一家生产羽绒制品的乡镇企业，1993年转产微波炉，目前已发展成为全球规模最大的微波炉生产企业，其微波炉中国国内市场占有率达70%，全球市场占有率达30%以上。它的发展目标是成为全球最大的家电生产制造中心。格兰仕的发展速度和发展模式已引起了国内外的关注。

走近格兰仕 A Closer Look at Galanz

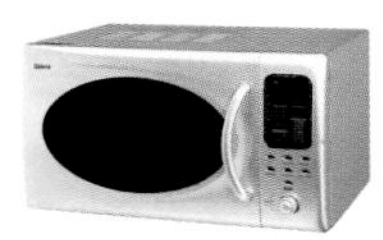

格兰仕 G8023YSL−V2

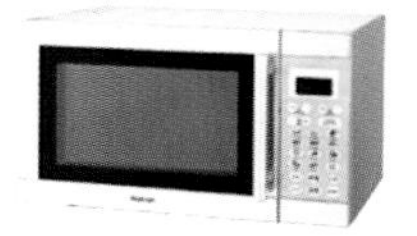

格兰仕 G7020 Ⅱ CTL−2

格兰仕生产线

格兰仕公司外景

交流分享 Share with Others

1. 你或家人使用的微波炉是什么品牌的？是哪个国家生产的？
2. 你听说过中国有个微波炉制造企业名叫格兰仕吗？
3. 当你知道这家国际知名度不高的企业生产的微波炉全球市场占有率最高时，你感到惊奇吗？为什么？
4. 根据你的了解，生产微波炉需要很高的技术吗？很多资金吗？很多人力吗？
5. 你知道什么叫贴牌生产（OEM）吗？
6. 你能分析一家中国企业能以什么优势成为全球最大的微波炉生产商吗？

课　文：

价格“屠夫”格兰仕

格兰仕1993年开始生产微波炉，在短短的十几年时间里发展成为全球规模最大的微波炉生产企业，其国内市场占有率高达70%，全球市场占有率达30%以上。格兰仕在国内实施的是低价策略，口号是：格兰仕没有能力让消费者富起来，但可以让他们的每一分钱变得更有价值。它打入国际市场的策略是为国际名牌加工，即贴牌生产。格兰仕的高速发展及发展模式，引起了业界的普遍关注。有人赞成，有人反对。以下是根据记者采访格兰仕副总经理俞尧昌的记录总结整理的：

记者：格兰仕是一个以打“价格战”著称的企业，被业界称为价格“屠夫”。有人非常不喜欢格兰仕，因为你们的降价使许多企业消失。你们的薄利多销到底薄到了什么程度？

俞尧昌：我们国内一些微波炉的利润只有1元钱。但格兰仕的产品有三分之二销往国外，国外的价格远远高于国内。1992年我们刚进入微波炉行业时，竞争不太激烈，但当时中国微波炉的价格要比国际平均价格高很多，原因是中国的家电企业规模小，成本高。1996年，许多企业一下子进入了微波炉制造业，引发了微波炉价格战，但开始这场价格战的并不是格兰仕，而是北京的某一家企业。当时我们坚持了三个月，后来一下子降了40%。降价之后，我们发现市场容量很大，所以就努力扩大生产规模，因为规模扩大以后才能降低成本，成本降低以后才能再降价。

记者：你们这么大的规模生产，去年产值也不过才10亿美元，利润很低。中国入世后，你们怎么同资金、技术和管理先进的跨国公司竞争?

俞尧昌：微波炉生产已经没有什么利润了，跨国公司不和我们竞争，因为不值得。现在产品的竞争、技术的竞争以及人才的竞争都是表面的，实际上是资本的竞争。[短线的、利润比较大的、技术更新比较快的领域，是跨国公司竞争的重点。]但这些领域我们没有资本实力进去，只能在劳动力密集型行业里发挥生产力成本低的比较优势。我们先要生存，才有发展。我们的生存空间在哪里？就是跨国公司准备放弃的行业。我们为什么要把自己定位为全球最大的生产中心，和200多家跨国公司合作呢？我们就是要利用我们一流的生产力、一流的成本和他们一流的网络、一流的品牌发展自己，最后使市场成为我们的。

记者：据说你们要把格兰仕的品牌产品降到总生产量的40%以内，你们为什么要减少自己的品牌生产而增加贴牌生产量呢？

俞尧昌：跨国公司进入中国后，我们的劳动力成本优势正渐渐丧失，我们面临一个很大的挑战。好在我们前几年的速度快，形成了规模化和集约化，所以还能抗争一下。品牌是什么？品牌是黄金堆起来的。我们有多少黄金？但我们不是做简单的贴牌生产。比如变压器，过去我们从日本进口是23美元，日本说成本无论如何也降不下来。我们算了一下它的成本，不过10美元。在欧洲同样的变压器是30多美元。我们对欧洲的企业说："把生产线搬过来，我们帮你干，干完以后8美元给你。"日本受不了了，我们就对他们说："那你也把生产线搬过来，我们5美元给你。"现在他们的生产线全搬过来了，而我们的生产成本只是4美元。另外，在法国，一周生产时间只有24小时，而格兰仕可以一天三班倒，24小时连续生产。也就是说，同样一条生产线，在格兰仕生产一天等于在法国生产一个星期。我们现在和200多家跨国公司合作，就是用这种方法。A品牌的生产线搬过来，我们就生产A，B生产线搬过来，我们就生产B，多余出来的生产时间就属于格兰仕的。

记者：很多企业都在资本市场上创造了神话，格兰仕为什么不上市？如果你们有了足够的资金，就不用给跨国公司打工了。

俞尧昌：微利行业不适合上市。但我们不上市并不意味我们没有进行资本运营。资本运营有货币形态的，也有实物形态的。我们和跨国公司的合作就是实物形态的资本运营，不是通过收购股权，而是通过收购外国企业的资产——生产线。另外，把国外的生产线拿过来就等于“收买”了国外的竞争对手，无形中得到了国外现成的市场。目前，格兰仕正在同一批全球著名的投资基金公司和投资银行洽谈合作，准备引入更多的国际资本以实现更快速度的发展。

节选自《中外管理》2002年第2期　格兰仕的“双面行动”　文/凌子，有删改。

暴利
bào

行 < háng → noun
xíng → verb

課　文：

價格“屠夫”格蘭仕

格蘭仕1993年開始生産微波爐，在短短的十幾年時間裏發展成爲全球規模最大的微波爐生産企業，其國内市場占有率高達70%，全球市場占有率達30%以上。格蘭仕在國内實施的是低價策略，口號是：格蘭仕没有能力讓消費者富起來，但可以讓他們的每一分錢變得更有價值。它打入國際市場的策略是爲國際名牌加工，即貼牌生産。格蘭仕的高速發展及發展模式，引起了業界的普遍關注。有人贊成，有人反對。以下是根據記者採訪格蘭仕副總經理俞堯昌的記録總結整理的：

記者：格蘭仕是一個以打“價格戰”著稱的企業，被業界稱爲價格“屠夫”。有人非常不喜歡格蘭仕，因爲你們的降價使許多企業消失。你們的薄利多銷到底薄到了什麽程度？

俞堯昌：我們國内一些微波爐的利潤只有1元錢。但格蘭仕的産品有三分之二銷往國外，國外的價格遠遠高於國内。1992年我們剛進入微波爐行業時，競争不太激烈，但當時中國微波爐的價格要比國際平均價格高很多，原因是中國的家電企業規模小，成本高。1996年，許多企業一下子進入了微波爐製造業，引發了微波爐價格戰，但開始這場價格戰的並不是格蘭仕，而是北京的某一家企業。當時我們堅持了三個月，後來一下子降了40%。降價之後，我們發現市場容量很大，所以就努力擴大生産規模，因爲規模擴大以後才能降低成本，成本降低以後才能再降價。

記者：你們這麽大的規模生産，去年産值也不過才10億美元，利潤很低。中國入世後，你們怎麽同資金、技術和管理先進的跨國公司競爭？

俞堯昌：微波爐生產已經没有什麽利潤了，跨國公司不和我們競爭，因爲不值得。現在産品的競爭、技術的競爭以及人才的競爭都是表面的，實際上是資本的競爭。短線的、利潤比較大的、技術更新比較快的領域，是跨國公司競爭的重點。但這些領域我們没有資本實力進去，只能在勞動力密集型行業裏發揮生産力成本低的比較優勢。我們先要生存，才有發展。我們的生存空間在哪裏？就是跨國公司準備放棄的行業。我們爲什麽要把自己定位爲全球最大的生産中心，和200多家跨國公司合作呢？我們就是要利用我們一流的生産力、一流的成本和他們一流的網絡、一流的品牌發展自己，最後使市場成爲我們的。

記者：據説你們要把格蘭仕的品牌産品降到總生産量的40%以内，你們爲什麽要減少自己的品牌生産而增加貼牌生産量呢？

俞堯昌：跨國公司進入中國後，我們的勞動力成本優勢正漸漸喪失，我們面臨一個很大的挑戰。好在我們前幾年的速度快，形成了規模化和集約化，所以還能抗争一下。品牌是什麽？品牌是黄金堆起來的。我們有多少黄金？但我們不是做簡單的貼牌生産。比如變壓器，過去我們從日本進口是23美元，日本説成本無論如何也降不下來。我們算了一下它的成本，不過10美元。在歐洲同樣的變壓器是30多美元。我們對歐洲的企業説：“把生産線搬過來，我們幫你幹，幹完以后8美元給你。”日本受不了了，我們就對他們説：“那你也把生産線搬過來，我們5美元給你。”現在他們的生産線全搬過來了，而我們的生産成本只是4美元。另外，在法國，一周生産時間只有24小時，而格蘭仕可以一天三班倒，24小時連續生産。也就是説，同樣一條生産綫，在格蘭仕生産一天等於在法國生産一個星期。我們現在和200多家跨國公司合作，就是用這種方法。A品牌的生産線搬過來，我們就生産A，B生産線搬過來，我們就生産B，多餘出來的生産時間就屬於格蘭仕的。

記者：很多企業都在資本市場上創造了神話，格蘭仕爲什麽不上市？如果你們有了足够的資金，就不用給跨國公司打工了。

俞堯昌：微利行業不適合上市。但我們不上市並不意味著我們没有進行資本運營。資本運營有貨幣形態的，也有實物形態的。我們和跨國公司的合作就是實物形態的資本運營，不是通過收購股權，而是通過收購外國企業的資産——生産線。另外，把國外的生産線拿過來就等於"收買"了國外的競爭對手，無形中得到了國外現成的市場。目前，格蘭仕正在同一批全球著名的投資基金公司和投資銀行洽談合作，準備引入更多的國際資本以實現更快速度的發展。

節選自《中外管理》2002年第2期　格蘭仕的"雙面行動"　文／凌子，有刪改。

1.屠夫	屠夫	túfū	butcher
2.微波炉	微波爐	wēibōlú	microwave
3.加工	加工	jiāgōng	processing: 工业加工 industrial processing; 来料加工 processing of investor's raw materials
4.模式	模式	móshì	model; mode: 管理模式 management mode; 社会模式 social model
5.赞成	贊成	zànchéng	agree with
6.总结	總結	zǒngjié	summarize; summary
7.整理	整理	zhěnglǐ	reorganize; select and put in order
8.著称	著稱	zhùchēng	famous; celebrated: 以……著称 famous for
9.消失	消失	xiāoshī	disappear; vanish
10.薄利多销	薄利多銷	bólìduōxiāo	small profits but quick turnover
11.程度	程度	chéngdù	extent; degree
12.平均	平均	píngjūn	average
13.引发	引發	yǐnfā	(引起) initiate; trigger
14.价格战	價格戰	jiàgé zhàn	price war
15.坚持	堅持	jiānchí	sustain; hold out; stick to
16.容量	容量	róngliàng	capacity; volume: 市场容量 market capacity
17.努力	努力	nǔlì	exert oneself

18.产值	産值	chǎnzhí	value of output; output value
19.入世	入世	rùshì	加入世界贸易组织 enter the World Trade Organization
20.表面	表面	biǎomiàn	surface; 表面上 on the surface
21.资本	資本	zīběn	capital: 资本市场 capital market; 资本成本 capital cost; 资本交易 capital transaction
22.短线	短線	duǎnxiàn	short-term
23.更新	更新	gēngxīn	renew; renovate; update: 技术更新 update the technology
24.领域	領域	lǐngyū	sector; area; field
25.实力	實力	shílì	actual strength
26.发挥	發揮	fāhuī	bring into play; give play to; utilize
27.比较优势	比較優勢	bǐjiàoyōushì	relative advantage
28.定位	定位	dìng wèi	position; positioning
29.生产力	生產力	shēngchǎn lì	productivity; productive forces
30.网络	網絡	wǎngluō	network
31.丧失	喪失	sàngshī	lose; forfeit; be deprived of
32.好在	好在	hǎozài	fortunately; luckily
33.集约	集約	jíyuē	intensive: 劳动集约企业 labor intensive enterprise; 技术集约企业 technology intensive enterprise
34.抗争	抗争	kàngzhēng	make a stand against; resist; con tend

35.黄金　黄金　huángjīn　gold

36.堆　堆　duī　pile up; heap up; stack

37.变压器　變壓器　biànyāqì　transformer; voltage transformer

38.无论如何　無論如何　wúlùn rúhé　in any case; anyhow; at any rate

39.生产线　生產線　shēngchǎnxiàn　production line: 彩电生产线 acolor TV production line

40.搬　搬　bān　move; take away to

41.三班倒　三班倒　sānbān dǎo　three-shift system

42.神话　神話　shénhuà　myth; fairy tale

43.微　微　wēi　tiny; light; slight: 微利 small profit margin

44.运营　運營　yùnyíng　operation: 资本运营 capital operation

45.货币　貨幣　huòbì　money; currency:
货币单位 monetary unit;
货币市场 money market;
货币资本 money-capital

46.形态　形態　xíngtài　form; shape

47.实物　實物　shíwù　material object: 实物交易 barter

48.收买　收買　shōumǎi　buy over

49.无形中　無形中　wúxíng zhōng　virtually

50.现成　現成　xiànchéng　ready-made; established

51.投资　投資　tóuzī　invest; investment:
投资成本 capitalized cost;
投资公司 investment company;
投资银行 investment bank

52.基金	基金	jījīn	fund; foundation
53.洽谈	洽談	qiàtán	talk over with: 洽谈贸易 hold trade talks; 洽谈业务 discuss business; 与某人洽谈某事talk sth. over with sb.

第 8 课：价格“屠夫”格兰仕

- 语法 1：（高）达……
- 语法 2：A 把 B（自己）定位为/成 C
- 语法 4：无论如何（也/都）……

- 词语 1：……意味着……
- 词语 2：……，好在……
- 词语 3：无形中

- ✓ 打入（市场）——进入——加入（世贸）——引入（外资）
- ✓ 价格——价值——利润
- ✓ 引起（关注）——带动——带来（影响）——引发（价格战）
- ✓ 著称——著名

语法 4：无论如何（也/都）……

e.g1. 日本说成本<u>无论如何也/都</u>将不下来。

⇨ 练习 1：请你改写句子

1. 明天不管天气好不好，不管我多忙，我都会来参加你的婚礼。

2. 这次我们进入中国市场，不管有什么困难，我们都要建立自己的品牌。

⇨ 练习 2：完成对话

3. A：资金的问题不好解决，你去问问其他的银行吧。

   B：咱们是老朋友了，____________________。（一定要帮我）

4. A：谢谢你的礼物，不过礼物我不能收。

   B：____________________（一定要收下）

- ✓ 扩大（规模）——扩张（市场）
  enlarge / expand
- ✓ 产量——产值
  value
- ✓ 实际上——事实上
  factual
- ✓ 密集（型）——集约化
- ✓ 竞争——抗争
  compete with another / resist; survive from pressure given to you by another

综合练习　Exercises and Activities

一、对错选择　True or false based on the text

1.(　　)格兰仕的"价格战"使许多中国生产微波炉的企业关门，因为格兰仕的产品价格非常低。

2.(　　)格兰仕销往国外的产品价格比在国内高，因此得到的利润也比国内高。

3.(　　)格兰仕之所以能够大幅降价，是因为他们扩大了生产规模，降低了成本。

4.(　　)微波炉制造是一个劳动力密集型行业，利润很高，是跨国公司竞争的重点。

5.(　　)俞尧昌认为建立格兰仕品牌的知名度需要很多资金，但这正是格兰仕的发展目标。

6.(　　)中国企业的比较优势是生产力成本低，入世后这个比较优势会慢慢消失。

7.(　　)格兰仕在生产线上生产一天的产量等于在法国生产一个星期的，因为格兰仕的工人不睡觉。

8.(　　)格兰仕不是做简单的贴牌生产，而是把外国公司的生产线搬过来，这样做等于得到了这些公司现成的市场。

9.(　　)入世后，跨国公司大批进入中国，这样会增大中国企业的生存空间。

10.(　　)格兰仕没有上市是因为他们有足够的资金，不需要进行资本运营。

二、看拼音写汉字 Write the Chinese characters based on the *pinyin* given

1. 格兰仕被________(yèjiè) 称为价格“屠夫”。从1996年开始，它连续几年________(dàfú) 降价，使许多企业在微波炉________(zhìzào)行业中消失。格兰仕是靠扩大生产规模降价的，即________(guīmó jīngjì)。

2. 我们和跨国公司的合作就是实物形态的________(zīběn yùnyíng)。不是通过________(gǔquán)收购，而是 收 购外国企业的________(zīchǎn) 生产线。另外，将国外的生产线拿过来就等于“收买”了国外的________(jìngzhēng duìshǒu)，________(wúxíng zhōng) 得到了国外________(xiànchéng)的市场。

三、选词填空 Fill in the blanks

劳动密集型　定位　生存　利润空间　品牌
更新　资本实力　生产力　比较优势　市场

格兰仕副总经理俞尧昌说：短线的、______比较大的、技术______比较快的领域，我们没有______进去。中国企业应该在______行业里发展，因为这是中国企业的______。首先我们要______，才有发展。我们的生存空间在哪里？就是跨国公司准备放弃的产业。我们为什么要把自己“______为全球最大的生产中心”，和200多家跨国公司合作呢？我们就是要利用我们一流的______、一流的成本与他们一流的网络、一流的______，最后使______成为我们自己的。

四、句型练习 Patterns and exercises

1. **被……称为……** be called by ... as ...

例句：格兰仕多年来大打“价格战”，*被*业界*称为*价格“屠夫”。

用所给句型完成下列句子(Complete the following sentences using the pattern)：

- 肯德基在中国大力实施本土化，走在了业界的前列，________业界老大。

•在跨国公司办公室工作的人们______________________，因为______________________。

2. **发挥……优势** utilize one's advantage

例句：中国公司一般没有很强的资本实力，但中国劳动力便宜，所以在劳动力密集型行业里可以更好地*发挥*比较*优势*。

用所给句型翻译下列句子（Translate the following sentences into Chinese using the pattern）：

•KFC on the one hand utilizes its advantage in standardization, and on the other hand releases local food to adapt to the Chinese market.

____。

•Galanz utilizes its advantage in mass production, and thus successfully lowers its prices again and again.

____。

3. **好在** fortunately; luckily

例句：入世后,中国面临挑战，*好在*格兰仕前几年发展的速度快，还能抗争一下。

用所给句型翻译下列句子（Translate the following sentences into Chinese using the pattern）：

•My computer crashed yesterday. Luckily my friend who is a computer specialist was there and fixed the problem for me.

____。

• Yesterday, I worked on my research project throughout the night. Luckily I did not have class until 2:00 pm today.

____。

4. **无论如何** in any case;

例句：我们从日本进口变压器,价格是23美元，日本说*无论如何*价格也不能降下来。

用所 给句型重写下列句子(Rewrite the following sentences using the pattern)：

•这种产品别的企业都降价了，我们也要降，要不然市场就会丢掉。

无论如何

____。

•星巴克又推出了一个新的咖啡饮品，尽管有一点贵，我还是要品尝一下。

无论如何

____。

5. **意味** imply; signify; mean

例句：我们不上市并不意味我们没有进行资本运营，资本运营有货币形态的，也有实物形态的，我们进行的是实物形态的资本运营。

用所给句型完成下列句子（Complete the following sentences using the pattern）：

•肯德基推出了一个又一个中式餐饮产品，________________________________。

•宜家在欧美市场发展得很好并不________________________________。

五、根据课文回答问题 Answer the questions based on the text

1. 格兰仕是一家以什么为主打产品的企业？发展规模怎么样？
2. 格兰仕的国内、国际发展战略各是什么？
3. "格兰仕没有能力让消费者富起来，但可以让他们的每一分钱变得更有价值"这句话是什么意思？
4. 为什么记者说很多企业不喜欢格兰仕？
5. 格兰仕在中国是靠打价格战取得胜利的，什么叫价格战？除了格兰仕以外，还有哪家公司以打价格战出名？
6. 格兰仕是靠什么做到大幅降价的？
7. 为什么俞尧昌说跨国公司不值得同格兰仕在微波炉制造上竞争？
8. 格兰仕为什么不发展自己的品牌而重点做贴牌生产（OEM）？
9. 格兰仕是怎么做贴牌生产（OEM）的？
10. 格兰仕为什么不上市呢？
11. 你认为与海尔比，格兰仕的国内、国际发展战略怎么样？

六、补充阅读 Supplementary readings

（1）格兰仕的市场促销

1995年，格兰仕的微波炉生产和销售都有了一定的基础，准备大规模地开拓市场。当时，最时髦的开拓市场方式是在电视上大做广告。电视广告影响大是大，但资金投入也很大。格兰仕于是选择了另一种促销方式：在报纸杂志上刊登文章大规模普及微波炉知识。一是因为他们当时没有足够的资金，二是因为他们知道中国的消费者还不太了解微波炉。格兰仕在全国150多家报纸杂志上，刊登了"微波炉使用指南"、"专家谈微波炉"、"微波炉系列菜谱"、"微波炉美食文化指南"等上千篇专栏文章。这样做一方面使消费者了解使用微波炉的好处，扩大了潜在的消费者市场，另一方面也与新闻媒体建立了良好的关系，使他们支持格兰仕。

资料来源：清华大学经济管理学院"中国工商管理案例库"

生词：

促销：market promotion
基础：basis; foundation
普及：popularize
刊登：publish
指南：guide
菜谱：recipe
美食：fine food
媒体：media
专栏：special column

问题：

1. 1995年很多公司用的市场宣传方式是什么？
2. 格兰仕为什么没有运用这种方式？
3. 格兰仕是怎样做市场促销的？
4. 效果怎么样？

（2）格兰仕的价格战

1996年格兰仕在全国大规模降价，降价幅度为40%，结果销量大增，产量也随之大增。到1997年，产量从1995年的60万台增加到近200万台，国内市场占有率达到47.1%。在后来的几年中，格兰仕又连续大幅降价。格兰仕的降价有两个特点：一是降价的频率高，几乎是每年降一次，1996年至2003年，前后共进行了9次大规模降价；二是降价的幅度大，每次降价最低幅度为25%，一般都在30%到40%。由于连续大幅度降价，格兰仕的产品销量每年上升，市场占有率也随之上升。至今，微波炉的年销售量已达到1500万台，国内市场占有率高达70%，国际市场占有率高达35%。

微波炉是一种生活必需品，只要价格适中，人们都愿意购买和使用。

然而，在20世纪90年代初，中国的一台微波炉的价格高达3000—4000元，相当于普通职工几个月的工资。在这种情况下，格兰仕的一次次降价，自然会引发人们的购买欲望。10年之内，微波炉的价格由每台3000元以上降到每台300元左右，一共降了90%以上。由于格兰仕的降价，仅1996年一年之内中国就有100多万个家庭成为微波炉的使用者。

资料来源：<<经济参考报>>: 格兰仕给中国制造业的四大启示
2003年9月11日　文/钟朋荣

生词：

随之：followed by
频率：frequency
生活必需品：life necessities
适中：moderate
欲望：desire

问题：

1. 格兰仕的降价特点是什么？
2. 格兰仕的降价效果怎么样？
3. 格兰仕的降价对中国微波炉消费市场的发展起了什么作用？
4. 作为消费者，你喜欢不喜欢格兰仕的价格战？
5. 如果你是格兰仕竞争对手企业的领导者，面对格兰仕的价格战，会采取什么措施？

七、课堂活动　Classroom activity

对话：格兰仕为什么在大幅降价

两人一组演出以下场景：一位顾客打算买一台微波炉。他听说格兰仕刚刚降价40%。他对微波炉了解不多，但对格兰仕微波炉的价格比其他品牌低那么多感到奇怪，因为中国有句老话：便宜没好货，好货不便宜。格兰仕的销售代表回答他的问题，向他解释格兰仕是如何成功降价，做到"物美价廉、薄利多销"的。（可用词汇：价格，消费者，降价，生产规模，利润，薄利多销）

Pair up the students and act out the following scene: A customer plans to buy a microwave. He has heard that Galanz has just reduced its price by 40%. He has limited knowledge about the microwave. He is curious about why Glalanz's price is much lower than the other brands. Galanz's representative is now answering his questions by explaining how Galanz can successfully lower the price. (Please use the words: 价格, 消费者, 降价, 生产规模, 利润, 薄利多销)

八、写作 Essay :

格兰仕的高速发展

下列图表来自格兰仕的网站。根据课文以及下列图表提供的资料写一篇有关格兰仕高速发展的短文。

The following tables are from Galanz's website. Please write a short essay about Galanz's development using the information provided in the tables and above readings.

格兰仕历年生产产品种类

年份	1993	1994	1995	1996	1997	1998
产品种类	微波炉	微波炉	微波炉	微波炉 电风扇 电饭煲	微波炉 电风扇 电饭煲 消毒柜	微波炉 电风扇 电饭煲 消毒柜
品种	两个品种	两大系列 8个品种	四大系列 18个品种	七大系列 25个品种	八大系列 50个品种	九大系列 80多品种

格兰仕中国微波炉市场占有率

1995年	1996年	1997年	1998年	1999年	2000年	2001年
25.1%	34.5%	47.6%	61.43%	67.1%	76%	70%

格兰仕微波炉产销规模（万台／年）

1993年	1994年	1995年	1996年	1997年	1998年	1999年	2000年
1	10	25	65	200	450	1200	1500

小知识　Business Knowledge

OEM和ODM

OEM是英文Original Equipment Manufacturer的缩写，中文翻译是“原始设备制造商”，是指某制造商只负责产品的设计、开发、销售，但自己不直接生产，而是让其他企业生产，产品再用原来企业的品牌推向市场，所以也叫贴牌生产。这样，前者可减少风险和成本，而后者往往是一些缺乏资金的中、小企业，通过OEM生产，可以增加生产量，赢得更大的经济利益。另一种和OEM相似的生产方式叫ODM，即Original Design Manufacturer，中文是“原始设计制造商”，是指某制造商设计出一种产品后，其他品牌的制造商可能会要求用自己的品牌生产这种产品，或者稍加修改后生产，因此ODM是用生产商自己的品牌把产品推向市场的。

资料来源：香港国际商业网

TCL的跨国并购
TCL International Acquisitions

课前热身 Warm-Up

TCL点滴 A Few Words about TCL

TCL集团公司创办于1981年，总部位于中国广东省，产品有彩电、手机、电话机、个人电脑等。TCL近十年来以年均42.65%的速度增长，是中国增长最快的工业制造企业之一。TCL是第一家并购国外大型企业的中国企业，由此引起国内外的关注。

走近 TCL A Closer Look at TCL

TCL 展台

TCL 电脑

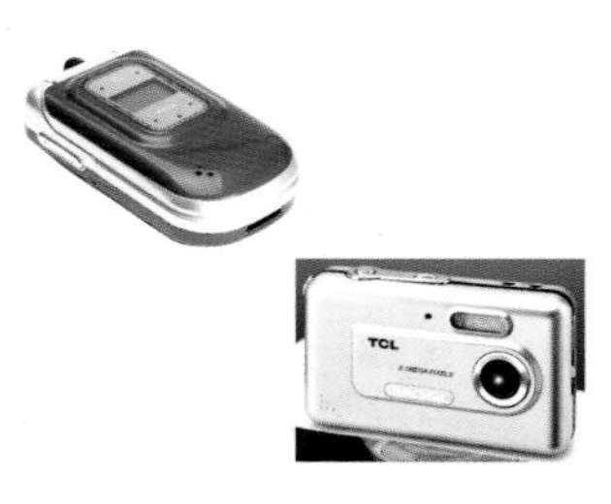

TCL 数码相机、手机

TCL 专柜

交流分享 Share with Others

1. 你听说过中国有个 TCL 集团吗？如果听说过，是从哪里听说的？听说过什么？
2. 你听说过 TCL 收购汤姆逊（Thomson）和阿尔卡特（Alcatel）吗？从哪里听说的？你的第一反应是什么？
3. 如果有人告诉你 TCL 是全球最大的电视机制造商，你相信吗？为什么相信或者不相信？
4. 你了解汤姆逊（Thomson）或者阿尔卡特（Alcatel）公司吗？它们是什么样的公司？经营情况怎么样？
5. 你能分析一下 TCL 为什么要收购这两家公司吗？
6. 你能预测一下 TCL 未来在国际上的发展吗？

课　文:

TCL的跨国并购

(一)

TCL是英文Today China Lion的缩写。这家公司几年前在国际上还鲜为人知，但它近几年的跨国收购行动，引起了国内外的高度关注。2002年秋天，TCL成功地并购了德国名牌电子企业施耐德(Schneider),使得这家原来只在亚太地区发展的中国企业开始在欧洲市场扬名。2003年11月，TCL并购了法国家电大型企业汤姆逊(Thomson)的电视和DVD业务，组建了TCL-汤姆逊公司，TCL的股份为67%。这家新公司彩电年产量预计将高达1800万台，约占全球彩电市场的11%，比全球最大的彩电制造商三星(Samsung)公司高3%，因此一举成为全球彩电行业的最大制造商。2004年4月，TCL又并购了法国阿尔卡特公司(Alcatel)的手机业务,成立了一家合资公司,TCL占有55%的股份。

的确，对于中国家电生产企业来说，国内的家电、手机市场已近饱和，企业的生产能力已经大大超过市场容量，而产品出口又频频遭到欧美国家的反倾销调查。因此，如何发展自己并走出国门，已经成为中国相关企业面临的挑战。目前不同的企业采用了不同的国际化战略，比如海尔直接到美国建厂，发展自有品牌。格兰仕将自己定位为“全球最大的家电生产中心”，利用贴牌生产，将自己的产品打入国际市场。而TCL的国际化道路是跨国收购大型国际企业，利用被收购企业的品牌、销售渠道等，较快地进入国际市场。由此看来，TCL的国际化步伐似乎更快、更大。

(二)

目前TCL实施的是多品牌战略，即在不同的市场上使用不同的品牌，比如在欧洲市场用Thomson和Schneider，在美国市场用RCA和Govedio(TCL收购的另一个外国品牌)，在国内和周边国家市场用TCL和乐华(TCL收购的另一个国内品牌)。对于TCL的跨国并购，特别是它的多品牌战略，业界人士有的支持，有的怀疑。专家分析TCL采用的多品牌战略的优势有：1〕占领更多的销售终端和销售渠道；2〕为品牌忠诚度较低的消费者提供更多的选择；3〕由于不同的品牌具有不同的特性，能吸引和维系不同的消费群体；4〕降低单一品牌的风险；5〕鼓励企业内部资源的合理分配和品牌之间的合理竞争，营造更具进取心的企业文化。

但多品牌战略除了上述优势以外，还有以下劣势：1〕因为企业既要宣传几个品牌之间的差异性，又要宣传品牌之间的共性，从而花费巨大的广告公关费用；2〕由于品牌之间的差异化定位及市场的不重叠性，使得众多产品在渠道上不能共享，从而导致了销售费用的增加；3〕如果各个品牌之间没有严格的市场区分，会造成企业自身各品牌之间的市场竞争。从全球家电业来看，跨国公司大都采用单一品牌，如三洋（Sanyo）、索尼（Sony）等。

(三)

对于多品牌战略的优劣，TCL总裁李东生在接受记者采访时说：欧美市场已经高度成熟，盲目地在这些市场上投入自有品牌产品将冒很大的商业风险。TCL的策略是在发展中国家推广自有品牌，在发达国家以OEM的形式输出自有品牌或者借用当地品牌来发展自己，但TCL的最终目标是发展企业的自有品牌。

因此有专家分析说，TCL目前采用的“多品牌策略”只是一个权宜之计。这种策略可以使TCL在不需要投资很多的情况下进入欧美市场，在短期内即可获利，有“低成本运作品牌”的效应。这样做的好处还可以绕过进口贸易壁垒、减少税收、拉近与当地消费者之间的距离等。然而，随着时间的推移和市场开拓的需要，TCL将会采用单一品牌，即用自有品牌TCL取代其他品牌。至于它何时放弃Govedio、Schneider、Thomson，将取决于TCL企业的发展以及TCL品牌在国内、国际市场影响力的提高程度。

资料来源：
《中国经营报》TCL与松下背道而驰的品牌加减法　2003年8月19日　文/叶秉喜 庞亚辉
《经济参考报》 三道关卡拦截TTE航母　2004年8月5日　文/傅勇
《经济日报》TCL集团董事长李东生一席谈　文/陈建辉　周雷
《人民日报》TCL与法国汤姆逊组建全球最大彩电企业　2003年11月5日　第一版

課　文：

TCL 的跨國併購

（一）

TCL 是英文 Today China Lion 的縮寫。這家公司幾年前在國際上還鮮爲人知，但它近幾年的跨國收購行動，引起了國内外的高度關注。2002 年秋天，TCL 成功併購了德國名牌電子企業施耐德(Schneider)，使得這家原來只在亞太地區發展的中國企業開始在歐洲市場揚名。2003 年 11 月，TCL 併購了法國家電大型企業湯姆遜(Thomson)的電視和 DVD 業務，組建了 TCL－湯姆遜公司，TCL 的股份爲 67%。這家新公司彩電年產量預計將高達 1800 萬臺，約佔全球彩電市場的 11%，比全球最大的彩電製造商三星(Samsung)公司高 3%，因此一舉成爲全球彩電行業的最大製造商。2004 年 4 月，TCL 又併購了法國阿爾卡特公司(Alcatel)的手機業務，成立了一家合資公司，TCL 佔有 55% 的股份。

的確，對於中國家電生産企業來説，國内的家電、手機市場已近飽和，企業的生産能力已經大大超過市場容量，而産品出口又頻頻遭到歐美國家的反傾銷調查。因此，如何發展自己並走出國門，已經成爲中國相關企業面臨的挑戰。目前不同的企業採用了不同的國際化戰略，比如海爾直接到美國建廠，發展自有品牌。格蘭仕將自己定位爲“全球最大的家電生産中心”，利用貼牌生産，將自己的産品打入國際市場。而 TCL 的國際化道路是跨國收購大型國際企業，利用被收購企業的品牌、銷售渠道等，較快地進入國際市場。由此看來，TCL 的國際化步伐似乎更快、更大。

(二)

目前TCL實施的是多品牌戰略，即在不同的市場上使用不同的品牌，比如在歐洲市場用Thomson和Schneider，在美國市場用RCA和Govedio(TCL收購的另一個外國品牌)，在國内和周邊國家市場用TCL和樂華(TCL收購的另一個國内品牌)。對於TCL的跨國併購，特别是它的多品牌戰略，業界人士有的支持，有的懷疑。專家分析TCL採用的多品牌戰略的優勢有：1〕占領更多的銷售終端和銷售渠道；2〕爲品牌忠誠度較低的消費者提供更多的選擇；3〕由於不同的品牌具有不同的特性，能吸引和維繫不同的消費羣體；4〕降低單一品牌的風險；5〕鼓勵企業内部資源的合理分配和品牌之間的合理競爭，營造更具進取心的企業文化。

但多品牌戰略除了上述優勢以外，還有以下劣勢：1〕因爲企業既要宣傳幾個品牌之間的差異性，又要宣傳品牌之間的共性，從而花費鉅大的廣告公關費用；2〕由於品牌之間的差異化定位及市場的不重叠性，使得衆多產品在渠道上不能共享，從而導致了銷售費用的增加；3〕如果各個品牌之間没有嚴格的市場區分，會造成企業自身各品牌之間的市場競爭。從全球家電業來看，跨國公司大都採用單一品牌，如三洋（Sanyo）、索尼（Sony）等。

(三)

對於多品牌戰略的優劣，TCL總裁李東生在接受記者採訪時説：歐美市場已經高度成熟，盲目地在這些市場上投入自有品牌產品將冒很大的商業風險。TCL的策略是在發展中國家推廣自有品牌，在發達國家以OEM的形式輸出自有品牌或者借用當地品牌來發展自己，但TCL的最終目標是發展企業的自有品牌。

因此有專家分析説，TCL目前採用的“多品牌策略”只是一個權宜之計。這種策略可以使TCL在不需要投資很多的情况下進入歐美市場，在短期内即可獲利，有“低成本運作品牌”的效應。這樣做的好處還可以繞過進口貿易壁壘、減少税收、拉近與當地消費者之間的距離等。然而，隨着時間的推移和市場開拓的需要，TCL將會採用單一品牌，即用自有品牌TCL取代其他品牌。至于它何時放棄Govedio、Schneider、Thomson，將取决于TCL企業的發展以及TCL品牌在國内、國際市場影響力的提高程度。

資料來源：
《中國經營報》TCL與松下背道而馳的品牌加減法　2003年8月19日　文／葉秉喜 龐亞輝
《經濟參考報》　三道關卡攔截TTE航母　2004年8月5日　文／傅勇
《經濟日報》 TCL集團董事長李東生一席談　文／陳建輝　周雷
《人民日報》TCL與法國湯姆遜組建全球最大彩電企業　2003年11月5日 第一版

生词表 Vocabulary

1.跨国	跨國	kuàguó	multi-national: 跨国银行 multi-national bank
2.并购	併購	bìnggòu	mergers and acquisitions
3.缩写	縮寫	suōxiě	abbreviation
4.鲜为人知	鮮爲人知	xiǎn wéi rén zhī	rarely known by people
5.高度	高度	gāodù	high degree; highly
6.关注	關注	guānzhù	close attention; concern: 引起关注 draw attention
7.亚太	亞太	Yà-Tài	Asian and Pacific (Region)
8.扬名	揚名	yángmíng	become known; become famous
9.业务	業務	yèwù	business
10.组建	組建	zǔjiàn	establish; set up
11.预计	預計	yùjì	estimate; predict
12.一举	一舉	yìjǔ	with one action; at one stroke
13.手机	手機	shǒujī	cellular phone
14.饱和	飽和	bǎohé	saturation, saturated: 市场饱和 market saturation
15.频频	頻頻	pínpín	repeatedly; one after another
16.反倾销	反傾銷	fǎn qīngxiāo	anti-dumping
17.由此看来	由此看來	yóu cǐ kànlái	judging from this; in view of this
18.步伐	步伐	bùfá	pace
19.周边国家	周邊國家	zhōubiān guójiā	neighboring countries
20.怀疑	懷疑	huáiyí	doubt; suspect; have a suspicion that...; be suspicious of ...
21.终端	終端	zhōngduān	end; end point
22.维系	維繫	wéixì	retain; maintain
23.群体	羣體	qúntǐ	population; group

24.风险	風險	fēngxiǎn	risk: 冒……风险 take the risks of ...
25.鼓励	鼓勵	gǔlì	encourage
26.合理	合理	hélǐ	rational
27.营造	營造	yíngzào	construct; create
28.企业文化	企業文化	qǐyè wénhuà	corporation culture
29.进取心	進取心	jìnqǔxīn	enterprising spirit
30.上述	上述	shàngshù	above-mentioned
31.共性	共性	gòngxìng	similarity; general (common) character
32.公关	公關	gōngguān	(公共关系) public relations
33.重叠	重叠	chóngdié	overlapping
34.共享	共享	gòngxiǎng	share
35.从而	從而	cóng'ér	thus; thereby; thereupon then; so then; as a result
36.导致	導致	dǎozhì	lead to; result in
37.费用	費用	fèiyòng	cost; expenses
38.造成	造成	zàochéng	result in
39.优劣	優劣	yōuliè	advantages and disadvantages; good and bad
40.成熟	成熟	chéngshú	ripe; mature: 成熟的意见 well-considered opinion; 市场成熟 mature market
41.盲目	盲目	mángmù	blind; blindly: 盲目发展 haphazard development; 盲目竞争 blind competition
42.以	以	yǐ	use, take
43.输出	輸出	shūchū	export; output
44.最终	最終	zuìzhōng	final; ultimate: 最终目的 ultimate goal; 最终产品 end product
45.权宜之计	權宜之計	quányí zhī jì	expedient measure

46.在……情况下	在……情況下	zài...qíngkuàng xià	in the case of; in the circumstance of
47.获利	獲利	huòlì	earn profit
48.运作	運作	yùnzuò	operation
49.效应	效應	xiàoyìng	effect
50.绕过	繞過	ràoguò	bypass; get around
51.拉近	拉近	lājìn	draw closer, space in
52.距离	距離	jùlí	distance
53.随着	隨着	suízhe	along with
54.推移	推移	tuīyí	(time) elapse; pass
55.开拓	開拓	kāituò	open up; extension: 开拓市场 develop/ explore markets
56.取代	取代	qǔdài	replaced by
57.取决于	取決于	qǔjué yú	depend on; hinge on

综合练习 Exercises and Activities

一、对错选择 True or false based on the text

1.(　　)中国企业TCL在国际上一直就很有名，收购德国名牌电子企业施耐德后就更有名了。

2.(　　)TCL－汤姆逊公司的彩电全球市场份额预计比三星公司高,是全球彩电业的老大。

3.(　　)欧美国家的反倾销调查使中国家电产品出口更加容易。

4.(　　)中国的家电企业必须到海外发展，因为国内市场容量小于国内家电企业的生产能力。

5.(　　)TCL的国际化发展策略是到海外办工厂，跟海尔、格兰仕差不多一样。

6.(　　)业界人士非常支持TCL的跨国收购行动和多品牌战略。

7.(　　)多品牌战略既有优势又有劣势，但跨国家电企业大都采用它。

8.(　　)多品牌战略的劣势之一是企业花费较多，因为要同时宣传几个品牌，而且销售渠道不一样。

9.(　　)TCL总裁李东生对记者说，TCL在欧美市场上永远不会用自有品牌，因为欧美市场已经非常成熟了。

10.(　　)TCL在欧美市场用Thomson、RCA等品牌不需要花很多钱就可以在短期内获利，因为这些品牌很有名。

二、看拼音写汉字　Write the Chinese characters based on the *pinyin* given

目前国内的__________(jiādiàn)市场已近__________(bǎohé)，相关企业的生产能力已经大大超过市场__________(róngliàng)，而出口又频频遭到欧美国家的__________(fǎn qīngxiāo)调查，因此如何发展自己、走出国门已成为中国家电企业面临的__________(tiǎozhàn)。目前不同的企业采用了不同的国际化__________(zhànlüè)，比如海尔直接到美国建厂，发展自有品牌。格兰仕将自己__________(dìngwèi)为“全球最大的家电生产中心”，利用__________(tiēpái)生产，将自己的产品打入国际市场。TCL______________(kuàguó shōugòu)大型国际企业，利用被收购企业的__________(pǐnpái)、__________(xiāoshòu qúdào)进入国际市场。TCL的品牌__________(cèlüè)是在__________(fāzhǎn zhōng guójiā)推广自有品牌，在__________(fādá guójiā)用OEM的或者借用当地品牌来发展自己，但__________(zuìzhōng mùdì)是发展TCL的自有品牌。

三、选词填空　Fill in the blanks

距离	制造商	投资	关注	权宜之计	运作
壁垒	巨头	税收	手机	多品牌	鲜为人知

TCL几年前在国际上还__________，但它近几年的跨国收购行动，引起了国内外的高度__________。它曾经成功地并购了德国名牌电子企业施耐德，法国家电__________汤姆逊的电视和DVD业务，和法国阿尔卡特公司的__________业务。目前是全球彩电行业的最大__________。

TCL采用的“__________策略”只是一个__________。TCL用这些品牌在不需要__________很多的情况下进入欧美市场，可以有“低成本__________品牌”的效应。这样做可以绕过进口贸易__________、减少__________、拉近与当地消费者之间的__________等。

四、解释下列词语　Explain the following phrases in Chinese

薄利多销 ____

鲜为人知 ____

五、句型练习 Patterns and exercises

1. **引起sb.的（关注／注意／兴趣／怀疑）** cause sb.'s...

例句：TCL近几年的跨国收购行动，*引起*了国内、外的高度*关注*。

用所给句型造句（Make up sentences using the pattern）：

- 引起……的关注

______________________________。

- 引起……的注意

______________________________。

- 引起……的兴趣

______________________________。

- 引起……的怀疑

______________________________。

2. **既……又／也……** both ... and ...; as well as ...

例句：因为企业*既*要宣传几个品牌之间的差异性，*又*要宣传品牌之间的共性，从而花费巨大的广告公关费用。

用所给句型重写下列句子（Rewrite the following sentences using the pattern）：

- 很多在跨国公司工作的中国白领去星巴克，一方面为了放松自己，一方面为了显示自己的社会地位。

______________________________。

- 中国加入世界贸易组织以后，中国企业会有很多发展机会，但同时又面临极大的挑战。

______________________________。

3. **在……情况下** in the case of ...; in the condition of ...; in the situation of ...

例句：TCL的"多品牌策略"可以*在*不需要投资很多的*情况下*进入欧美市场，有"低成本运作品牌"的效应。

用所给句型完成下列句子（Complete the following using the pattern）：

- 中国的市场环境和欧美的不一样，因此宜家做了很大的改变。

______________________________。

- 格兰仕实施三班倒，它生产线上一天的产量相当于法国一个星期的产量。

______________________________。

4. **随着……** along with; in pace with

例句：*随着*时间的推移和市场开拓的需要，TCL将会采用单一品牌，即用自有品牌TCL取代其他品牌。

用所给句型完成下列句子（Complete the following using the pattern）：

•随着中国经济的发展，______________________________。

•随着跨国公司的到来，______________________________。

5. **取决于……** depend on ... be decided by...

例句：至于TCL何时放弃Govedio、Schneider、Thomason，将*取决于*TCL企业的发展及品牌在国内、国际市场的影响力扩大程度。

用所给句型重写下列句子（Rewrite the following sentences using the pattern）：

•产品价格的高或低要看它的质量怎么样以及市场是不是需要。

______________________________。

•企业是不是到国外去发展要由很多因素决定。

______________________________。

六、根据课文回答问题 Answer the questions based on the text

1. TCL是怎样从一家鲜为人知的中国公司到现在在欧洲市场扬名的？
2. TCL是怎样成为全球彩电业最大制造商的？
3. 中国的家电生产企业为什么要走出国门？
4. 说一说目前不同的企业采用的不同的国际化战略。
5. TCL是如何实施多品牌战略的？
6. TCL实施多品牌战略的优势有哪些(结合P&G的品牌战略)？劣势有哪些？
7. 为什么TCL总裁李东生说在欧美市场使用自己的品牌会冒很大的风险？
8. 为什么说“多品牌策略”只是TCL的权宜之计？
9. TCL什么时候会在国际市场上使用自己的品牌？
10. 你认为与海尔和格兰仕相比，TCL的国际化发展策略有什么优势和劣势？

七、补充阅读 Supplementary readings

（1）欧盟对中国彩电的反倾销调查

1988年欧盟开始对中国彩电进行反倾销调查，至2002年已达15年之久。1988年12月2日，欧盟决定对所有来自中国的彩电征收44.6%的反倾销税。至此，中国彩电被排挤出欧盟市场。中国彩电在欧盟市场份额从28%降至零。2000年4月至2002年中，中国国内七家彩电企业与欧盟有关方面及有关生产厂商进行了谈判。2002年7月29日，欧盟做出决定，同意接受中国彩电厂商承诺，给中国彩电40万台的出口配额进入欧盟市场，由7家企业来分配，但超出配额的出口彩电，仍会被继续征收高关税。这7家彩电企业包括厦华、海尔、TCL等。据统计，全球彩电业仍有很大的发展空间，欧洲有4500万台的市场，美国有4000万台的市场，中国3500万台，澳洲500万台，特别是现在彩电更新换代，利润将更为可观，因此任何一家中国企业都想进入欧美市场。但欧美市场对中国产品的反倾销调查阻止了中国彩电进入欧美市场的步伐。

根据相关报道撰写

生词：

欧盟：European Union
征收：levy; collect
排挤：push aside; squeeze out
承诺：promise
配额：quota
可观：considerable; sizable
阻止：prevent; hold back
步伐：pace

对错选择 True or false based on the reading

1.(　　)1988年以前，中国彩电就大量出口到欧洲市场。

2.(　　)1999年中国几乎没有彩电出口到欧洲市场。

3.(　　)欧盟决定给中国彩电40万台的出口配额使中国彩电在欧盟的市场份额比例增加到20%。

4.(　　)中国每年只能向欧盟出口40万台彩电，这是欧盟对中国彩电进口的限制。

5.(　　)现在全球彩电市场发展的空间很大，因为很多人都要买新式彩电。

6.(　　)反倾销调查限制了中国彩电业在全球市场的发展。

（2）未受反倾销影响的TCL彩电海外销量倍增

2004年4月21日，TCL集团发布公告说，通过对公司2004年第一季度业绩的初步估算，预计今年第一季度公司实现净利润将比上年同期的163463245元增长50%－60%。有迹象表明，一季度的良好财务报表与集团海外业务的高速增长密不可分。

受美国彩电反倾销影响，国内彩电企业出口大多出现不同程度的下滑，但TCL彩电今年3月份海外销售数量为374403台，比去年同期的199358台翻了一番。TCL集团海外事业部总裁易春雨在接受采访时也表示，今年一季度TCL集团的海外业务与去年同期相比增长1.5倍。易春雨同时透露，TCL与法国汤姆逊的合资公司TTE将于今年7月1日正式挂牌。

《信息时报》2004年04月21日　文/刘莉

生词：

季度：quarter
业绩：achievement
估算：estimate
迹象：sign; indication
财务报表：financial statement
密不可分：interwoven
翻一番：double
透露：reveal
挂牌：start the operation

对错选择 True or false based on the reading

1.( )TCL同中国很多其他彩电公司一样，2004年3月海外销量增长很多。

2.( )美国对中国彩电反倾销的调查没有影响到TCL。

3.( )2003年3月TCL的彩电海外销量为374403台。

4.( )TCL集团2004年第一季度净利润大约两亿五千万左右。

5.( )2004年7月1日TCL与法国汤姆逊的合资公司TTE正式开业。

（3）家电业与多品牌

日本松下（Panasonic）电器公司是一家著名的跨国公司，多年来一直实施双品牌战略，两个品牌分别是Panasonic和National。但2003年7月，松下电器(中国)有限公司的新任董事长宣布，自2004年3月起，Panasonic将全面取代National，成为松下公司全球市场的统一品牌，National这一品牌将从市场消失。虽然松下海外市场的商品只有10%使用National，但这次的品牌转化将耗资14亿元人民币。

松下公司是进入中国市场最早的一批跨国家电企业，在中国市场上一直采用Panasonic(电子类产品)和National(家电类产品)两个品牌。两个品牌的产品均属于高端产品，但这两者之间似乎没有表现出来明显的差异，它们之间的联想度也不是很高。松下每年要投放大量的资金分别宣传两个品牌。松下中国公司新任董事长坦言：Panasonic和National经常混淆用户的品牌概念，弄不清它们跟松下公司的关系，大大分散了品牌资源，不利于公司的整体发展。

从全球家电业来看，大多数企业都采用单一品牌策略，例如LG、SANYO、SHARP等，这些企业的冰箱、空调、传真机、洗衣机、彩电等都使用统一的品牌。相对而言，快速消费品和日用产品似乎更适合“多品牌”策略，原因是这类产品生命周期短，购买风险低。而家用电器等耐用消费品，产品生命周期长，购买风险高，似乎更适合单一品牌策略。

资料来源：《中国经营报》TCL与松下背道而驰的品牌加减法

2003年8月19日 文/叶秉喜 庞亚辉

生词：

转化：transform; change
耗资：spend the expenses
坦言：speak honestly
混淆：confuse
分散：diversify
相对而言：relatively speaking
耐用：durable

对错选择　True or false based on the reading

1.(　　)日本松下公司多年来一直有两个品牌，但海外市场用Panasonic，日本国内用National。
2.(　　)松下每年要花大量的广告费用，分别宣传Panasonic和National，这对公司的整体发展非常不利。
3.(　　)人们都知道Panasonic和National属于同一家公司。
4.(　　)SHARP的冰箱、空调、传真机、洗衣机、彩电都各有各的品牌。
5.(　　)宝洁公司的产品似乎更适合“多品牌”策略，因为宝洁产品生命周期短，消费者购买风险低。
6.(　　)消费者一说到National，就能联想到Panasonic。

八、综合写作　Essay:

中国企业的国际化道路

我们已经学过了三家中国公司在国际市场发展的典型案例。请你根据这些案例，撰写一篇报告，分析总结一下这三家中国公司所采取的不同国际化策略的利与弊，最后对这三家公司的国际化发展前景做一预测。

Based on the cases we have studied (Haier, Galanze, and TCL), please write an analysis/comment about the strategies these three companies have used for their global expansion. Please include the pros and cons of the strategies. Conclude the essay with your predictions about the future of the three companies.

小知识 Business Knowledge

倾销与反倾销

倾销是指一个国家或地区的生产商或出口商以低于正常价格的价格把商品大量出口到另一个国家或地区，并且对那个国家或地区的相关产业造成了损害或威胁。正常价格是指该产品的国内市场价格或成本价格。如该产品的国内价格受到政府影响，往往以第三国同类产品的出口价格来确认正常价格。出口价格低于正常价格的差额被称为倾销幅度。受到倾销商品损害的进口国为此采取的措施被称为反倾销。如果确定倾销成立，进口国将对倾销产品征收反倾销税，税额可以等于倾销幅度，也可以低于倾销幅度。

改写自新浪网

第10单元

联想集团 Lenovo Group Limited

lenovo

联想"蛇吞象"并购IBM

A Snake Swallows an Elephant, Lenovo Acquires IBM

课前热身 Warm-Up

联想点滴 A Few Words about Lenovo

联想是中国最大的生产电子计算机并提供相关服务的集团公司。它1984年成立，1994年在香港上市，1996年市场占有率第一次居国内市场首位，并保持至今。2003年联想以"Lenovo"代替原有英文标识"Legend"，并在全球范围内注册。2004年底收购IBM个人电脑生产业务，引起业界关注。

lenovo联想
科技创造自由

走近联想 A Closer Look at Lenovo

联想锋行挑战赛(上海)

联想广告

联想笔记本

联想展台

交流分享 Share with Others

1. 你听说过中国有个联想集团吗？如果听说过，是从哪里听说的？听说过什么？
2. 你听说过联想收购IBM生产个人电脑业务这件事吗？是从哪里听说的？你的第一反应是什么：不相信、吃惊、还是没什么？为什么？
3. 你知道为什么这么多人关注联想收购IBM吗？
4. 你知道联想为什么要收购IBM吗？
5. 你知道IBM为什么要出售个人电脑生产业务吗？
6. 你认为联想收购IBM对联想的发展是利大于弊还是弊大于利？你为什么这样认为？
7. 你能预测一下联想未来在国际上的发展吗？请解释一下你的预测。

课　文：

联想"蛇吞象"并购 IBM

(一)

联想集团是中国最大的电脑制造商，年营业收入高达33亿美元，市场占有率自1997年以来一直保持中国第一。联想2001年开始实施国际化战略，其中包括培养国际业务人才，向海外市场销售产品，建立国外办事机构等。但联想的国际化战略并不是非常成功。它在海外的销量很小，只占总营业收入的3%。另外在2001年到2004年实施国际化战略的3年时间里，联想的国内市场份额从原来的30%以上下降到27%。2004年2月，联想宣布其工作重心将重新回到国内个人电脑(PC)主业。

然而，在不到一年的时间里，它再次高调进入国际市场。2004年12月8日，Lenovo联想的名字出现在众多的国际和国内媒体上。那天上午，该集团董事会主席柳传志宣布，联想以12.5亿美元外加5亿美元债务负担的价格收购国际商业机器（IBM)的全球个人电脑业务的多数股权，一举成为全球仅次于戴尔(DELL)及惠普(Hewlett-Packard)的第三大个人电脑制造商。新联想的年产量预计将达1190万台，是联想目前的4倍，年收入将达120亿美元左右。

(二)

众多业内人士把这次并购比喻为"蛇吞象"。因为与联想17.5亿美元的收购价相比，IBM的个人电脑业务仅在今年前9个月里，销售额就高达94亿美元。但专家们认为，"蛇"之所以能吞下"象"，是因为双方均能从这场并购交易中得到益处。

有媒体认为，这次并购使联想的国际化之路"节省了10年工夫”，因为收购IBM这个国际名牌，对国际知名度并不高的联想来说，是迅速开拓国际市场的有效方式。成功整合后的联想将把IBM的品牌优势、技术优势、渠道优势与联想的规模生产的成本优势结合起来，为其在全球市场的发展创造崭新的机会。并购完成后，联想集团将把总部设在纽约，拥有约19000名员工，包括约10000名来自IBM的员工。现任联想总裁兼CEO杨元庆将担任联想董事会主席，现任IBM高级副总裁史蒂芬·沃德（Stephen Ward）将接任联想CEO。

并购计划实现后，IBM将成为联想的第二大股东，持有18.5%的股份。对于IBM来说，剥离个人电脑业务是从这笔交易中得到的最大益处。在个人电脑市场中，该公司的市场占有率近年来一直下滑。早在几年前，华尔街的分析师就一再敦促IBM剥离个人电脑业务。并购后的IBM将把重点放在软件开发和服务业务上。并购消息公布后，IBM当天的股价收盘价上升到97.08美元，涨幅达1.4%。这反映出华尔街看好没有个人电脑业务的IBM的未来。另外IBM将利用联想加速其在中国的发展。

（三）

但不少业界人士对联想是否能成功地整合IBM的个人电脑业务表示怀疑。全球第一大个人电脑制造商戴尔公司董事长迈克·戴尔（Micheal Dell）并不看好这一近年来个人电脑产业最大规模的收购案：我们不认为将两家公司简单的合并就能获得良好的发展。惠普一位高层人士对联想是否能够管理如此庞大的全球公司表示担心。另一位业界人士也表示：价格对美国消费者来说并非购买的最重要条件，他们更看重购买产品后3－8年的服务，如今IBM电脑和IBM服务器属于不同的公司，这会给用户带来影响。

知名IT市场咨询机构IDC认为，收购后的联想将直接与全球最大的电脑制造商戴尔和惠普争夺市场。在这场竞争中，联想将面临三大挑战：国际市场缺乏品牌知名度，激烈的价格竞争，以及企业整合问题。IDC认为，这项收购存在较大的风险。不过，在中国政府的支持下，结合双方的资源优势，新联想集团的前景还是值得期待的。而新联想董事会主席杨元庆则非常自信，他说：新联想的目标不是全球第二，也不是第三，而是全球第一。

资料来源：
《亚太经济时报》联想收购IBM引发同行疯狂“炮轰”　文/叶文、韦常春
《华尔街日报(中文版)》联想收购IBM个人电脑遭质疑　2004年12月09日
《中国经济时报》借船出海国际化联想胜算有几何？　2004年12月15日
《科技时空》新三足鼎立全球PC格局震荡：谁是最后赢家　2004年12月14日

課　文：

聯想“蛇吞象”併購IBM

(一)

聯想集團是中國最大的電腦製造商，年營業收入高達33億美元，市場佔有率自1997年以來一直保持中國第一。聯想2001年開始實施國際化戰略，其中包括培養國際業務人才，向海外市場銷售產品，建立國外辦事機構等。但聯想的國際化戰略並不是非常成功。它在海外的銷量很小，只占總營業收入的3%。另外在2001年到2004年實施國際化戰略的3年時間裏，聯想的國內市場份額從原來的30%以上下降到27%。2004年2月，聯想宣佈其工作重心將重新回到國內個人電腦(PC)主業。

然而，在不到一年的時間裏，它再次高調進入國際市場。2004年12月8日，Lenovo聯想的名字出現在衆多的國際和國內媒體上。那天上午，該集團董事會主席柳傳志宣佈，聯想以12.5億美元外加5億美元債務負擔的價格收購國際商業機器 (IBM)的全球個人電腦業務的多數股權，一舉成爲全球僅次於戴爾(DELL)及惠普(Hewlett-Packard)的第三大個人電腦制造商。新聯想的年產量預計將達1190萬臺，是聯想目前的4倍，年收入將達120億美元左右。

(二)

衆多業内人士把這次併購比喻爲“蛇吞象”。因爲與聯想17.5億美元的收購價相比，IBM的個人電腦業務僅在今年前9個月裏，銷售額就高達94億美元。但專家們認爲，“蛇”之所以能吞下“象”，是因爲雙方均能從這場併購交易中得到益處。

有媒體認爲，這次併購使聯想的國際化之路“節省了10年工夫”，因爲收購IBM這個國際名牌，對國際知名度並不高的聯想來説，是迅速開拓國際市場的有效方式。成功整合後的聯想將把IBM的品牌優勢、技術優勢、渠道優勢與聯想的規模生産的成本優勢結合起來，爲其在全球市場的發展創造嶄新的機會。併購完成后，聯想集團將把總部設在紐約，擁有約19000名員工，包括約10000名來自IBM的員工。現任聯想總裁兼CEO楊元慶將擔任聯想董事會主席，現任IBM高級副總裁史蒂芬·沃德（Stephen Ward）將接任聯想CEO。

併購計劃實現後，IBM將成爲聯想的第二大股東，持有18.5%的股份。對於IBM來説，剥離個人電腦業務是從這筆交易中得到的最大益處。在個人電腦市場中，該公司的市場佔有率近年來一直下滑。早在幾年前，華爾街的分析師就一再敦促IBM剥離個人電腦業務。併購後的IBM將把重點放在軟件開發和服務業務上。併購消息公佈後，IBM當天的股價收盤價上升到97.08美元，漲幅達1.4%。這反映出華爾街看好没有個人電腦業務的IBM的未來。另外IBM將利用聯想加速其在中國的發展。

（三）

但不少業界人士對聯想是否能成功地整合IBM的人電腦業務表示懷疑。全球第一大個人電腦制造商戴爾公司董事長邁克·戴爾（Micheal Dell）並不看好這一近年來人電腦産業最大規模的收購案：我們不認爲將兩家公司簡單的合併就能獲得良好的發展。惠普一位高層人士對聯想是否能够管理如此龐大的全球公司表示擔心。另一位業界人士也表示：價格對美國消費者來説並非購買的最重要條件，他們更看重購買産品後3－8年的服務，如今IBM電腦和IBM服務器屬於不同的公司，這會給用户帶來影響。

知名IT市場諮詢機構IDC認爲，收購後的聯想將直接與全球最大的電腦制造商戴爾和惠普争奪市場。在這場競争中，聯想將面臨三大挑戰：國際市場缺乏品牌知名度，激烈的價格競争，以及企業整合問題。IDC認爲，這項收購存在較大的風險，不過，在中國政府的支持下，結合雙方的資源優勢，新聯想集團的前景還是值得期待的。而新聯想董事會主席楊元慶則非常自信，他說：新聯想的目標不是全球第二，也不是第三，而是全球第一。

資料來源：
《亞太經濟時報》聯想收購IBM引發同行瘋狂“炮轟” 文／葉文、韋常春
《華爾街日報中文版》聯想收購IBM個人電腦遭質 2004年12月09日
《中國經濟時報》借船出海國際化聯想勝算有幾何? 2004年12月15日
《科技時空》新三足鼎立全球PC格局震蕩：誰是最後贏家 2004年12月14日

听录音填空

2004 年岁末，中国最大的电脑制造巨头联想集团在北京________，________总价 12.5 亿美元收购 IBM 的全球个人电脑业务，其中________台式机业务和笔记本业务。具体支付方式包括 6.5 亿美元现金和________6 亿美元的联想________。整个交易预计在 2005 年第二季度之前完成。收购后，IBM 公司的全球个人电脑业务将使联想集团的业务________从目前 30 亿美元扩大到 120 亿美元；全球市场占有率从 2%________到 8%左右。而 IBM 公司将拥有联想 18.5%左右的股份。与此同时，联想将成为________戴尔与惠普的全球第三大电脑厂商。……对于年收入 30 亿美元，市场价值也同样只有 30 亿美元的中国联想，要购并年业务量高达 110 亿美元的 IBM 个人电脑部，这无疑是一桩________般的购并案。

生词表 Vocabulary

1.吞	吞	tūn	swallow; devour; take possession of
2.营业	營業	yíngyè	operation; business
3.保持	保持	bǎochí	keep; maintain
4.培养	培養	péiyǎng	train; foster
5.办事机构	辦事機構	bànshì jīgòu	office; agency
6.宣布	宣佈	xuānbù	announce
7.主业	主業	zhǔyè	core business
8.高调	高調	gāodiào	high key; high profile
9.媒体	媒體	méitǐ	media
10.债务	債務	zhàiwù	debt; liability
11.负担	負擔	fùdān	burden
12.次于	次於	cìyú	lower than in rank; inferior than
13.产量	產量	chǎnliàng	output; volume of production：年产量 annual output
14.众多	衆多	zhòngduō	a large number of
15.比喻	比喻	bǐyù	compared to
16.销售额	銷售額	xiāoshòu'é	aggregate sales of commodities; gross sales
17.交易	交易	jiāoyì	business deal; business transaction
18.益处	益處	yìchu	benefit; profit; good; advantage

19.节省	節省	jiéshěng	save: 节省时间 save time
20.开拓	開拓	kāituò	open up; explore: 开拓市场 develop/explore market
21.有效	有效	yǒuxiào	effective; 有效方式 effective way
22.规模生产	規模生產	guīmó shēngchǎn	economic scales of production
23.结合	結合	jiéhé	combine; integrate
24.崭新	嶄新	zhǎnxīn	brand-new; completely new
25.总部	總部	zǒngbù	headquarters
26.接任	接任	jiērèn	take over a job; replace; succeed: 接任主席(职务) take over the chairmanship
27.股东	股東	gǔdōng	shareholder; stockholder: 大股东 a heavy stockholder; 公司的股东 shareholders of a company
28.剥离	剝離	bōlí	peel; strip; take away
29.近年来	近年來	jìn nián lái	in recent years
30.下滑	下滑	xiàhuá	glide; gliding
31.软件	軟件	ruǎnjiàn	software
32.开发	開發	kāifā	develop：开发新产品 develop new products; 开发中心 development center
33.早在	早在	zǎozài	as early as
34.华尔街	華爾街	Huá'ěrjiē	the Wall Street
35.分析师	分析師	fēnxīshī	analyst
36.一再	一再	yízài	again and again
37.敦促	敦促	dūncù	(sincerely) urge; press

38.收盘价	收盤價	shōupán jià	closing price; closing rate
39.涨幅	漲幅	zhǎngfú	range of increase
40.反映	反映	fǎnyìng	reflect; reflection
41.未来	未來	wèilái	future
42.整合	整合	zhěnghé	restructure; incorporate; integration
43.高层	高層	gāocéng	high level
44.如此	如此	rúcǐ	such; so; like this
45.庞大	龐大	pángdà	huge; gigantic
46.表示	表示	biǎoshì	show; express: 表示支持 express one's support; 表示感谢 express one's thanks
47.担心	擔心	dānxīn	worry
48.并非	並非	bìngfēi	really not
49.看重	看重	kànzhòng	(重视) think highly of; regard as important
50.服务器	服務器	fúwù qì	server
51.用户	用户	yònghù	user; consumer; client
52.咨询	諮詢	zīxún	consult: 咨询服务 consulting service; 咨询公司 consulting firm
53.争夺	争奪	zhēngduó	fight for; enter into rivalry with sb. over sth: 争夺市场 seize markets; contend for markets
54.前景	前景	qiánjǐng	prospect; vista; perspective:美好的前景 good prospects; a bright future; 前景乐观 The prospect is cheerful.

55.期待	期待	qīdài	wait in hope; look forward to expectation
56.自信	自信	zìxìn	self-confident

综合练习　Exercises and Activities

一、对错选择　True or false based on the text

1.(　　)联想在2001年－2004年初实施的国际化战略非常成功。

2.(　　)2004年12月8日，Lenovo联想的名字出现在很多的国际、国内报纸上，因为它将成为世界第三大电脑制造商。

3.(　　)联想收购了国际商业机器（IBM)的所有业务，因为它在国际上比IBM知名度高。

4.(　　)新联想的产量、营业收入和职工人数大约是未收购前的4倍。

5.(　　)很多人把联想收购IBM比喻为“蛇吞象”，意思是小的把大的吃了。

6.(　　)这次收购将大大提高联想的国际知名度，使它更快进入国际市场。

7.(　　)联想同其他中国企业一样具有规模生产的成本优势，但并购以后这个优势就不存在了。

8.(　　)IBM从这场并购交易中得到的益处仅仅是剥离市场占有率下滑的PC业务。

9.(　　)很多业界人士并不认为联想能成功地整合IBM的PC业务，其中包括戴尔公司董事长。

10.(　　)尽管有挑战，但联想对未来非常有信心。

二、看拼音写汉字 Write the Chinese characters based on the *pinyin* given

1. 联想__________(jítuán)是中国最大的电脑制造商，__________(yíngyè shōurù)高达33亿美元，市场占有率自1997年开始一直保持中国第一。联想2001年开始实施__________(guójìhuà)战略,其中__________(bāo kuò)培养国际业务人才，在国外销售产品，建立国外__________(bànshì jīgòu)等。但联想的国际化战略并不十分成功。2004年2月，联想宣布__________(gōngzuò zhōngxīn)将重新回到国内__________(gèrén diàn nǎo) 主业。

2. 联想以12.5亿美元外加5亿美元__________(zhàiwù fùdān)的价格收购了国际商业机器(IBM)的全球个人电脑业务的多数__________(gǔquán),一举成为全球仅次于戴尔(DELL)及惠普(Hewlett-Packard)的第三大个人__________(diànnǎo zhìzàoshāng)。

三、填空并译成英文 Fill in the blanks and then translate the passages into English

1. 收购IBM这个国际名牌，对国际__________并不高的联想来说，是迅速__________国际市场的有效方式。成功__________后的联想将IBM的品牌__________、技术优势、__________优势与联想的__________的成本优势结合起来，为其在全球市场的发展创造了__________的机会。

2. IBM的PC业务的市场__________近年来下滑，早在几年前，华尔街的分析师就一再敦促IBM__________个人电脑业务。今后IBM将把重点放在软件__________和服务业务上。并购消息公布后，IBM股价__________为97.08美元，__________达1.4%。

四、句型练习 Patterns and exercises

1. **把A比喻为B** compare A to B

例句：众多业内人士*把*联想收购IBM的PC业务*比喻为*“蛇吞象”。

用所给句型重写下面的话(Rewrite the following using the given pattern):

- 有人认为跨国公司进入中国会像狼吃羊一样把中国公司吃掉。

____。

- 肯德基的中国化被人们说成穿上“中式外衣”和换上“中国心”。

____。

2. **为……创造机会**　create opportunities for...

例句：联想收购IBM将*为*其在全球市场的发展*创造*了崭新的*机会*。

用所给词汇/句型回答问题（Answer the following questions using the given pattern）:

- 为什么众多的跨国公司都到中国建厂？

____。

- 为什么世界上很多城市争夺奥运会（Olympic Games）的举办权？

____。

3. **……给……　带来影响／麻烦／损失／问题**　...bring...to...

例句1: IBM的PC业务被收购后，电脑和服务器属于不同的公司，这将会*给*用户*带来*影响。

例句2: 联想原来的品牌Legend是英语中一个单词，在多个国家已被注册(registered)，这将*给*企业在海外市场的发展*带来*很大的麻烦。

用所给句型造句（Make up sentences using the given pattern）

- 给……带来影响

____。

- 给……带来麻烦

____。

- 给……带来损失

____。

- 给……带来问题

____。

4. **对……表示担心／怀疑／支持／反对／赞成**　express one’s attitude or viewpoint about sth.

例句: 惠普一位高层人士*对*联想是否能够管理如此庞大的全球公司*表示担心*。

用所给句型造句（Make up sentences using the given pattern）

•对……表示担心

____。

•对……表示怀疑

____。

•对……表示支持

____。

•对……表示反对

____。

•对……表示赞成

____。

5. **值得** be worth; merit; deserve

例句：在中国政府的支持下，结合双方的资源优势，新联想集团的前景还是*值得*期待的。

用所给句型重写下面的话(Rewrite the following using the given pattern)：

•德国施耐德公司是一个亏本公司，但考虑到它在欧洲的品牌影响力，TCL收购它是对的。

____。

•星巴克的咖啡比别的咖啡店贵，但它的环境很好，有时去那儿放松一下自己还是应该的。

____。

五、根据课文回答问题 Answer the questions based on the text

1. 联想集团2001年开始实施的国际化战略包括什么？
2. 为什么2004年2月，联想宣布工作重心将重新回到国内个人电脑主业上？
3. 为什么联想收购IBM的全球个人电脑(PC)业务引起国际和国内媒体的关注？
4. 为什么有人把联想收购IBM的PC业务比喻为“蛇吞象”？
5. 为什么有媒体认为这次并购使联想的国际化之路“节省了10年工夫”？
6. IBM从这场并购交易中得到的益处是什么？
7. 对这次并购人们的担心是什么？联想的看法是什么？
8. 你的看法是什么？为什么？

六、补充阅读　Supplementary readings

（1）联想品牌与全球化

2003年4月28日，联想集团正式对外宣布启用“Lenovo”，代替原来的 “legend”。毫无疑问，联想这样做会带来不小的损失，因为legend已经存在了很多年,并有了一定的品牌知名度。

中国企业是在一个封闭的市场环境中建立自己品牌的，但随着企业的发展、品牌向全球市场扩张时，就会碰到各种各样的障碍,因为世界市场是由不同文化组成的。品牌作为符号，在产生它的地区内文化内涵往往是好的，但当它到其他文化地区去时，意义可能就会不一样，有时还会有负面意义，使得产品在某一个地区无法销售。因此很多国际品牌在创建的时候，会创造一个新词作为品牌，由于没有任何的文化内涵，就不会引起文化抵触而影响企业的发展。

联想这次改变是其品牌全球化道路上必须走的一步。原来的品牌legend是英语中一个现有的单词，在多个国家已被注册，联想产品进入海外市场后，无法使用它，这将给企业发展带来很大的麻烦。此次启用的“lenovo”，“le”来自原来的 “legend”，“novo”代表创新。中文品牌“联想”没有任何变化。联想集团在国内将继续使用“英文＋中文”标识，在海外则单独使用英文lenovo标识。

摘自：人民网“lenovo联想”续写传奇－联想新标识正式发布
2003年4月28日　文/罗清启，有修改。

生词：

启用: start using
封闭: enclosed
障碍: obstacle
符号: sign; symbol
内涵: implication
负面: negative
创建: establish
抵触: conflict
全球化: globalization
注册: register
创新: innovation

问题：

1. 中国企业一般是在什么样的市场环境中建立自己的品牌的？
2. 这样建立的品牌有什么特点？
3. 这样建立的品牌在全球化扩张的过程中会有什么问题？
4. 联想集团是怎样解决这个问题的？
5. 这样做的损失是什么？好处是什么？
6. 联想集团新的英文标识"Lenovo"是怎么来的？
7. 你能讲一个和品牌名称有关的案例吗？

（2）联想集团董事会主席柳传志答记者问

记者问：目前尽管全球个人电脑市场发展缓慢，但在中国大陆的发展还是很快的，你们认为存在哪些重要商机？

柳传志答：从宏观角度而言，中国的市场起点低。比如说PC在中国中型城市里，有4%的家庭开始有家庭电脑，大城市大概在百分之十几，不到20%。这样一比，就比美国差了很多，因此有很大的市场潜力。再者，就是中国的客户有中国特殊需求，跟国外不完全一样，因此我们可以把市场划分得更明确，用这样的办法来跟外国的企业进行竞争。美国公司虽然科技能力很强，但是它是面向全球去做研究，它没有在中国市场上下这么大的功夫去研究。

从产品应用来讲，第一，中国的文字本身，会带来IT产品的使用习惯的不同。比如说，美国人一般习惯用键盘输入，键盘的方式只适合汉语拼音，不适合方块汉字。所以中国的电脑，一定要开发更好的手写体，或者是声音输入。另外中国的财务报表跟美国的财务报表是不同的，因此，软件开发就有不同。而开发这类产品要对中国企业的运作方式有很深刻的了解，在这一方面，美国企业和中国企业相比，可能相对薄弱一些。

服务本身也是我们发展的策略重点。在中国有1000万个小企业，它们买了电脑主要用于记账、库存、采购、工资等。仅仅买一部电脑，可能不够，比如一个公司有200个人，需要联网，怎么保证其软件能够根据需要联网，然后怎么为它们提供服务，这些都会是有利润的业务。

改写自《麦肯锡报告》"一个正在成长中的电脑神话——联想" 2001年4月

作者：Allan R．Gold Glenn Leibowitz 和 Tony Perkins

生词：

商机: business opportunities
宏观: macro
起点: starting point
键盘: keyboard
输入: input
方块: block
手写体: handwriting
薄弱: weak
联网: computer networking

对错选择　True or false based on the reading

1.(　　)中国大陆同全球一样，个人电脑市场都发展缓慢(slowdown)。
2.(　　) 柳传志认为由于中国家庭有电脑的很少，只有4%，所以PC市场发展速度很快。
3.(　　)柳传志认为中国个人电脑市场有很大的发展潜力。
4.(　　)柳传志认为联想比美国公司更了解中国市场。
5.(　　)中国的电脑要开发手写输入和声音输入，因为中文是拼音文字。
6.(　　)联想在为中国企业开发财务报表软件上会有很大的发展。
7.(　　)联想是一个只生产电脑和开发软件的公司，不提供服务。
8.(　　)柳传志对联想在中国的未来发展非常有信心。

（3）新联想的未来

对于联想收购IBM的PC业务，中外业界人士有的悲观，有的乐观，有的持观望态度。

悲观派：瑞银中国研究部张化桥认为，虽然联想收购IBM计算机业务价格非常便宜，但以总值17.5亿美元的代价收购一个夕阳工业产品，不值得，因为计算机业务的高增长期已过。香港某公司分析师认为：联想收购的不是一项盈利业务，因此不会增加该公司的收益，而发行新股短期内会带来稀释效应，从而导致该公司股价下滑。美国投资商Jane Snorek表示：大多数西方公司领导人对联想的品牌还不熟悉，这将给联想在欧美市场保留IBM原有PC客户及发展新客户带来不利影响。还有人认为，收购将使IBM在科研及推广方面人才流失。

乐观派：对于新联想的前景，最为看好的是并购双方的高层人士。柳传志认为：在最保守的情况下，我们的利润比现在会增长很多。联想集团新任CEO、原IBM副总裁沃德先生似乎更有信心：新联想的全球市场份额预计将达8%左右，"IBM的研发力量和全球销售渠道将帮助联想在全球建立一个完整的PC产业链。新联想在中国笔记本电脑市场份额将成为第一，这点将会超过戴尔。"IDC分析师Phillipe de Marcillac认为："在这场交易中，联想和IBM双方均得到了自己所需要的，因此是一个双赢的局面。"台湾宏基公司表示，"联想此次收购的目标是国际市场，与IBM的合作有助于提升联想的国际地位。"在IT评论家方兴东看来，这次并购诞生了中国IT业第一家跨国公司。

观望派：对新联想的未来持观望态度的是大多数，全球著名的数据公司Gartner分析师叶磊的中立态度最具代表性："长期来看，并购有很多困难，但关键看双方的执行力度。"Forrester研究分析师Simon Yates表示："对于联想而言，收购IBM的PC业务部门也许是一个好主意，也许不是。该公司凭借着低端PC产品在中国市场大获成功，然而在高端市场目前还没有什么特别的表现。在高端市场，联想的主要竞争对手是国际巨头戴尔和惠普。"

据天极网2004年12月15日，文/阿祥

生词：

悲观: pessimistic
乐观: optimistic
观望: wait and see
夕阳: sun set
稀释: dilution
流失: loss
前景: prospect
保守: conservative
产业链: industry chain
双赢: win-win
中立: neutral
执行: implement
力度: effectiveness

对错选择　True or false based on the reading

1.(　　)对于联想的未来，业界人士有的悲观，有的乐观，有的持观望态度，但表示乐观的人数最多。
2.(　　)有人认为计算机是夕阳工业产品，因此联想收购IBM的计算机业务不会有很高的盈利。
3.(　　)联想收购IBM计算机业务后，如何保留IBM原有客户是对新联想的挑战。
4.(　　)联想收购IBM计算机业务后，公司股价短期内应该上升。
5.(　　)有乐观派认为，联想此次收购IBM有助于提升联想的国际地位，中国也有了第一家IT业跨国公司。
6.(　　)对于新联想的前景，最乐观的是联想和IBM的高层人士。
7.(　　)IDC分析师说的双赢是指新联想和它的对手戴尔和惠普都不会输。
8.(　　)持观望态度的Gartner分析师叶磊认为如何实施这场并购是成功的关键。
9.(　　)过去联想在中国高端和低端计算机市场上都很成功。

七、课堂活动　Classroom activity

采访新联想总裁

两人一组。设想你是一名报社记者，打算以新联想未来发展为题采访新任总裁。准备五个较难的问题。互相提问准备好的问题，向全班表演你们的采访。采访开始时应有礼貌的自我介绍，结束时应表示感谢并祝愿对方成功。采访时应表现得彬彬有礼，具有专业精神。可用以下表达方式：

Pair up. Imagine that you are a newspaper reporter and plan to interview, the new CEO of Lenovo Corporation Limited. Prepare five tough and intellectual questions regarding the prospect of the new Lenovo. Ask each other the prepared questions and act your interview out in class. Please be polite and professional. Start with greetings and self-introduction, and conclude with thanks and good wishes. Try to use the following expressions in the interview:

A　向对方提问　Raise a question:
请问……// 据说……对于这一点，您的看法是什么 // 对于……您有什么计划?

B 回答对方问题 Answer the question:
你的问题很好 / 很有意思 // 对于……我认为……/ 我们打算……/ 我们目前还不能回答。

C 打断对方 Interrupt your partner:
对不起，我有一个问题。// 对不起，我打断你一下。

D 弄清对方的想法 Seek clarification/confirmation:
这一点我不太清楚，能再解释一下吗？ // 你的意思是不是……

E 表示同意或不同意 Agree/disagree:
我同意，但是……// 你说的有道理，但我认为 / 觉得……

F 具体阐述自己的观点 Elaborate your point:
我这样看有以下几个原因：一是 ……二是 ……

小知识 Business Knowledge：

历史上的企业并购

有人说，西方百年的经济发展史，实际上就是企业与企业之间的百年并购史。从1898年起，西方企业共经过了五次并购浪潮。1898年至1903年出现了第一次并购潮，结果产生了一大批垄断公司。20世纪20年代发生了第二次并购潮，主要是在汽车制造业、食品加工业等行业里。第三次并购潮从第二次世界大战后到60年代，结果产生了一批多元化经营的大型企业。70年代到80年代初，出现了第四次并购潮，以10亿美元的大型并购为主。90年代后，又开始了新一轮的并购潮，主要是在金融业、电信业及保险业，超大型企业之间的并购就出现了数起，仅1998年，就有5起并购交易额超过100亿美元。

资料来源：投资银行大师网

课文英文翻译
English Translation of the Text

Unit 1:KFC's Sinofication

KFC's "Chinese Coat"

When KFC entered the Chinese market in 1987, its standardization-uniform logo, recipe, and service brought a strong shock to the food industry in China. The reason was that for hundreds of years, different restaurants in China had their own special food with distinguishing features. However, in the year 1999, the KFC's twelfth year in China and when the word "standardization" was accepted as the synonym of fast-food business, KFC once again surprised the industry. On June 24 of that year, Beijing Qianmen KFC, its largest branch in China, reopened for business after four months of being closed for store renovation. This restaurant was the first KFC branch to break its global uniformity by adopting an exterior and interior design with heavy Chinese influence. Exteriorly, it has the architectural features of the Great Wall and the four-sided compound (Si-he Yuan). Inside, traditional Chinese handicraft articles like kites and paper-cuts were used for decoration purposes. Furthermore, there is a mini gallery on the third floor to exhibit folk arts. This western fast food restaurant is wearing a "Chinese coat". Here, while people are eating western fast food, they can also learn about the differences between western and Chinese cultures, which could offer them a unique dining experience.

KFC's "Chinese Heart"

KFC's specialty is chicken, which is also a Chinese favorite. Among "chicken, duck, fish and pork", chicken ranks number one for Chinese people. Even KFC admits that the Chinese people's stomachs help its business. But in the highly competitive fast food market in China now, KFC cannot be contented just for this reason. Since 2000, KFC has incessantly released food and beverages with Chinese features; for example, soup with fresh vegetables and egg flakes, soup with hot picked mustard tuber and shredded meat, and Cantonese style sweet and sour meat. Their tastes very much conform to the taste of the Chinese. In February 2003, during the Chinese New Year season, KFC released to the market the "Old Beijing Chicken Wrap," which was modeled after the renowned Beijing duck. Fried chicken leg strips, cucumber strips and scallion segments, a sweet sauce made of fermented flour, and hamburger sauce were all wrapped in a Chinese-style pancake. This way of eating was undoubtedly copied from the Beijing duck. Those who have tried "Old Beijing Chicken Wrap" say that KFC has become even more Chinese. In April 2003, KFC was the first among western fast food restaurants to release the representative of Chinese cuisine-rice. The product named "Mushroom Rice" is composed of rice with mushroom and vegetable juice. Each portion is 180 grams and sold for 4 Chinese yuan.

KFC's Change and Non-change

But why did KFC choose not to immediately embark upon the process of Sinofication when they first entered the Chinese market in 1987? A KFC person in charge explained that back then, Chinese fast food market was just a blank. The completely westernized KFC was both intriguing and fashionable to Chinese consumers. They considered "eating at KFC" a type of entertainment, just like visiting relatives or hanging out in the park. The taste of the food was not important. What was more important was to experience the western lifestyle. Nevertheless, this is no longer the case. With more than ten competitors, such as McDonald's in the Chinese market today, eating fast food is as common as eating noodles for Chinese people. They are used to fast food. Different from the past, now fast food culture is the representative of the fast-paced modern society. Surrounded in such a metropolitan life style, people have begun to treasure again the slow-paced and old-fashioned life. This is why KFC did not start its Sinofication process until more than ten years later after entering the Chinese market.

From putting on a "Chinese coat" to wearing a "Chinese heart," KFC has become more and more localized, including its outward appearance and products. Yet KFC is still KFC. Its rules of standardized service are strictly implemented by every worker in every restaurant throughout the world. What have changed are just its forms, not its market concepts. One economist once said: the best products are those that best adapt to the market. It is easier said than done. However, KFC, the leader of China's fast food industry is clearly at the forefront of the industry.

Unit 2: Starbucks' Third Place

Miracle in the Business

Starbucks opened in Seattle, USA in 1971. In the beginning, it sold only coffee beans. But after more than thirty years of expansion, it has entered more than 30 global markets, with more than 8000 stores, including over 5000 in USA, and over 2000 overseas. Starbucks expands very quickly; it is said that every 8 hours it opens a new store. Starbucks became a publicly traded company in 1992 and its stock price has increased over 20 times since then. Starbucks is also ranked one of the Best 100 Brands in the world according to Business Week.

Starbucks' fast expansion created a miracle in the food and drink industry. Before Starbucks started to sell coffee beverages, coffee in America was a drink at home. People didn't know the taste of latte, nor imagined that a coffee house could be like a bar-styled place, nor believed that good-mannered Japanese would drink coffee on the streets. Howard Schultz, the Chairman of the board of Starbucks once said: We like to break conventions, doing things that others deemed impossible. This is the secret to the success of Starbucks.

Coffee Experience

This is how Starbucks started. In 1983, Howard Schultz, the incumbent Chairman of the board of Starbucks, was in Italy for a trade fair. As he walked down the street, he found there were many coffee bars along the street and each of them was full of people. These Italians came in the morning, the afternoon, and even at nightfall when they got off work before going home. There, they could always catch familiar faces. They listened to music and chatted with each other while drinking coffee. Schultz immediately realized that a coffee house could be a place that attracts people to come back over and over again. However, Americans had been drinking coffee at home for over a hundred years and Starbucks had sold coffee beans for more than ten years, yet nobody realized that with its relaxing atmosphere, a coffee house could offer people a place for socialization and relaxation.

Schultz brought his experience in Italy back to America. Now, stepping into any Starbucks stores, you can always find dim lighting, a clean environment, large soft sofas, wooden chairs and tables, and beautiful background music. Although a cup of coffee at Starbucks costs twice as much as at other coffee houses, here you can chat with your friends, conduct business talks with your colleagues and clients, or you can just relax by yourself in an atmosphere filled with music and the smell of coffee. Therefore, instead of just selling coffee, Starbucks is selling a kind of "coffee experience". It provides another place for the modern people who are rushing between home and office; this place is the so-called "third place," as proposed by Schultz. Here, the first place refers to home, the second place refers to the office, and the third place refers to places other than home and office such as movie theaters or shopping malls.

Chinese White Collars Enjoying Starbucks

Starbucks opened its first store in Beijing in January 1999. It has opened several dozen stores in China so far. Though the price of a Starbucks' coffee almost equals to one day's income of many Chinese, its authentic coffee, beautiful music, quiet environment, and attentive service attract many white collars working in multinational companies. Starbucks seems to be a place only belonging to them. So here comes a saying among them: If I am not at my office, I am at Starbucks; If am not at Starbucks, I am on my way to Starbucks.

Miss Sun Wan, who works in the Tianjing office of a multinational firm, is one of them. Miss Sun saw the newly opened Starbucks when she went to Beijing the previous year and immediately fell in love with its elegant environment and savory coffee. According to her, it was "simply perfect". In May 2001, the first Starbucks in Tianjin opened. Its location is on the first floor of the building where her office is. Ever since the first day of business, Miss Sun has became a frequent customer to Starbucks, visiting at least two or three times a week, sometimes for relaxation and sometimes for business. By and by, Miss Sun began to see more and more familiar faces who are working in the same building. To go to Starbucks for a cup of coffee seems to have become a sign of status and a symbol of success. Recently, many other foreign and domestic coffee houses have opened in Tianjin. Nevertheless, Miss Sun still favors the "monotone" of Starbucks -only coffee and some bakeries but without other western food as offered by many other coffee houses. This "monotone" seems to make her feel that Starbucks is closer to the real meaning of "coffee".

Unit 3: IKEA's Luxurious "Low-price Products"

China: A Potential Market

IKEA entered China in 1998. It was a late comer compared to other multinational firms. But IKEA didn't think so. It believes that IKEA was the first to bring the idea of "home furnishings" to China. Before, furniture stores were selling only furniture. In comparison, IKEA sells both furniture and household articles. In addition, the urban residents in China had mainly depended on the government to allocate their houses in the past. It was not until July 1st, 1998 that the commercialization of residential houses in China was fully carried out. The change in the housing system greatly spurred the consumption of household products. Therefore, IKEA captured the ideal timing by entering then. Indeed, when Ikea opened in Beijing in 1999, it attracted a large number of consumers because of its Northern-European styled furniture, the show-room style displays of its products, and its relaxing shopping environment. Within a short period of time, IKEA became very well-known.

However, IKEA has not been developing in China as fast as people would expect. Until 2004, there were only two stores, one in Beijing and one in Shanghai. IKEA Group President, Anders Dahlvig, said in an interview in Shanghai that the low rate of return on capital is the main reason for IKEA's slow development in China. Indeed, IKEA is facing a different market environment in China from its U.S and European markets. Until it fully adapts to the market, China will remain, as put by Dahlvig, a merely potential market.

Bottleneck Pricing

Pricing is the reason for IKEA's fast development in the European and U.S markets and the slow adaptation in China. In Europe and America, IKEA's prices are lower than comparable products because of bulk purchasing, large distribution network, self-service at stores in order to reduce in-store employees, and flat packing which reduces transportation costs. This low-pricing strategy has helped IKEA secure an absolute advantage in these markets. However, IKEA cannot capture the same pricing advantage in China. On the contrary, it has become a relatively high-end brand and a specialty store for the mid and high income classes. For example, the price at which people can buy a small sofa in the other Chinese furniture stores can only buy a plain wooden stool at IKEA. This results in the situation where despite of the large number of customers visiting the store, only a few make actual purchases.

Due to its high prices, many people who like IKEA's products turn to buy imitations. This is another challenge that IKEA has to face. It is reported that a number of furniture manufacturers are copying IKEA's designs and styles. In the furniture mall not far from the Beijing IKEA store, there are many products similar to IKEA's in design but at much lower prices. Some customers first go to the IKEA store to select a model and then go to the mall to buy an imitation at a much lower price.

IKEA's Strategy

Facing this special market in China, what should IKEA do? According to a recent report, IKEA will reduce the prices of all products in China by 12% per year in order to move away from the high-end market and appeal to the mass market. The biggest decrease in price will be on its furniture. Take a type of sofa for example. Its price decreased from 2999 yuan in 1999 to 955 yuan in 2004. Moreover, starting in 2004, IKEA will have an "Every Week Special" where a product will sell at a price 1/3 lower than the original price. The person in charge of the Chinese market said that the goal of the price reduction is to expand the target market to include consumers who generate a household income over 3350 yuan per month. Before, however, the majority of IKEA's consumers had a monthly household income of more than 6000 yuan. IKEA's strategy to lower its prices is to increase local purchases. Previously, local purchases were only at 5%, now they are increased to 70%, which greatly lowered the cost.

Another purpose of IKEA's price reduction is to curb imitations. When price is reduced to a certain level, imitators will stop producing copies because of the low profit margin. Another measure IKEA has taken to prevent imitations is to increase the speed of releasing new products into the market so that the imitators will find it hard to catch up. In addition, IKEA believes that as the Chinese market matures, Chinese consumers will have more brand awareness which will result in a reduced demand for imitated products.

To better adapt to the Chinese market, IKEA has undertaken many other changes. For example, the location of its first flagship store in China was in the busy commercial district in Shanghai instead of in the suburbs as it is the case in U.S and Europe. The reason is that most Chinese consumers do not have private cars and thus need to conveniently access to the public transportation. Apart from that, since the majority of Chinese consumers need delivery service, IKEA has bolstered its delivery truck fleet and lowered its delivery fee.

Unit 4: Sam's Club in Beijing

Beijing's market has the highest potential but the toughest competition in China. In July 2003, Wal-Mart's Sam's Club opened for business in Beijing, signaling a new round of expansion for this global retailer giant in China.

This warehouse styled membership store is the first one Wal-Mart opened in Beijing. It was also the 28th chain store and the 5th Sam's Club Wal-Mart opened in China (the number of Sam's Club was reduced to 3 at the end of 2004). The store is located in Beijing's western suburb, a 40-minute driving distance from downtown. It occupies an area of 18,000 square meters and has two floors with a parking lot that holds 1,300 parking spots. Upon entering the store, people who are familiar with Sam's club will find its internal design different from that of Sam's Clubs in the United States. For example, there is a large "live and fresh food" section, including fish raised in the water tank, pizzas made on the spot, and various main and side dishes. A large area on the first floor is dedicated to electronic products, including flat panel TV, personal computers and other various novel high technology products. These are expected to become an attraction to wealthy people in Beijing. On the contrary, in the stores in the United States, the electronic products probably only occupy one or two shelves. In addition, in Beijing Sam's Club, there are many products specially developed and designed for Chinese consumers by Chinese manufacturers. Obviously, all these arrangements are catered to the consuming habits of Chinese customers as a result of business localization.

However, many people are not optimistic about the prospect of this store. According to the store regulations, consumers who want to purchase goods from the store must hold membership cards that cost an annual fee of 150 RMB (equivalent to 18 U.S dollars). It means that members will have to spend 1500 to 3000 RMB per year to defy the cost. This price is too high for the common consumers in China. But Sam's Club in Beijing has a different market segment from that of the us ones. It is mainly geared to the needs of the rich people, i.e., the well-educated consumers with a high income, many of whom have their own cars and houses.

Actually, the consumers in Beijing are not unfamiliar with membership stores. Price-Mart and Makro-Cash & Carry, both of which entered the Beijing market much earlier, belong to this category. However membership stores have not proven a success in Beijing. Price-Mart has abandoned its membership system recently. Makro-Cash & Carry only requires two RMB for a membership card, making its membership an empty title. A professor in Qinghua University pointed out that currently the conditions in Beijing for membership stores are not ripe. Membership can only be successful after the gross national product per capita reaches 10,000 US dollars. It mainly serves the people who are busy with work, need to purchase a substantial amount at one time, and possess their own cars. Nevertheless, the current GNP per capita in Beijing is only slightly higher than 3000 US dollars. Moreover, although many Beijing families have bought cars, there is still a great distance from one car per family. Therefore it shall take a considerable amount of time for membership store to become successful in Beijing. However, Wal-Mart doesn't seem to care about these worries. Mr Du, the general manager of Sam's Club in Shenzhen, sees a very promising future for Wal-Mart's membership stores by saying that when Sam's club first opened in Shenzhen, many people did not understand either. But Shenzhen Sam's club has set the highest record of sales in a single day among Sam's clubs around the world. Tom McLaughlin, vice president of sales and marketing of Wal-mart's Beijing branch, says that consumers prefer to save money and be different from the masses; this is the fundamental for a success of membership stores..

Despite of the above argument, the opening of Sam's club in Beijing signals the acceleration of Wal-Mart's expansion in China. Indeed, currently China's retail market is very competitive, with several hundred large supermarkets around the country, selling the same products with little price differentiation. To Wal-mart, a global retailer giant, Carrefour SA from France is its biggest competitor in China. The latter outnumbers Wal-mart in both the number of stores and amount of sales. In addition, Wal-mart's "Everyday low Price" shows no advantage in front of Carrefour's "Extra

Low Price". According to the analysis of the Wall Street Journal, Wal-mart's rigorous corporate culture is possibly a factor that restricts its speedy growth. For example, Wal-mart does not allow its purchase agents to dine with its suppliers. This is one of the company's globally executed regulations for maintaining a healthy business relationship and controlling its operation cost. However, treating and eating with business partners is a necessary step to do business in China.

Unit 5: P&G's Brand Strategy

Brands in P&G

One of the unique characteristics of P&G operations is that the company has many different kinds of products - shampoos, conditioners, detergents, food products, paper products, and medicines, etc. The second special characteristic is that it has many different brands. Taking detergent as an example, there are 9 different brands such as Tide, Cheer, and Gain. The success of P&G over the years is due to its high quality products and its successful multiple brand strategy.

The multiple brand strategy refers to the practice that different brands are designated to different products within one product category, e.g. P & G's detergents. But P & G does not simply label a product with several trade marks. Rather, it identifies discrepancies between different brands of the same kind of products, thereby shaping each brand's uniqueness. In this way, every brand has its own parameter to develop. Take detergent as an example. Some people believe that cleansing and bleaching power is the most important, others believe that fabric softening is most important, and still others wish to buy low price product but with good quality. P&G therefore has segmented its detergent market into nine target markets, and has designed nine different brands. P&G now has 55% market share in detergent in USA; this market share cannot be attainable with just a single brand. In addition, P&G is very adept in creating a selling point and advertising that point. A "selling point" refers to the unique feature possessed by the product being promoted and needs to be conveyed to the consumers. This defining attribute may not be possessed by similar products or perhaps it is not known to the target market yet still is truly beneficial to the consumers. The advertisement then promotes this selling point to the public, making them willing to buy the products. Some people believe that P&G's brand management could induce competition within the company. But P&G believes that the market economy is filled with competition. Rather than letting a competitor develop new products that could steal its market share, P & G would rather challenge itself by placing its different products under different brands in order to seize all the markets possible.

P&G in China

P&G entered the Chinese market in 1988. In the decade or so, it has established many factories and subsidiaries in places like Guangzhou, Beijing, and Tianjin, and brought many first rate products into China. Tide, Olay, Rejoice, etc. have become well-known to almost everybody. Just three years after P&G entered the Chinese market, it was able to generate profits. Up to 1997, its sales increased by an average of 50% per year. Take shampoo as an example. The three most famous brand names, Head & Shoulders, Rejoice, Pantene, took 60% of the Chinese shampoo market during that period. In fact, before P&G came to China, most Chinese didn't know that besides cleaning hair, shampoos can also get rid of dandruff and make hair soft and healthy. The concept of hair conditioning together with shampooing was also new. Although it might cost them one tenth of their salary to buy a bottle of Rejoice shampoo, they were still willing to try it.

Since P&G entered the Chinese market, it had adopted the high pricing strategy. This strategy played an important role in P&G's rapid profit gain and fast-paced expansion from 1988-1997. However, in the late 90's, many imported and local brands appeared on the Chinese market. P&G's high pricing strategy left the mid-end and low-end markets open for other companies to explore. In 1998, 10 years after entering in China, the P&G's sales decreased dramatically. According to statistics, the total sales of Guangzhou P&G went from over 8000 million in 1997 to 5242 million in 1998 and then to 3917 million in 1999. It wasn't until 2003 that P&G regained the sales it had reached in 1997.

The Brand "Rejoice" in China

Challenged by the new market trend and e-commerce, A.G. Lafley, the incumbent president of P&G Global, has shifted the business focus to expanding ten of its most established brands since he took office. It was as what he said: it is much easier to sell more Tide than launch a new Tide. The development of Rejoice in China in the last few years is an example of this new brand strategy.

Rejoice is one of the first P&G brands to enter the Chinese market and is one of the most successful. It takes about 40% of the Chinese shampoo market. Since August 2000, Rejoice products have been upgrading, releasing a series of Rejoice shampoos. Rejoice has shifted from the old Rejoice to healthy Rejoice, dandruff ridding Rejoice, softening Rejoice, and Rejoice for black hair, etc. In March, 2004, a lotion product and a soap product were released to the market under the brand name of Rejoice. Obviously, Rejoice has expanded its market from shampoo to other areas. P&G's traditional strategy seems to change in China from "many brands, one type of product" to the strategy "one brand, many products." Rejoice has also disappeared from the P&G China website; instead, there appeared an independent Rejoice China website. Although many disagree with this change of strategy, the goal of P&G is clear: using the best-known brands like Rejoice to solidify P&G's share in the market, while simultaneously competing in related markets, even ones that already include other P&G brands.

Another strategic change made by P&G in the Chinese market is its expansion into mid- and low- end markets. The consumer market in China is large and extremely price sensitive which results in a lack of brand loyalty. Price is often the ultimate deciding factor in purchasing. Because of this, in 2003, P&G lowered its prices on average by 20% or more on many products including Tide detergents, Rejoice shampoo, and Safeguard soap.

Unit 6: Kodak's Way in China

The fight of "Red, Yellow, Green"

For a long time, the global sensitive materials market has been an oligopoly for a few large companies such as the US's Kodak and Japan's Fuji Film. In 1979, Kodak entered China as the first foreign sensitive materials firm and brought color films into China. The Japanese firm Fuji caught up as a latecomer and its sales of color films once reached a market share as high as 70%. Kodak then adjusted its strategy to speed up its development in China and regain a part of the market share. At the time, the Chinese domestic firm, Lucky was also growing at a fast rate, with its products gaining more and more market approval. Some people called the Chinese color film market of the 90's "the fight of Red, Yellow, and Green", that is a fight between the red Lucky, yellow Kodak and green Fuji. However, Kodak had an obvious edge.

In early 1994, the newly appointed Kodak's president of the board, Mr. George Fisher, proposed the tentative plan of an industry-wide acquisition in Chinese sensitive materials industry when he paid a visit to China. Mr. George Fisher explained, as long as half of the Chinese population shot one more 36-piece film every year, the whole global market would expand by 25%. Five hundred more pictures taken per second in China would be equivalent to the entire us market. China has a potential greater than anywhere else. Kodak hoped that by acquiring Chinese sensitive materials firms, it could use local resources to reduce the production costs, increase distribution channels and expand its Chinese market share. At the same time, Fuji also proposed to form joint ventures with Chinese firms; but because Kodak proposed much better terms, it succeeded in the end.

Kodak's industry-wide acquisition

In the second half of last century, the seven state-owned Chinese sensitive materials were all caught in deep trouble, experiencing loss and in debt of nearly ten billion. With the help of the Chinese government, Kodak conducted a negotiation with the Chinese enterprises that lasted almost four years. They finally reached at an agreement, called "98 Agreement." In March 7, 1998, Kodak announced its purchase of three Chinese sensitive materials firm at $375 million and formed Kodak (China) Ltd. Kodak (Wu Xi) Ltd, with Kodak holding the ownership of 70% and 80% respectively. Kodak also gave economic compensation to another three firms. To protect Kodak's investment, the Chinese government promised that in the next three years, no foreign sensitive materials firms would be allowed to invest and build factories in China. This line was obviously aimed at Fuji and greatly restrained Fuji's development in China. Kodak also promised to invest $1 billion in the next 10 years, in order to improve China's sensitive materials industry. Among the seven Chinese sensitive materials firms, Lucky was the only one that didn't participate in the acquisitions.

Kodak's acquisition gave rise to extensive concerns in China and overseas, because this was the first case for a multinational firm to conduct such large scale acquisitions in China - an almost industry-wide acquisition of the China sensitive materials industry. To Kodak, this action, involving $1 billion investment, six firms acquired at one time, stretching over 6 provinces and 10 cities, is really significant. After the acquisitions, Kodak's Chinese market share rose to 60% whereas Fuji's lowered by a great extent; moreover, the amount of Kodak's film developing and printing shops have increased to 9000, three times as much as that of Fuji.

Kodak's cooperation with Lucky

To Kodak, however, the only pity of the acquisition in 1998 is that it failed to cooperate with Lucky. If Lucky cooperated with Fuji 3 years after the "98 Agreement", it would impose a threat on Kodak's development in China. When rumors spread about the possibility of Lucky's cooperation with Fuji, the situation took a sudden change. In October, 2003, Kodak and Lucky signed a 20 year cooperation agreement in Beijing, which states that Kodak will use $100 million cash together with other assets to exchange for Lucky's 20% stock and will provide technological support to Lucky in the long term. Lucky will pay to Kodak technology usage fee and stock dividends. The reason that Lucky gave up Fuji and chose Kodak is because Kodak agreed to its three conditions: Lucky owns controlling percentage of the stock, uses its Lucky brand, and owns its operation decision-making power. By its cooperation with Kodak, Lucky hoped to further explore the Chinese market and extend towards the global market. Some people argue that Kodak's cooperation with Lucky is not worthwhile. But one industry expert analyzed that it's very worthwhile for Kodak to put in $100 million now. If Kodak didn't accept Lucky's conditions and Lucky succeeded in cooperating with Fuji, Kodak would then pay a much higher price to compete with them. Considering the situation of Chinese sensitive materials market, this analysis is reasonable. Kodak owns a market share of approximately 50% to 60% in the Chinese film industry whereas Fuji owns about 15% to 20%, and the market share is even less for Lucky. However if the latter two cooperated, they would become Kodak's strong rival and challenge Kodak's number one status. From this perspective, whatever price Kodak paid now is worthwhile.

Unit 7: Chinese Brand, Made in America

In American department stores, a common sight encountered is the array of popular brand name goods such as Nike with the phrase -"Made in China." Rarely are there Chinese-branded products that bear the words "Made in America". However, this situation has already been changed by Haier Corporation, the leading Chinese household electronic appliance company. Haier's refrigerators and air conditioners with the "Made in America" labels are being sold in large chain stores in the US. As is known by all, China has cheaper labor. It is exactly because of this that many multinational companies set up factories in China in order to lower production cost and obtain larger profit. However, Haier set up a factory in the US in 1999, hiring American workers whose wages are 10 times higher than their Chinese counterparts, producing labor-intensive products such as refrigerators and selling them in the highly competitive home-appliance market in the US. Many people raised criticism against Haier and considered its development strategy to be against the basic principles of economics.

The Need to Venture Out

With regard to this criticism, Zhang, Ruimin, the CEO of Haier Corporation explained as follows: after China joined WTO, it became easier for foreign companies to enter into the Chinese market. To Chinese companies, there's no distinction between domestic and international markets, and their competitors are no longer domestic manufacturers but rather international companies. Haier is a well-known brand in China. But now all the world-famous brands can be found in China and all the firms that manufacture brand names have built factories in China. In such a competitive environment, if Haier wants to survive and grow, it must venture out of China in order to build a global brand name and capture a seat in the international market.

It is true that the labor cost in China is relatively low. That is why foreign companies have come to China to build factories since they can use the same low wages to hire Chinese workers. Therefore, low cost labor is no longer a unique advantage enjoyed by Chinese companies. As for these foreign companies' advantages in brand recognition, advanced technology and well-trained employees, Chinese companies still don't have them. Building a factory in America was indeed costly. But in return for the cost, Haier has gained first-class technology, greater brand influence, greater international market share, and local talents. For instance, as an American firm, Haier is able to enjoy the treatment available to domestic firms and avoid the US tariffs and other non-tariff barriers. As a local brand, it is easier for Haier to win trust from large US retailers and to enter the US main stream consuming market. In addition, Haier can join the American Home Appliance Association to gain the latest industrial information and exchange with the US home appliance manufacturers on a more equal basis. For Haier, these are important for its development in the international market.

"Haier Made in US" and "Haier Made in China"

According to some experts, another advantage that Haier can gain from its American factory is to use Haier products made in America to expand the global markets for Haier products made in China. For example, Haier's wine coolers sell very well in America. As a matter of fact, except for the design and the initial products were finished in America, a large portion of the wine coolers sold in America were products made in Haier China. Another example is Haier's small refrigerators which already enjoy a market share of more than 35% in the US. Actually not all the products sold in the market are made in the US. A portion of them were made in China. The strategy is that Haier has opened the American market and built its brand recognition with products made in US. When consumers accept the brand, the market's demand for Haier products will gradually grow. However, when the output of Haier (US) factory is unable to satisfy the demand of the US market, the orders will be naturally turned to Haier (China). In addition, Haier (US) can also purchase finished products or components and parts from Haier (China) (it is so called OEM). In this way, Haier (China) can borrow the product channels of Haier (US) to sell the domestic low-cost products and thoroughly utilize the low labor cost resource in China. On the other hand, the popularity of Haier's products in the US will also strengthen the influence of Haier's brand in the Chinese market and other global markets.

Unit 8: Galanz as a Price Butcher

Galanz started to manufacture microwave ovens in 1993. In over a decade or so, it has become the largest microwave manufacturer in the world, with a market share of 70% domestically and more than 30% globally. Its domestic strategy is lower pricing with a slogan as this: Galanz cannot make people richer but can make their money more valuable. Its strategy for international expansion is producing OEM for international brand names. Glanze's fast development and developing module have drawn great attention in the industry with both support and criticism. The following is an excerpt based on an interview with Yu, Yaochang, the vice president of Galanz.

Reporter: Galanz is a firm well known for using the "price war" strategy and people in the business call it a "price butcher". Some people hate Galanz, because it has made many firms disappear from the business. How thin is your profit margin?

Yu, Yaochang: The profit margin for some of our microwave sold in China is only a dollar. However, two-thirds of Galanz's products are sold abroad where prices are significantly higher. When Galanz first entered the microwave oven industry in 1992, competition was not as intense. However, prices for microwave ovens sold in China were much higher than the average prices for microwave ovens sold overseas. This was primarily due to the fact that Chinese firms engaged in the home appliances industry were typically small in size and needed huge capital outlays, making them uncompetitive against multinational companies. In 1996, due to the sudden simultaneous entry of many firms into the microwave oven industry, a price war erupted. Galanz was not responsible for this price war; instead it was a Beijing firm that initiated it. Though Galanz tried to refrain from participating, it gave in after 3 months, eventually slashing prices by 40%. It was through this dramatic price-reduction exercise that Galanz discovered the huge market capacity for microwave ovens. Galanz then vigorously expanded its production capacity, because only with expanded production scale can we further lower costs, and with lower costs we can then lower our prices.

Reporter: Galanz has produced on a very large scale. However, last year the value of output was merely $1billion USD and the profit margin was very quite thin. After China joined the WTO, multinational companies have come with great capital, leading technology and advanced management. What should Galanz do in this situation?

Yu, Yao Chang: the production of microwaves is no longer profitable, and multinational companies are not competing with us because it is not worth it. Currently, the competition on product, technology, and talents are only competition on the surface. The core is the competition for capital. The sectors that feature short-term investment, high profit return and fast technology regeneration are the focuses of multinational companies' competition. But we do not have the capital to fight in these sectors. So we can only stay in the labor-intensive industries to fully capture our competitive advantage in low production cost. We have to first survive and then to develop. Where is our survival space? It is in the industries that the multi-national companies are prepared to forsake. Why do we want to position ourselves as the world's biggest production center, cooperating with more than 200 multi-national companies? We just want to use our best productive forces, our best costs, together with their best network and their best brand names to develop ourselves, and then we can eventually dominate the market.

Reporter: It is said that Galanz will cut its own branded products to less than 40% of the total production. Why does Galanz choose to lower the production of its own brand and increase the OEM production?

Yu, Yaochang: After China entered the WTO, we are gradually losing our advantage in low labor cost. We are now facing a great challenge. Fortunately we have developed very fast in the past few years and have already built production scale and intension, which will enable us to resist for a certain period of time. What is a brand? Brand is piled up by gold. And how much gold do we have? Currently, we are not simply doing OEM. Take transformers for example. When we imported transformers from Japan, the cost was $23. Japan claimed that it was impossible to lower the cost by any means. Later we reckoned up its cost as no more than $10. In Europe, that same transformer costs $30. So we told the European companies, "Move your production line here, let us make the transformers for you. We will sell them back to you at $8." Japan could not stand the price. So we told them, "Move your production line over as well, we will sell to you at $5." Now Japan has completely moved their production line here and our production cost is merely $4 per transformer. Besides, in France, the total production time is only 24 hours per week. But Galanz can do the production for 24 hours a day on three shifts. In other words, with the same production line, Galanz's one day production is equivalent to that of a whole week in France. In this way, we are now working with over 200 multinational companies. When Brand A moves its production line here, we will produce Brand A's products; when Brand B moves over its production line, we will produce Brand B's products. The extra hours are ours.

Reporter: Many companies have made a miracle on the capital market. Why did Galanz make an effort to become a listed company on the stock exchange? If Galanz has enough capital, then it does not have to work for those multinational firms.

Yu, Yaochang: Meager-profit firms are not suitable to be listed on the stock market. The fact that Galanz is not listed does not imply that we do not perform capital operation. Capital operation can be in monetary form or in material object form. Our cooperation with other multinational firms is in the material object form. It is not through the purchase of their stock rights, but through the purchase of their assets: production lines. Besides, bringing in the foreign production lines is equivalent to buying over those foreign competitors. Imperceptibly, we obtain the foreign markets. Currently, Galanz is negotiating with some world-known investment fund companies and investment banks with a plan to bring in more international capital for further and faster development.

Unit 9: TCL's International Acquisitions

TCL is the English abbreviation for Today China Lion. A few years ago, this company was almost internationally unknown. However, in recent years, its actions in transnational acquisition have given rise to its national and international awareness. In the fall of 2002, TCL successfully acquired Schneider, a famous German electronic enterprise. Thus TCL, which had operated only in the Asian and Pacific region, started to gain attention in the European market. In November 2003, TCL acquired the TV and DVD businesses of Thomason, a leading French firm in home electronics, and established the TCL-Thomason Corporation. TCL has 67% of the stock share of the new company. It was estimated that TCL-Thomason Corporation would have the production capacity of 18 million TV sets annually, which would capture approximately 11% of the television market worldwide. This yield was 3% higher than that of Samson, the world's largest TV producer. TCL has therefore become the largest producer in the global television industry. In April 2004, TCL acquired the cell phone sector of Alcatel, a French company, and established a joint venture. TCL holds 55%

of the stock share of the new company.

Indeed, for the Chinese home electronics manufacturing industry, the domestic market for home electronics and cell phone is almost completely saturated and the production capability of the pertinent industry has greatly exceeded the market capacity. Furthermore, export is often subject to anti-dumping investigations conducted by America and European countries. Therefore, development and expansion in the international market has become a challenge for relevant businesses in China. Recently, different companies have implemented different international strategies. For example, Haier directly established a factory in the US to gain a more international recognition of its brand. Galanz has positioned itself to be the world's largest home electronics manufacturing center and promoted its products in the international market by doing OEM TCL's global strategy entails acquiring leading international enterprises in order to use the brand names and distribution channels of the purchased companies to quickly enter the international market. Comparatively speaking, TCL seems to develop itself in the global market at a faster pace and on a larger scale.

Nowadays, TCL is implementing the multiple brand strategy which means introducing different brands in different markets. For instance, TCL uses Thomason and Schneider in the European market while using RCA and Govedio (another foreign brand that TCL has acquired) in the US market. In the domestic market and peripheral countries, TCL and LeiHua (another domestic brand that TCL has acquired) have been used. For TCL's transnational merger and acquisition and its multiple brand strategy, people in the industry hold different opinions: some support while others feel doubtful. Analysts have concluded the advantages of using the multiple brand strategy as follows: 1. able to attain more sales ends and distribution channels; 2. provide more options for customers that have relatively low brand loyalty; 3. attract as well as retain different consumer groups using different brands; 4.lower the risk of using a single brand; and 5.encourage a firm's internal resource rationalization and fair competition among different brands in order to foster a more motivating corporate culture.

However, besides all the above advantages of the multiple brand strategy, there are also disadvantages: 1. Since the firm has to advertise not only the differences but also the similarities among its different brands, it must bear a huge amount of advertisement and publicity costs; 2. Due to the differentiation in terms of positioning and the non-overlapping nature of the markets for different brands, products under different brand names cannot share the distribution channel, thus causing more marketing costs; 3. If there is not any regulated diversification of the market it would result in internal friction among the firm's own brands. Looking at the global home electronics industry, most international corporations use a single brand for all its products such as Sanyo and Sony.

Mr. Li, Dongsheng, the president of TCL, commented during an interview about the advantages and disadvantages of using the multiple brand strategy. He said that since the European market has already matured, blindly promoting the products in these markets by using TCL's own brand would be very risky. The strategy that TCL uses now is to promote its own brand in developing countries, and in developed countries introduce its own brand in the format of OEM or use the local brands for company's expansion. However, the ultimate goal for TCL is to develop its own brand.

Some experts predicted that the multiple brand strategy used by TCL now is just provisional. This strategy will enable TCL to enter the European market without having to make large investments, but it can gain profit in a short period of time at a low cost. Other advantages offered by this strategy include avoiding trade barriers, lowering tariffs, and establishing a closer relationship with local customers. Nonetheless, as time passes and the need for further market expansion grows, TCL will eventually use the single brand strategy by replacing other brands with its own brand. As for when TCL will give up Govedio, Schneider, and Thomason, that will depend on the pace of the company's expansion as well as TCL's brand recognition level in the future domestic and international markets.

Unit 10: A Snake Swallows an Elephant: Lenovo Acquires IBM

Lenovo Group is the largest computer manufacturer in China. It has an annual sales as high as $3.3 billion, and has acquired the largest market share in China since 1997. At the beginning of 2001, Lenovo began to implement its international expansion strategy which comprises of training people that specialize in international trade, promoting products in foreign markets, and establishing offices overseas. However, the strategy was not very successful. It had a very small sales volume in the global market, which only captures 3% of its total sales revenue. In addition, during the 3 years of implementing the international expansion strategy, Lenova's domestic market share has declined from the original 30% plus to 27%. In February 2004, Lenovo announced that its business focus would return to the domestic PC market.

Nevertheless, within less than a year after the announcement, Lenovo again made a magnificent move into the international market. On December 8th 2004, the name "Lenovo" appeared in numerous international and domestic news releases. That afternoon, Mr. Liu, Chuan Zhi, the company's Chairman, announced that Lenovo would pay 1.25 billion USD plus the 0.5 billion USD liability responsibility to acquire the majority of the stock shares of IBM's global PC sector. With this acquisition, Lenovo has become the third largest global PC manufacturer after Dell and Hewlett-Packard. The annual yield is forecasted to be 11.9 million PCs, four times the present production of Lenovo, and its annual income will reach approximately 12 billion USD.

Many people in the industry describe this acquisition as "snake- swallow-elephant" action, because compared to Lenovo's 1.75 billon USD acquisition price, the sales revenue of IBM's PC sector for the first nine months of the year was as high as 9.4 billon USD. However, experts believe the only reason that "a snake" was able to swallow "an elephant" was the gain that both sides could obtain from the deal.

Some people from the press claimed that this acquisition has saved Lenovo 10 years time toward international expansion. By acquiring IBM, a world-known brand, Lenovo whose brand is not well recognized worldwide can quickly expand itself on the international markets. After the successful acquisition, Lenovo will combine the advantages of IBM's well-known brand, advanced technology, and excellent sales channel together with its own economies of scale in production. The integration will bring new opportunities for Lenovo's growth in the international market. After the merger, Lenovo will set up its headquarters in New York, and have 19000 employees with approximately 10000 employees from IBM. Mr. Yang, Yuanqin, who is the current CEO of Lenovo, will become the chairman of the board of directors, and Mr. Stephen Ward, who is the current VP of IBM, will become the CEO of Lenovo.

After the acquisition, IBM will become the second largest shareholder of Lenovo, possessing 18.5% of its stocks. For IBM, getting rid of the PC business is the biggest benefit it would obtain from this acquisition. IBM's market share in the PC industry has declined in recent years. A few years ago, analysts on the Wall Street suggested that IBM should abandon its PC sector. After the acquisition, IBM will focus on software development and customer service. On the day when the acquisition was announced, the closing stock price for IBM rose to $97.08 with a margin of 1.4%. This increase indicated that Wall Street is quite enthusiastic about the future of IBM without its PC sector. Furthermore, IBM will use Lenovo to speed up its expansion in China.

Nonetheless, most experts are still doubtful as to whether Lenovo will successfully incorporate the PC business of IBM. Michael Dell, the CEO of the world's largest PC manufacturer, does not hold an optimistic view about this largest acquisition in the PC industry in recent years. He does not believe that simply merging two firms will ensure a good development. High level personnel in HP also showed concerns for Lenovo's ability to manage such a large global company. In addition, another expert pointed out that price isn't the most important factor for American customers. They actually put more importance on customer service for 3 to 8 years after their purchase. The fact that the current IBM computers and the IBM server belong to two different companies will have a negative impact on customers.

IDC, a well-known IT consulting firm believes that after the acquisition, Lenovo will directly compete in the market with the world's largest computer manufacturers, Dell and HP. In this competition, Lenovo will encounter three challenges: the lacking of brand recognition in the global market, fierce price competition, and corporate merger problems. IDC believes that though this acquisition is quite risky, with the support of the Chinese government and the combination of resource from both firms, the new Lenovo may have a bright future. On the other hand, Mr. Yang Yuanqin, the new Chairman of the Lenovo Group has a great confidence in the new Lenovo. He said that the goal of the new Lenovo is not to become Number Two or Number Three, but to become Number One in the world.

课文拼音文本

Pinyin of the Text

1. Kěndéjī de Zhōngguó huà

Kěndéjī de "zhōngshì wàiyī"

Kěndéjī yījiǔbāqī nián jìnrù Zhōngguó shìchǎng shí,tā de biāozhǔnhuà jīngyíng, jí tǒngyī biāozhì、tǒngyī pèifāng、tǒngyī fúwù, gěi Zhōngguó de cānyǐnyè dàilái le qiángliè de chōngjī, yīnwèi jǐ bǎi nián lái Zhōngguó de cānguǎn dōushì bǎidiānbǎiwèi, gè yǒu tèsè. Yījiǔjiǔjiǔ nián shì Kěndéjī jìnrù Zhōngguó de dì shíèr nián, biāozhǔnhuà zài Zhōngguó yě yǐjīng chéngwéi liánsuǒ kuàicān de dàimíngcí, kěshì Kěndéjī yǒu yí cì ràng Zhōngguó cānyǐnyè chī jīng. Zhè yì nián liùyuè èrshísì rì, Zhōngguó zuìdà de Kěndéjī cāntīng "Běijīng qiánméndiàn" tíng yè zhuāngxiū sì gè yuè hòu, yǒu chóngxīn kāi yè le. Zhè jiā cāntīng dì yī cì dǎpò Kěndéjī quánqiú tǒngyī guǎnlǐ, jiànzhù hé zhuāngshì fēnggé fēicháng Zhōngguóhuà. Tā wàibiǎo kàn qǐlái yǒu chángchéng、sìhéyuàn de jiànzhù tèsè, lǐmiàn yòng fēngzhēng、jiǎnzhǐ děng chuántǒng gōngyìpǐn zhuāngshì, sānlóu yǒu yí gè xiǎoxíng měishùguǎn, bú dìngqī de zhǎnlǎn mínjiān yìshùpǐn. Zhè jiā xīshì kuàicāntīng chuānshàng le "zhōngshì wàiyī". Zài zhèlǐ, rénmen zài chī zhe xīshì kuàicān de tóngshí, hái kěyǐ liǎojiě zhōng xī wénhuà de bùtóng, kěnéng huì yǒu yì zhǒng tèbié de yòngcān gǎnshòu.

Kěndéjī de "Zhōngguó xīn"

Kěndéjī de zhǔ dǎ chǎnpǐn shì jī. Zhōngguórén ài chī jī, "jī yā yú ròu" zhōng, jī pái zài dì yī wèi. Kěndéjī chéngrèn shì Zhōngguórén de wèi bāng le tā de máng. Dàn zài jìngzhēng fēicháng jīliè de Zhōngguó kuàicān shìchǎngshang, Kěndéjī bìng bù yīncǐ ér mǎnzú. Cóng èrlínglínglíng nián kāishǐ, tā jiù búduàn de tuīchū dàiyǒu Zhōngguó tèsè de cānyǐn shípǐn, rú fúróng xiān shū tāng、zhàcài ròusī tāng、yuè wèi gǔlǎoròu děng, fēicháng fúhé Zhōngguórén de kǒuwèi. Erlínglíngsān nián Zhōngguó de xīnnián lǐ, Kěndéjī yǒu tuīchū le dàiyǒu Běijīng kǎoyā fēngwèi de "lǎo Běijīng jīròu juǎn ". Yì zhāng miànbǐng, fàng shàng zhàhǎo de jīròu, jiāshàng huángguā tiáo、cōng duàn, fàng shàng tián miànjiàng hé hànbǎo jiàng bāo qǐlái. Cóng chī fǎ shàng jiǎng, "Lǎo Běijīng jīròu juǎn " hǎowú yíwèn de "kǎobèi " le Běijīng kǎoyā de zuòfǎ. Chīguo de rénmen shuō: Kěndéjī gèngjiā Zhōngguóhuà le. èrlínglíngsān nián sìyuè, Kěndéjī yǒu zài yáng kuàicān zhōng dì yī gè tuīchū le zhōngshì dàibiǎoxìng shípǐn——mǐfàn:"Hán dào xiāng mó fàn ", tā shì zài mǐfàn shàng fàng shàng mógu shūcài zhī, měi fèn zhòng yībǎibāshí kè, shòujià sì yuán.

Kěndéjī de biàn yǔ búbiàn

Dàn wèishénme yījiǔbāqī nián Kěndéjī zài gāng jìnrù Zhōngguó shí méi zhèyàng zuò ne? Kěndéjī de yǒuguān rénshì jiěshì shuō, nàshí Zhōngguó de kuàicān shìchǎng háishi yí piàn kòngbái, wánquán xīshì kuàicān fēnggé de Kěndéjī duìyú Zhōngguórén láishuō jì xīnxiān yòu shímáo. Rénmen bǎ dào Kěndéjī qù chī fàn kànchéng yì zhǒng yúlè huódòng, jiù xiàng zǒu qīnqi、guàng gōngyuán yíyàng. Chīde kǒuwèi bìng bù zhòngyào, zhòngyào de shì gǎnshòu yíxià xīfāngrén de shēnghuó fāngshì. Xiànzài bù yíyàng le. Zhōngguó xiànzài yǒu Màidāngláo děng shí duō zhǒng kuàicān, chī kuàicān hé chī miàntiáo yíyàng píngcháng le. Zhōngguórén yǐjīng xíguàn kuàicān, rènwéi kuàicān wénhuà dàibiǎo de shì xiàndài shèhuì de láiqù cōngcōng. Zài zhèyàng yì zhǒng gāosùdù de dūshì shēnghuó zhōng, rénmen yòu xǐhuān qǐ wěndìng hé gǔlǎo de dōngxī. Zhè jiù shì Kěndéjī wèishénme zài jìnrù Zhōngguó shí jǐ nián hòu cái kāishǐ Zhōngguóhuà de yuányīn.

Cóng chuānshàng “zhōngshì wàiyī” dào huànshàng“Zhōngguó xīn”, Kěndéjī cóng wàibiǎo dào chǎnpǐn, yuèláiyuè běntǔhuà le. Dàn Kěndéjī háishi Kěndéjī, tā de biāozhǔnhuà fúwù guīzé, yāoqiú shìjiè gèdì měi yí gè cāntīng de měi yí wèi yuángōng dōu yángé zhíxíng. Biànhuà de shì xíngshì, búbiàn de shì Kěndéjī de shìchǎng guānniàn. Yí wèi jīngjìxué jiā céng shuō, zuìhǎo de chǎnpǐn shì zuì shìyìng shìchǎng de chǎnpǐn. Shuō qǐlái jiǎndān, zuò qǐlái què hěn nán. Dàn Zhōngguó yáng kuàicān de lǎodà Kěndéjī zài zhè fāngmiàn sìhū zǒu zài le yèjiè de qiánliè.

2. Xīngbākè de “dì sān kōngjiān”

Cānyǐnyè de qíjì

Xīngbākè yú yījiǔqīyī nián zài Měiguó xīyǎtú shì kāi yè, kāishǐ shí zhǐ chūshòu kāfēidòu, jīngguò sānshí duō nián de fāzhǎn, xiànzài yǐ jìnrù quánqiú sānshí duō gè guójiā hé dìqū, kāishè le dàyuē bāqiān duō jiā fēndiàn, qízhōng zài Měiguó yǒu wǔqiān duō jiā, hǎiwài liǎngqiān duō jiā. Xīngbākè de fāzhǎn sùdù hěn kuài, jùshuō měi bā gè xiǎoshí jiù yǒu yì jiā xīndiàn kāi yè. Xīngbākè yú yījiǔjiǔèr nián shàngshì, shàngshì yǐlái gǔjià zēngzhǎng èrshí duō bèi. Xīngbākè háishi《Shāngyè zhōukān》quánqiú yībǎi gè zuìjiā pǐnpái zhīyī.

Xīngbākè de gāosù fāzhǎn kāichuàng le cānyǐnyè de qíjì. Zài Xīngbākè chūshòu kāfēi yǐnpǐn zhīqián, kāfēi zài Měiguó zhǐshì pǔtōng rén jiālǐ de yǐnpǐn, dàduōshù Měiguórén bù zhīdào yě méi hēguo chúnxiāng de nátiě, méiyǒu xiǎngdào kāfēidiàn kěyǐ kāichéng xiàng jiǔbā nàyàng de dìfāng, yě bù xiāngxìn zhùzhòng fēngyǎ de Rìběnrén huì zài dàjiēshang biān zǒu biān hē kāfēi. Shì Xīngbākè yòng kāfēi gǎibiàn le xiàndài rén de shēnghuó. Xīngbākè dǒngshìzhǎng Huòhuáde ·

shūěrcí céng shuō："wǒmen xǐhuān dǎpò chángguī, zuòchū biérén shuō bù kěnnéng de shì." Zhè kěnéng jiùshì Xīngbākè chénggōng de mìmì.

Chūshòu de shì kāfēi tǐyàn

Xīngbākè de fāzhǎn shì zhèyàng kāishǐ de. Yījiǔbāsān nián, xiànrèn dǒngshìzhǎng shūěrcí dào Yìdàlì cānjiā shāngzhǎn. Tā zǒu zài jiētóu, fāxiàn nàlǐ de kāfēiguǎn yì jiā jiēzhe yì jiā, zuò mǎn le rén. Yìdàlìrén zǎo yě lái、wǔ yě lái, dào le bàngwǎn xiàbān háiyào xiān dào kāfēiguǎn zuò yíhuìr cái huí jiā. Dàjiā yí jìnmén jiù hǎoxiàng pèngdào le shú péngyǒu, tīngzhe yīnyuè, hēzhe kāfēi, liáozhe tiān. Shūěrcí mǐnruì de gǎnjuédao, Měiguórén zài jiālǐ hēle shàngbǎinián de kāfēi, Xīngbākè zài shìchǎngshàng màile shíduō nián de kāfēidòu, dàn méiyǒu yìshí dào kāfēiguǎn shì kěyǐ xīyǐn rénmen yì lái zài lái de dìfang, tā tèyǒu de qīngsōng qìfēn néng gěi rénmen tígōng shèjiāo hé fàngsōng xīnqíng de kōngjiān. Shūěrcí bǎ Yìdàlì de jīngyàn dài huídào Měiguó. Xiànzài zǒujìn rènhé yì jiā Xīngbākè, dōu yǒu róuhé de dēngguāng, qīngjié de huánjìng, ruǎnruǎn de shāfā hé mùzhì zhuōyǐ, yǐjí yōuměi de bèijǐng yīnyuè. Jìnguǎn Xīngbākè měibēi kāfēi de jiàqián, shì qítā diàn de liǎngbèi, dàn zài zhèlǐ nǐ kěyǐ yǔ péngyǒu liáotiān, yǔ tóngshì、 kèhù tán yèwù, yě kěyǐ dúzì fàngsōng zài yīnyuè húnzhe kāfēi xiāng de qìfēn zhōng. Yǔqí shuō Xīngbākè shì zài chūshòu kāfēi, bùrú shuō shì zài chūshòu yì zhǒng kāfēi tǐyàn, ràng bēnbō zài jiātíng yǔ bàngōngshì zhījiān de xiàndàirén, yǒu le lìng yí gè kōngjiān, jí Shūěrcí suǒ chàngdǎo de "dì sān kōngjiān". Zhèlǐ dìyī kōngjiān zhǐ de shì jiātíng, dìèr kōngjiān zhǐ de shì gōngzuò dānwèi, dìsān kōngjiān shì zhǐ chúle jiātíng、gōngzuò dānwèi yǐwài de kōngjiān, rú diànyǐngyuàn、shāngchǎng děng.

Zhōngguó báilǐng xiǎngshòu Xīngbākè

Xīngbākè yījiǔjiǔjiǔ nián yīyuè zài Běijīng kāishè le dìyī jiā fēndiàn, xiàn yǐ zài Zhōngguó kāi le jǐ shí jiā. Jǐnguǎn yì bēi Xīngbākè kāfēi de jiàqián kěnéng xiāngdāng yú hěn duō Zhōngguórén yì tiān de shōurù, dàn nàlǐ chúnzhèng de kāfēi、 yōuměi de yīnyuè、ānjìng de huánjìng、zhōudào de fúwù, xīyǐn le hěnduō shōurù búcuò、zài kuàguó gōngsī gōngzuò de niánqīng báilǐng, shǐ tāmen duō le yí gè sìhū zhǐ shǔyú tāmen de kōngjiān. Yúshì zài tāmen zhōngjiān jiù yǒu le zhèyàng yí jù hěn jīngdiǎn de huà: wǒ búzài bàngōngshì, jiù zài Xīngbākè, wǒ búzài Xīngbākè, jiù zài qù Xīngbākè de lùshàng.

Zài yì jiā kuàguó gōngsī Tiānjīn bànshìchù gōngzuò de Sūn Wǎn xiǎojiě jiùshì qízhōng de yí gè. Sūn xiǎojiě yì nián qián qù Běijīng shí, jiàndào le nàlǐ xīn kāi yè de Xīngbākè, lìkè jiù bèi tā yōuyǎ de huánjìng、chúnxiāng de kāfēi suǒ xīyǐn, yòng tā de huà shuō"jiǎnzhí jiùshì wánměi". Èrlínglíngyī nián wǔyuè, dì yī jiā Xīngbākè fēndiàn zài Tiānjīn kāi yè le, dìdiǎn jiù zài gōngsī dàshà de yīlóu. Cóng kāi yè de dì yī tiān qǐ, Sūn xiǎojiě jiù chéngle Xīngbākè de chángkè, yǒushí shì wèile fàngsōng, yǒushí shì wèile tán yèwù, yì xīngqī shǎo shuō yě qù liǎng sān cì. Mànmàn de, Sūn xiǎojiě zài zhèlǐ kàndào le yuèláiyuè duō dàshà lǐ shúxī de miànkǒng. Qù Xīngbākè hē yì bēi kāfēi, sìhū chéngle yì zhǒng dìwèi de biāozhì, chénggōng de xiàngzhēng. Hòulái Tiānjīn yòu lùxù kāi le xǔduō guówài de、běntǔ de kāfēidiàn. Dàn Sūn xiǎojiě yīrán xǐhuan Xīngbākè de "dāndiào" ——zhǐyǒu kāfēi hé yìxiē tiándiǎn, méiyǒu qítā kāfēidiàn tígōng de xīcān, zhè yíqiè sìhū ràng tā juéde Xīngbākè yǔ kāfēi zhè liǎnggè zì gèng jiējìn.

3. Yíjiā de shēchǐ "dījià pǐn"

Zhōngguó: yí gè qiánzài de shìchǎng

Yíjiā shì yījiǔjiǔbā nián jìnrù Zhōngguó de, yǔ qítā kuàguó gōngsī bǐ, suànshì yí gè chídào zhě. Yíjiā xiāngxìn shì tā bǎ"jiājū"zhègè quánxīn de gàiniàn dàidào Zhōngguó lái de. Zhīqián, Zhōngguó zhǐyǒu shāngpǐn lèibié dānyī de jiājū diàn, ér Yíjiā jiājū diàn lǐ jì yǒu jiājū, yě yǒu rìcháng shēnghuó yòngpǐn. Lìngwài, Zhōngguó chéngshì jūmín de zhùfáng guòqù zhǔyào yóu zhèngfǔ fēnpèi, cóng yījiǔjiǔbā nián qīyuè yīrì qǐ cái kāishǐ quánmiàn shíshī zhùfáng shāngpǐnhuà. Zhùfáng zhìdù de gǎibiàn, dàdà cìjī le jiājū chǎnpǐn de xiāofèi, Yíjiā císhí jìnrù, shíjī zhènghǎo. Díquè, yījiǔjiǔjiǔ nián Yíjiā zài Běijīng kāi yè shí, qí Běi'ōu fēnggé de chǎnpǐn、shāngpǐn jiāochā zhǎnshì de fāngshì hé qīngsōng zìzài de gòuwù huánjìng xīyǐn le dàpī de xiāofèizhě, shǐ Yíjiā pǐnpái hěn kuài biànde jiā yù hù xiǎo.

Dànshì, Yíjiā zài Zhōngguó de fāzhǎn sùdù bìng bù xiàng rénmen qīdài de nàme kuài, dào èrlínglíngsì nián, hái zhǐshì zài Běijīng Shànghǎi kāi le liǎng jiā fēndiàn. Yíjiā quánqiú zǒngcái Ān dé sī · Dài ěr wéi gé zài Shànghǎi jiēshòu jìzhě cǎifǎng shí shuō,"zīběn huíbào lǜ dī shì Yíjiā zài Zhōngguó fāzhǎn sùdù màn de zhǔyào yuányīn". Díquè, Yíjiā zài Zhōngguó yùdào de shìchǎng huánjìng yǔ ŌuMěi bùtóng. Yíjiā miànduì zhè yī shìchǎng zài zuòdào wánquán shìyìng zhīqián, Zhōngguó zhǐnéng xiàng qí zǒngcái suǒyán, shì "yí gè qiánzài de shìchǎng".

Jiàgé píngjǐng

Yíjiā zài ŌuMěi de kuàisù fāzhǎn hé zài Zhōngguó de dīsù qiánjìn dōu shì yīnwèi "jiàgé". Zài ŌuMěi guójiā, Yíjiā tōngguò dà guīmó cǎigòu、jiànlì zìjǐ de wùliú wǎngluò、zài shāngdiàn cǎiyòng zìxuǎn fāngshì jiǎnshǎo fúwù rényuán、shǐyòng píngbǎn bāozhuāng jiéyuē yùnshū fèiyòng děng bànfǎ, shǐ qí jiàgé jiàngdào bǐ tónglèi chǎnpǐn dī. Dījià cèlüè shì Yíjiā zài ŌuMěi shìchǎng qǔdé le juéduì yōushì. Rán'ér, Yíjiā de jiàgé yōushì zài Zhōngguó bìng bù néng biǎoxiàn chūlái, xiāngfǎn, tā chéngle yí gè xiāngduì gāoduān de pǐnpái, Yíjiā diàn yě chéngle zhōng、gāo shōurù jiēcéng de zhuānmài diàn. Lìrú zài biéde Zhōngguó jiājū diàn kěyǐ mǎi yì zhāng xiǎo shāfā de jiàgé, zài Yíjiā zhǐnéng mǎidào yí gè xiǎo mù dèngzi. Zhè jiù zàochéng le Yíjiā de kèliúliàng hěn dà, dàn xiāoshòuliàng bìng bú dà de qíngkuàng.

Yóuyú jiàgé guògāo, bùshǎo xǐhuan Yíjiā shèjì de xiāofèizhě biàn zhuǎnxiàng fǎngmàopǐn, zhè shì Yíjiā zài Zhōngguó miànduì de lìng yí gè tiǎozhàn. Jù bàodào, xiànzài yǒu bùshǎo jiājù chǎng zài fǎngmào Yíjiā jiājù de shèjì hé yàngshì. Zài lí Běijīng Yíjiā bùyuǎn de yí gè jiājù zhōngxīn lǐ, jiù yǒu bùshǎo yǔ Yíjiā jiājù shèjì xiāngsì, dàn jiàgé dī hěn duō de shāngpǐn chūshòu. Yǒu yìxiē xiāofèizhě xiān dào Yíjiā xuǎnhǎo yàngshì, zài dào nàlǐ gòumǎi dījià de fǎngmàopǐn.

Yíjiā cèlüè

Miànduì Zhōngguó tèshū de shìchǎng huánjìng, Yíjiā yīnggāi rúhé zuò ne? Jù zuìxīn bàodào, wèile cóng gāoduān shìchǎng zǒu chūlái, kāituò dàzhòng xiāofèi shìchǎng, Yíjiā jìhuà yì nián jūn bǎifēnzhīshí'èr de fúdù jiàngdī zài Zhōngguó shìchǎng de zhěngtǐ shòujià, qízhōng jiājù de jiàngfú zuìdà. Yǐ mǒu kuǎn shāfā wéi lì, qí shòujià yījiǔjiǔjiǔ nián shì liǎngqiānjiǔbǎijiǔshíjiǔ yuán, èrlínglíngsì nián jiàngdào jiǔbǎiwǔshíwǔ yuán. Lìngwài,Yíjiā hái cóng èrlínglíngsì nián kāishǐ zēngjiā měi zhōu tèjià shāngpǐn, jiàqián bú dào yuánjià de sānfēnzhīyī. Yíjiā Zhōngguó dìqū fùzérén shuō: jiàngjià de mùdì shì bǎ mùbiāo shìchǎng suǒdìng zài jiātíng yuè shōurù sānqiānsānbǎiwǔshí yuán yǐshàng de xiāofèizhě, ér yǐqián, Yíjiā xiāofèizhě de jiātíng yuè shōurù hěn shǎo yǒu bǐ liùqiān yuán dī de. Wèile jiàngdī jiàgé, Yíjiā zēngjiā le běntǔ cǎigòuliàng, yóu yuánlái de bǎifēnzhīwǔ zēngjiā dào xiànzài de bǎifēnzhīqīshí, zhèyàng zuò kěyǐ dàdà jiàngdī chéngběn.

Yíjiā dà fú jiàngjià de lìng yí gè mùdì shì yìzhì fǎngmàopǐn, yīnwèi dāng jiàgé jiàngdī dào yídìng chéngdù shí, fǎngmào zhě huì yīnwèi lìrùn tài dī búzài zhìzào fǎngmàopǐn. Yíjiā yìzhì fǎngmàopǐn de lìng yí gè zuòfǎ shì tígāo gēngxīn huàndài lǜ, shǐ fǎngmào zhě gǎn bushàng Yíjiā xīn pǐn shàng shì de sùdù. Lìngwài, Yíjiā xiāngxìn suízhe Zhōngguó shìchǎng huánjìng de chéngshú hé xiāofèi zhě pǐnpái yìshí de zēngqiáng, fǎngmàopǐn huì yuèláiyuè shǎo. Wèile shìyìng Zhōngguó de shìchǎng huánjìng, Yíjiā hái gǎibiàn le yìxiē tā zài ŌuMěi shìchǎng de yíguàn zuòfǎ. Lìrú, tā zài Zhōngguó jiàn de dì yī jiā biāozhǔn diàn xuǎn zài le Shànghǎi fánhuá de shāngyèqū nèi, ér bú shì xiàng zài ŌuMěi shìchǎng nàyàng zài jiāoqū jiàn diàn, zhè shì yīnwèi Zhōngguó de xiāofèizhě dàduōshù méiyǒu chē, gōnggòng jiāotōng bìxū fāngbiàn. Lìngwài, yóuyú dàduōshù xiāofèizhě xūyào sòng huò, Yíjiā zēngjiā le sòng huò chēliàng, bìng jiàngdī le sòng huò fèiyòng.

4. Běijīng de Shānmǔ huìyuán diàn

(Yī)

Běijīng shì Zhōngguó shìchǎng qiánlì zuì dà、 dàn jìngzhēng yě zuì jīliè de shìchǎng. Èrlínglíngsān nián qīyuè, Běijīng Wò'ěrmǎ shānmǔ huìyuán diàn kāi yè le, yǒucǐ kāishǐ le zhè ge quánqiú zuìdà de língshòushāng Wòěrmǎ gōngsī zài Zhōngguó shìchǎng de xīn yì lún kuòzhāng jìhuà.

Zhè jiā cāngchǔshì huìyuán diàn shì Wòěrmǎ zài Běijīng kāi de dì yī jiā diàn, yě shì tā zài Zhōngguó kāi de dì èrshíbā jiā liánsuǒdiàn、dì wǔ jiā Shānmǔ huìyuán diàn, (dào èrlínglíngsì nián dǐ jiàn wéi sān jiā). Zhè jiā diàn wèiyú Běijīng xījiāo, lí shìzhōngxīn yuē yǒu sìshí fēnzhōng de chē chéng. Tā zhàndì yíwànbāqiān píngfāngmǐ, yǒu yí gè liǎngcénglóu de shāngchǎng hé yīqiānsānbǎi gè chēwèi de tíngchēchǎng. Zǒujìn zhè jiā diàn, shúxī Shānmǔ huìyuán diàn de rén huì fāxiàn, tā de nèibù shèjì yǔ Měiguó Shānmǔ huìyuán diàn bú tài yíyàng. Bǐrú, diànlǐ yǒu yí gè dàxíng de shēng xiān shípǐn qū, lǐmiàn yǒu yǎng zài shuǐxiāng lǐ de huóyú, hái yǒu xiànchǎng zhìzuò de bǐsàbǐng hé gèzhǒng zhǔ、fù shípǐn. Yīlóu yǒu hěn dà yí bùfen shì diànzǐ chǎnpǐn xiāoshòu qū, chūshòu píngmiàn diànshì、gè rén diànnǎo yǐjí gèzhǒng xīnqí de gāokējì chǎnpǐn, zhè xiē duì Běijīng de yǒuqián rén yīnggāi huì yǒu xīyǐnlì. Ér zài Měiguó de diàn lǐ, diànzǐ chǎnpǐn kěnéng zhǐ zhàn yī、liǎng gè huòjià. Lìngwài Běijīng Shānmǔ huìyuán diàn lǐ hái yǒu bùshǎo Zhōngguó chǎngjiā zhuān wèi Zhōngguó xiāofèizhě kāifā、dìngzuò de shāngpǐn. Xiǎnrán, Běijīng diàn de zhèyàng ānpái shì yínghé Zhōngguórén de xiāofèi xíguàn, yěshì zài jīngyíng shàng běntǔhuà de jiéguǒ.

(Èr)

Dànshì, hěn duō rén bìng bù kànhǎo zhè jiā diàn. Gēnjù guīdìng, zài zhèjiā diàn gòuhuò de xiāofèizhě bìxū chíyǒu niánfèi yībǎiwǔshí yuán rénmínbì(xiāngdāng yú shíbā měiyuán) de huìyuán zhèng, yě jiù shì shuō, huìyuán zài zhèlǐ yīnián zhìshǎo yào xiāofèi yīqiānwǔbǎi yuán zhì sānqiān yuán cáinéng shōuhuí chéngběn, zhè ge jiàgé duì Zhōngguó de pǔtōng xiāofèizhě lái shuō tài gāo le. Dàn Běijīng Shānmǔ diàn de mùbiāo shìchǎng yǔ Měiguó bùtóng, tā zhǔyào miànxiàng fùyù jiēcéng, jí gāo xuélì、gāo shōurù de xiāofèizhě, zhè xiē rén dāngzhōng yǒu hěn duō rén yǒu sījiāchē hé sīrén zhùfáng.

Qíshí, duìyú huìyuán zhì shāngdiàn. Běijīng de xiāofèizhě bìng bù mòshēng. Zǎoyǐ jìnrù Běijīng de Pǔěrsīmǎtè、Wànkèlóng děng dōu shǔyú zhè yí lèi shāngdiàn. Kě shìshí zhèngmíng, huìyuán zhì shāngdiàn zài Běijīng de fāzhǎn bìng bù lèguān, Pǔěrsīmǎtè qián bùjiǔ gānggāng bǎ zìjǐ de huìyuán zhì shāngdiàn zhuǎnwéi pǔtōng chāoshì, ér Wànkèlóng zhǐ xū huā liǎng kuài qián jiù kěyǐ bàn yì zhāng huìyuánzhèng, huìyuán zhì yǐjīng míngcún shíwáng. Qīnghuá Dàxué de yí wèi jiàoshòu zhǐchū, huìyuán zhì mùqián zài Běijīng fāzhǎn de tiáojiàn bìng bù chéngshú. Zài xīfāng fādá guójiā, huìyuán zhì shì rénjūn guómín shēngchǎn zǒngzhí dádào yíwàn Měiyuán hòu chǎnshēng de, shāngdiàn shì miànxiàng nàxiē píngshí gōngzuò fánmáng、yí cì cǎigòu jiù mǎi yí dàpī de kāichē rénshì de. Běijīng mùqián de rénjūn guómín shēngchǎn zǒngzhí cái sānqiān duō Měiyuán, lìngwài, suīrán hěn duō shìmín jiātíng mǎi le xiǎo qìchē, dàn lí měi jiā dōu yǒu yí liàng chē hái chà hěn yuǎn. Yīncǐ huìyuán zhì zài Běijīng yào huòdé chénggōng, hái xūyào yídìng de shíjiān.

(Sān)

Duìyú zhèxiē dānxīn, Wòěrmǎ sìhū bìng bù zàiyì. Shēnzhèn Shānmǔ huìyuán diàn de Dù zǒngjīnglǐ rènwéi, Wòěrmǎ de huìyuán zhì shāngdiàn huì yǒu hěn hǎo de qiánjǐng, Shānmǔ diàn zài Shēnzhèn kāi yè de shíhou yě yǒu hěn duō rén bù lǐjiě, dàn céng zài Shēnzhèn diàn chuàngxià le quánqiú Shānmǔ huìyuán diàn dānrì xiāoshòu'é de zuìgāo jìlù. Wòěrmǎ Běijīng fēngōngsī fùzé shāngpǐn xiāoshòu hé shìchǎng yíngxiāo de fù zǒngcái Tāngmǔ · Màikèlāofūlín shuō, xiāofèizhě dōu xīwàng shěngqián, bìngqiě xǐhuan yǒudiǎn yǔzhòngbùtóng, zhè yìdiǎn zhèngshì huìyuán zhì chénggōng de jīchǔ.

Dàn wúlùn rúhé, Běijīng Shānmǔ huìyuán diàn de kāi yè, biāozhì zhe Wòěrmǎ zài huá fāzhǎn sùdù de jiākuài. Díquè, Zhōngguó mùqián língshòu shìchǎng jìngzhēng fēicháng jīliè, quánguó yǐ yǒu shù bǎi jiā dàxíng chāoshì, dàdōu zài yǐ xiāngchà wú jǐ de jiàgé chūshòu qiānpiān yílǜ de shāngpǐn. Duìyú quánqiú língshòu wángguó Wòěrmǎ láishuō, Fǎguó de Jiālèfú shì tā zài Zhōngguó de zuìdà jìngzhēng duìshǒu. Hòuzhě wúlùn zài kāi diàn shùliàng shàng háishi zài yíngyè shù'é shàng dōu chāoguo Wòěrmǎ. Ér Wòěrmǎ de "tiāntiān píngjià" zài Jiālèfú de "chāo dījià" miànqián yě xiǎnshì bùchū yōushì. Jù Huáěrjiē Rìbào fēnxī, Wòěrmǎ yánjǐn de gōngsī wénhuà kěnéng shì zhìyuē tā xùnsù fāzhǎn de yīnsù. Bǐrú Wòěrmǎ bù yǔnxǔ cǎigòu rényuán yǔ gōngyìngshāng yìqǐ chī fàn, zhè shì gōngsī zài quánqiú shíxíng de bǎochí jiànkāng yèwù guānxì、kòngzhì jīngyíng chéngběn de zhìdù zhīyī, ér zài Zhōngguó zuò shēngyi qǐng kè chī fàn què shì bì bù kě shǎo de.

5. Bǎojié de pǐnpái cèlüè

Bǎojié de duō pǐnpái

Bǎojié gōngsī de tèdiǎn yī shì chǎnpǐn zhǒnglèi duō, yǒu xǐ fà、hù fà yòngpǐn、xǐdí yòngpǐn, shípǐn、zhǐzhìpǐn、yàopǐn děng; Èr shì pǐnpái duō, yígòng yǒu sānbǎi yú zhǒng pǐnpái, jǐn xǐyīfěn jiù yǒu Tàizì、Qíěr、Gēní děng jiǔ gè pǐnpái. Bǎojié duō nián lái de chénggōng yī shì yóuyú qí chǎnpǐn zhìliàng gāo, èr shì yóuyú qí chénggōng de duō pǐnpái cèlüè.

Duō pǐnpái shì zhǐ qǐyè de tóngyī zhǒnglèi chǎnpǐn yǒu duōgè pǐnpái, rú Bǎojié de xǐyīfěn. Dàn Bǎojié búshì bǎ yì zhǒng chǎnpǐn jiǎndān de tiēshàng jǐ zhǒng shāngbiāo, ér shì zhǎochū tónglèi chǎnpǐn bùtóng pǐnpái zhījiān de chāyì, shǐ měi gè pǐnpái dōu yǒu zìjǐ de fāzhǎn kōngjiān. Yǐ xǐyīfěn wéi lì, yǒu rén rènwéi xǐdí hé piǎoxǐ gōngnéng zuì zhòngyào, yǒu rén rènwéi zhīwù róuruǎn zuì zhòngyào, hái yǒu rén rènwéi wù měi jià lián zuì zhòngyào. Bǎojié gōngsī jiù bǎ xǐyīfěn shìchǎng xì fēnchéng jiǔ gè mùbiāo shìchǎng, shèjì chū jiǔ gè bùtóng de pǐnpái. Mùqián Bǎojié zhànlǐng le Měiguó bǎifēnzhīwǔshíwǔ de xǐdíjì shìchǎng, zhè kǒngpà shì dānyī pǐnpái wúfǎ zuòdào de. Lìngwài, Bǎojié zài zhìzào màidiǎn、guǎnggào xuānchuán shàng fēicháng chénggōng. Màidiǎn shì zhǐ ràng xiāofèizhě zhīdào tuīchū de chǎnpǐn yǒu dúyīwú'èr de tèdiǎn, zhèxiē tèdiǎn shì qítā chǎnpǐn méiyǒu de, huòzhě shì rénmen méiyǒu yìshí dào de, dàn què shì xiāofèizhě xūyào de. Guǎnggào xuānchuán zài chénggōng de jiāng zhèxiē tèdiǎn jièshào gěi xiāofèizhě, shǐ tāmen xīngānqíngyuàn de qù mǎi. Yǒu rén rènwéi, zhè zhǒng duō pǐnpái cèlüè huì yǐnqǐ qǐyè nèibù zìjǐ pǐnpái zhījiān de jìngzhēng, dàn Bǎojié rènwéi, shìchǎng jīngjì shì jìngzhēng jīngjì, yǔqí ràng duìshǒu kāifā chū xīn chǎnpǐn qù qiǎngzhàn zìjǐ de shìchǎng, bùrú zìjǐ xiàng zìjǐ tiǎozhàn, ràng běn qǐyè gèzhǒng pǐnpái de chǎnpǐn fēnbié zhànlǐng bùtóng de shìchǎng.

Bǎojié zài Zhōngguó

Bǎojié yú yījiǔbābā nián jìnrù Zhōngguó, shíjǐ nián lái, zài Guǎngzhōu、Běijīng、Tiānjīng děng dì jiànlì le duō jiā gōngchǎng jí fēngōngsī, jiāng zhòngduō de yīliú chǎnpǐn dàirù Zhōngguó shìchǎng, Tàizì、Yùlányóu、Piāoróu děng dōu yǐ chéngwéi jiā yù hù xiǎo de pǐnpái. Bǎojié jìnrù Zhōngguó jǐnjǐn sān nián jiù shíxiàn yínglì, cǐhòu zhì yījiǔjiǔqī nián, qí xiāoshòu' é yǐ píngjūn měinián bǎifēnzhīwǔshí de sùdù zēngzhǎng. Yǐ xǐfàyè wéi lì, Hǎifēisī、Piāoróu、Pāntíng sān dà pǐnpái de tuīchū, shǐ Bǎojié yōngyǒu le dāngshí Zhōngguó xǐfàyè shìchǎng de bǎifēnzhīliùshí. Díquè, zài Bǎojié wèi jìnrù Zhōngguó zhīqián, Zhōngguó de pǔtōng xiāofèizhě bù zhīdào xǐfàyè chúle néng bǎ tóufā xǐ gānjìng zhīwài, hái kěyǐ yǒu qù xiè、róushùn hé yíngyǎng de gōngnéng, yě bù zhīdào xǐfā zhīwài hái yào hù fā. Xǐ fā、hù fā hé èr wéi yī de chǎnpǐn ràng tāmen gǎndào fēicháng xīnxiān. Jǐnguǎn mǎi yì píng Piāoróu xǐfàyè kěnéng yào yòngqù tāmen gōngzī de shífēnzhīyī, dàn tāmen háishi xīngānqíngyuàn de qù mǎi qù shì.

Bǎojié jìnrù Zhōngguó yǐlái yìzhí cǎiqǔ gāojià cèlüè, zhè duì Bǎojié xùnsù shíxiàn zài Zhōngguó de yínglì yǐjí qián shínián de gāosù fāzhǎn qǐ le zhòngyào zuòyòng. Dàn dào jiǔshí niándài zhōng、hòuqī shí, Zhōngguó shìchǎng shàng chūxiàn le yuèláiyuè duō de jìnkǒu pǐnpái hé běntǔ chǎnpǐn, Bǎojié de gāojià cèlüè gěi zhòngduō de qǐyè liúxià le zài zhōng、dīduān shìchǎng shàng fāzhǎn de kōngjiān. Zài jìnrù Zhōngguó shínián hòu de yījiǔjiǔbā nián, Bǎojié xiāoshòu'é chūxiàn le dàfú xiàjiàng. Jù yǒuguān tǒngjì, Guǎngzhōu Bǎojié de shōurù cóng yījiǔjiǔqī nián de bāshí duō yì xiàjiàng zhì yījiǔjiǔbā nián de wǔshíèrdiǎnsìèr yì, yījiǔjiǔjiǔ nián jìxù xiàjiàng zhì sānshíjiǔdiǎnyīqī yì. Zhídào èrlínglíngsān nián Bǎojié xiāoshòu'é cái huīfù dào yījiǔjiǔqī nián de shuǐpíng.

Piāoróu zài Zhōngguó

Zài shìchǎng fāzhǎn xīn qūshì hé diànzǐ shāngwù de tiǎozhàn xià, xiànrèn Bǎojié quánqiú zǒngcái Léifùlǐ zì èrlínglínglíng nián shàngrèn yǐlái biàn bǎ zhòngdiǎn fàngdào fāzhǎn shí jǐ gè dà pǐnpái shàng, yòng tā de huà shuō:“xiāoshòu gèng duō de Tàizì, bǐ fāmíng yí gè xīn Tàizì yào róngyì de duō.” Ér Piāoróu jìn jǐ nián zài Zhōngguó de fāzhǎn jiùshì Bǎojié pǐnpái xīn zhànlüè de jiéguǒ.

Piāoróu shì Bǎojié jìnrù Zhōngguó shìchǎng zuì zǎo、zuì chénggōng de pǐnpái zhīyī, zhànlǐng Zhōngguó xǐfàyè shìchǎng de bǎifēnzhīsìshí. Cóng èrlínglínglíng nián bāyuè qǐ, Piāoróu chǎnpǐn yìzhí zài shēngjí huàndài, lùxù tuīchū le Piāoróu xìliè xǐfàyè, jiāng chúncuì de “Piāoróu” kuòdà dào “yíngyǎng de Piāoróu、qū xiè de Piāoróu、róushùn de Piāoróu、hēi fā de Piāoróu” děng. Èrlínglíngsì nián sānyuè, yòu tuīchū le Piāoróu mùyù yè、Piāoróu xiāngzào děng, jiāng Piāoróu pǐnpái xiàng qítā chǎnpǐn zhǒnglèi yánshēn. “Yìpǐn duō pái” sìhū biànchéng le “duō pǐn yī pái”. Ér Piāoróu zhè yī pǐnpái yě cóng Bǎojié (Zhōngguó) wǎngzhàn xiāoshī, qǔ ér dài zhī de shì Piāoróu (Zhōngguó) dúlì wǎngzhàn. Jǐnguǎn yǒu rén bú kànhǎo zhè yī zhànlüè zhuǎnbiàn, dàn Bǎojié de mùdì fēicháng míngxiǎn, yòng zhòngdiǎn pǐnpái Piāoróu gǒnggù yuánlái de shìchǎng fèn'é, tóngshí qiǎngzhàn xiāngguān shìchǎng, shènzhì qiǎngzhàn Bǎojié qítā pǐnpái de shìchǎng.

Bǎojié zài Zhōngguó shìchǎng de lìng yí gè zhànlüè zhuǎnbiàn shì xiàng zhōng、dīduān shìchǎng yánshēn. Zhōngguó de dàzhòng xiāofèi shìchǎng bǐlì dà, xiāofèizhě duì jiàgé de mǐngǎndù gāo, dàn pǐnpái zhōngchéng dù xiāngduì jiào dī, jiàgé de gāodī jí biànhuà wǎngwǎng shì gòumǎi de zhòngyào yīnsù. Wèicǐ, èrlínglíngsān nián Bǎojié duōcì jiàng jià, Tàizì xǐyīfěn、Piāoróu xǐfàyè、Shūfújiā xiāngzào děng jiàng jià fúdù jūn zài bǎifēnzhīèrshí yǐshàng.

6. Kēdá de Zhōngguó zhī lǚ

“Hóng、huáng、lǜ” dàzhàn

Shìjiè gǎnguāng cáiliào hángyè, chángqī yǐlái, yìzhí bèi Měiguó Kēdá、Rìběn Fùshì liǎngdà gōngsī lǒngduàn. Yījiǔqījiǔ nián, Kēdá zuòwéi dì yī jiā wàiguó gǎnguāng cáiliào qǐyè jìnrù Zhōngguó, bǎ cǎisè jiāojuǎn dàidào le Zhōngguó. Rìběn Fùshì gōngsī hòuláijūshàng, qí cǎisè jiāojuǎn zài Zhōngguó de shìchǎng fèn'é céng gāodá bǎifēnzhīqīshí. Kēdá gōngsī hòulái tiáozhěng zhànlüè, jiākuài zài Zhōngguó de fāzhǎn sùdù, duóhuí le yí bùfen shìchǎng fèn'é. Dāngshí, Zhōngguó běntǔ de Lèkǎi gōngsī fāzhǎn sùdù yě hěn kuài, chǎnpǐn dédào le yuèláiyuè duō de shìchǎng rènkě. Yǒu rén chēng jiǔshí niándài de Zhōngguó cǎijuǎn shìchǎng shì “hóng、huáng、lǜ” dàzhàn, jí hóngsè de Lèkǎi、huángsè de Kēdá、lǜsè de Fùshì, dàn Kēdá zhànyǒu míngxiǎn de yōushì.

Yījiǔjiǔsì nián chū, xīnrèn Kēdá gōngsī dǒngshìzhǎng Péi Xuédé fǎngwèn Zhōngguó shí, xiàng Zhōngguó zhèngfǔ tíchū le quánhángyè shōugòu Zhōngguó gǎnguāng cáiliào qǐyè de shèxiǎng. Péi Xuédé jiěshì shuō: zhǐyào Zhōngguó yǒu yíbàn rénkǒu měi nián pāi yí gè sānshíliù piàn de jiāojuǎn, shìjiè shìchǎng biàn huì kuòdà bǎifēnzhīèrshíwǔ; Zhōngguó měi miǎo duō pāi wǔbǎi zhāng xiàngpiàn, biàn xiāngdāng yú duōchū yí gè Měiguó shìchǎng. Zhōngguó de qiánlì bǐ qítā rènhé dìfang dōu dà. Kēdá xīwàng tōngguò shōugòu Zhōngguó gǎnguāng cáiliào chǎng, shíxiàn běntǔ huà shēngchǎn, yǐ jiàngdī chéngběn, zēngjiā xiāoshòu qúdào, kuòdà zài Zhōngguó de shìchǎng fèn'é. Dāngshí Fùshì yě tíchū le yǔ Zhōngguó chǎngjiā hézī, dàn yóuyú Kēdá tíchū de hézī tiáojiàn gèngwéi yōuyuè, zuìhòu huòshèng.

Kēdá quánhángyè shōugòu

Shànggè shìjì jiǔshí niándài zhōnghòuqī, Zhōngguó gǎnguāng cáiliào hángyè de qī jiā guóyíng qǐyè dōu xiànrù kùnjìng, yǒu jìn bǎi yì yuán de kuīsǔn hé fùzhài, zhèngfǔ yǐ wúfǎ bāngzhù tāmen bǎituō kùnjìng. Kēdá de shōugòu jìhuá dédào le zhèngfǔ de zhīchí. Zài Zhōngguó zhèngfǔ de bāngzhù xià, Kēdá yǔ Zhōngfāng qǐyè jìnxíng le jìn sì nián de tánpàn, zuìhòu dáchéng xiéyì, chēng "Jiǔbā xiéyì". Gēnjù xiéyì, Kēdá gōngsī chūzī sāndiǎnqīwǔ yì Měiyuán shōugòu Zhōngguó sān jiā gǎnguāng cáiliào qǐyè, jiànlì Kēdá (Zhōngguó) gǔfèn yǒuxiàn gōngsī hé Kēdá (Wúxī) gǔfèn yǒuxiàn gōngsī, Kēdá fēnbié chígǔ bǎifēnzhībāshí hé bǎifēnzhīqīshí. Kēdá jǐyǔ lìngwài sān jiā qǐyè jīngjì bǔcháng. Zuòwéi bǎohù Kēdá de zài huá tóuzī. Zhōngguó zhèngfǔ chéngnuò, zài wèilái de sān nián zhīnèi, qítā wàizī gǎnguāng cáiliào qǐyè bù yǔnxǔ zài Zhōngguó guónèi tóuzī jiànchǎng. Zhè yì tiáo xiǎnrán shì zhēnduì Fùshì de, tā jí dà de xiànzhì le Fùshì zài Zhōngguó de fāzhǎn. Kēdá zé chéngnuò, zài jīnhòu shínián nèi tóuzī shíyì Měiyuán, yònglái gǎizào Zhōngguó de gǎnguāng cáiliào gōngyè. Zài Zhōngguó qī jiā gǎnguāng cáiliào chǎng zhōng, zhǐyǒu Lèkǎi gōngsī méiyǒu bèi Kēdá shōugòu.

Kēdá shōugòu yí'àn zài guónèiwài yǐnqǐ le guǎngfàn de guānzhù, yīnwèi zhè shì kuàguó gōngsī dì yī cì zài Zhōngguó shíshī de dà guīmó shōugòu xíngdòng, jīhū shì duì Zhōngguó gǎnguāng cáiliào yè de quánhángyè shōugòu. Duìyú Kēdá láishuō, shíyì Měiyuán de tóurù, yīkǒuqì chīxià liù gè chǎng, kuàyuè liù gè shěng、shí gè chéngshì, shì yí gè yìyì zhòngdà de xíngdòng. Cǐ cì shōugòu xíngdòng hòu, Kēdá zài Zhōngguó de shìchǎng zhànyǒulǜ shàngshēng dào bǎifēnzhīliùshí, ér Fùshì de shìchǎng zhànyǒulǜ zé dàfú xiàjiàng; Lìngwài Kēdá chōngyìndiàn de shùliàng yě shàngshēng dào jiǔqiān jiā zuǒyòu, dàyuē shì Fùshì de sānbèi zuǒyòu.

Kēdá yǔ Lèkǎi hézuò

Dàn duì Kēdá láishuō, yījiǔjiǔbā nián shōugòu xíngdòng de wéiyī yíhàn jiùshì wèi néng yǔ Lèkǎi hézī hézuò. Rúguǒ "Jiǔbā xiéyì" sānnián qī hòu Lèkǎi yǔ Fùshì hézuò, jiāng duì Kēdá zài Zhōngguó de fāzhǎn xíngchéng jí dà de wēixié. Dāng wàimiàn fēnfēn chuányán Lèkǎi jiāng yǔ Fùshì hézī shí, xíngshì fāshēng tūrán biànhuà. Èrlínglíngsān nián shíyuè, Kēdá gōngsī yǔ Lèkǎi jítuán zài Běijīng zhèngshì qiānshǔ le yí gè wéiqī èrshí nián de hézuò xiéyì, Kēdá yǐ yí yì Měiyuán de xiànjīn hé qítā zīchǎn huànqǔ le Lèkǎi bǎifēnzhīèrshí de gǔfèn, bìng chéngnuò chángqī xiàng Lèkǎi tígòng jìshù zhīchí. Lèkǎi zé jiāng xiàng Kēdá zhīfù jìshù shǐyòngfèi jí gǔxī. Lèkǎi zhīsuǒyǐ fàngqì Fùshì、xuǎnzé Kēdá, shì yīnwèi Kēdá mǎnzú le tā de sān gè tiáojiàn: Lèkǎi kònggǔ、shǐyòng Lèkǎi pǐnpái、Lèkǎi yōngyǒu jīngyíng juécèquán. Lèkǎi xīwàng tōngguò yǔ Kēdá de hézuò, jìnyíbù kāituò Zhōngguó shìchǎng bìng xiàng guójì shìchǎng fāzhǎn.

Yǒu rén shuō Kēdá yǔ Lèkǎi de hézuò bìng bù hésuàn. Dàn yí wèi yèjiè rénshì fēnxī shuō: Kēdá xiànzài tóurù yí yì Měiyuán, shì fēicháng zhídé de. Rúguǒ Kēdá bù jiēshòu Lèkǎi de tiáojiàn, ér Lèkǎi hé Fùshì yòu hézuò chénggōng, dào nàshí Kēdá zài tóng tāmen jìngzhēng, jiānghuì fùchū gèngduō. Cóng Zhōngguó gǎnguāng cáiliào shìchǎng de qíngkuàng kàn, zhè zhǒng fēnxī díquè yǒu dàolǐ. Kēdá mùqián zài Zhōngguó jiāojuǎn de shìchǎng fèn'é yuē zhàn bǎifēnzhī wǔshí zhì bǎifēnzhī liùshí, Fùshì yuē bǎifēnzhī shíwǔ zhì bǎifēnzhī èrshí, Lèkǎi jiù gèng shǎo yīxiē. Dàn rúguǒ hòu liǎngzhě hézuò, jiāng yídìng huì chéngwéi Kēdá zài Zhōngguó shìchǎngshàng yǒulì de jìngzhēngzhě, xiàng tā de lóngtóu lǎodà dìwèi tiǎozhàn. Yóu cǐ láikàn, Kēdá jíshǐ fùchū zài gāo de dàijià yě shì zhídé de.

7. Zhōngguó míngpái, Měiguó zhìzào

Zài Měiguó de shāngdiàn lǐ, rénmen kěyǐ jiàndào xǔduō Měiguó de dàzhòng pǐnpái tiēzhe "Zhōngguó zhìzào" de zìyàng zài chūshòu (rú Nàikèxié), ér tiēzhe "Měiguó zhìzào" de Zhōngguó pǐnpái jīhū méiyǒu. Rán'ér zhè zhǒng qíngkuàng yǐjīng bèi Zhōngguó jiādiàn de lóngtóu qǐyè—Hǎi'ěr jítuán gōngsī gǎibiàn le. Hǎi'ěr pái diànbīngxiāng、kōngtiáojī yǐ tiēshàng le "Měiguó zhìzào" de zìyàng, zài Měiguó de dàxíng liánsuǒ shāngdiàn lǐ chūshòu. Zhòng suǒ zhōu zhī, Zhōngguó de láodònglì bǐjiào piányi. Zhèngshì yīnwèi zhè ge yuányīn, kuàguó gōngsī fēnfēn dào Zhōngguó jiàn chǎng, yǐ jiàngdī shēngchǎn chéngběn, huòqǔ gèngduō de lìrùn. Ér Hǎi'ěr què zài yījiǔjiǔjiǔ nián dào Měiguó jiàn chǎng, gùyòng gāoyú Zhōngguó gōngrén·gōngzī shíbèi de Měiguó gōngrén, shēngchǎn diànbīngxiāng děng láodònglì mìjí xíng chǎnpǐn, zài jiādiàn shìchǎng jìngzhēng fēicháng jīliè de Měiguó chūshòu. Hěn duō rén duì Hǎi'ěr tíchū le pīpíng, rènwéi zhè zhǒng fāzhǎn cèlüè wéibèi le jīngjìxué de jīběn yuánzé.

Bìxū zǒu chūqù

Hǎi'ěr jítuán de shǒuxí zhíxíng guān Zhāng Ruìmǐn shì zhèyàng jiěshì de:

Zhōngguó jiārù shìjiè màoyì zǔzhī hòu, wàiguó gōngsī jìnrù Zhōngguó shìchǎng gèngjiā róngyì. Duìyú Zhōngguó qǐyè láishuō, shìchǎng yǐjīng méiyǒu le guónèi、guójì de qūfēn, jìngzhēng duìshǒu búzài zhǐ shì guónèi tóngháng, érshì guójì tóngháng. Hǎi'ěr shì Zhōngguó de míngpái, dànshì xiànzài shìjiè de míngpái zài Zhōngguó dōu kěyǐ zhǎodào, shēngchǎn míngpái de qǐyè dōu zài Zhōngguó jiàn chǎng. Yīncǐ, Hǎi'ěr yào zài zhèyàng de jìngzhēng huánjìng zhōng shēngcún hé fāzhǎn, bìxū zǒuchū guómén, jiànlì shìjiè xìng de míngpái, zài guójì shìchǎng shàng zhànyǒu yì xí zhī dì.

Zhōngguó de láodònglì shì bǐjiào piányi. Wàiguó gōngsī zhī suǒyǐ lái Zhōngguó jiànchǎng, shì yīnwèi tāmen kěyǐ yòng jiào dī de gōngzī gùyòng Zhōngguó de gōngrén. Zhèyàng, liánjià láodònglì jiù búzài shì Zhōngguó qǐyè dúyǒu de yōushì le. Zhìyú wàiguó gōngsī jùyǒu de pǐnpái、jìshù、réncái děng yōushì, Zhōngguó qǐyè yīrán méiyǒu. Zài Měiguó jiàn chǎng, Hǎi'ěr díquè fùchū le bǐjiào gāo de chéngběn, dànshì què dédào le yīliú de jìshù、gèng dà de pǐnpái yǐngxiǎnglì、gèng dà de guójì shìchǎng fèn'é hé běntǔhuà réncái. Bǐrú shuō, zuòwéi Měiguó qǐyè, Hǎi'ěr kěyǐ xiǎngshòu Měiguó qǐyè de dàiyù, bìkāi jìnkǒu Měiguó de guānshuì hé fēiguānshuì bìlěi. Zuòwéi yí gè běntǔhuà de pǐnpái, Hǎi'ěr huì gèng róngyì de huòdé Měiguó dàxíng língshòushāng de xìnrèn, gèng shùnlì de jìnrù Měiguó zhǔliú xiāofèi shìchǎng. Lìngwài, Hǎi'ěr kěyǐ jiārù Měiguó de jiādiàn xiéhuì, huòdé zuìxīn de hángyè xìnxī, gèng píngděng de yǔ Měiguó de jiādiàn tóngháng jiāoliú. Zhè xiē duì Hǎi'ěr de guójìhuà fāzhǎn dōu shì fēicháng zhòngyào de.

“Hǎi'ěr Měiguó zào” jí “Hǎi'ěr Zhōngguó zào”

Jù zhuānjiā fēnxī, Hǎi'ěr zài Měiguó jiàn chǎng de lìng yí gè hǎochu shì yòng “Hǎi'ěr Měiguó zào” dàidòng “Hǎi'ěr Zhōngguó zào”, kuòdà Hǎi'ěr chǎnpǐn duì Měiguó shìchǎng yǐjí quánqiú shìchǎng de chūkǒu. Lìrú, Hǎi'ěr jiǔguì zài Měiguó fēicháng chàngxiāo. Shìshíshàng, chúle jiǔguì de shèjì shì zài Měiguó wánchéng yǐjí zuìchū de chǎnpǐn yóu Měiguó gōngchǎng shēngchǎn yǐwài, dà bùfen jiǔguì dōu shì Hǎi'ěr (Zhōngguó) shēngchǎn chūkǒu dào Měiguó de. Hǎi'ěr pái xiǎo bīngxiāng zài Měiguó de shìchǎng zhànyǒulǜ yǐ dádào bǎifēnzhī sānshíwǔ yǐshàng, dàn shíjìshàng shìchǎng chūshòu de chǎnpǐn yě bìng bù quánbù dōu shì zài Měiguó zhìzào de, qízhōng yí bùfen shì zài Zhōngguó shēngchǎn de. Hǎi'ěr de zuòfǎ shì yòng Měiguó shēngchǎn de chǎnpǐn dǎkāi shìchǎng, chuànglì le“Hǎi'ěr” pǐnpái. Xiāofèizhě jiēshòu zhè ge pǐnpái hòu, shìchǎng zhújiàn zēngjiā le duì Hǎi'ěr chǎnpǐn de xūqiú. Dàn Hǎi'ěr (Měiguó) gōngchǎng de chǎnliàng bùnéng mǎnzú Měiguó shìchǎng de xūqiú, zhè shí dìngdān jiù huì zìrán zhuǎnxiàng Hǎi'ěr (Zhōngguó). Lìngwài Hǎi'ěr Měiguó hái kěyǐ xiàng Hǎi'ěr (Zhōngguó) gòumǎi chéngpǐn huò língbùjiàn, jìnxíng suǒwèi de tiē pái shēngchǎn. Zhèyàng, Hǎi'ěr (Zhōngguó) jiù kěyǐ jièyòng Hǎi'ěr (Měiguó) de chǎnpǐn qúdào, xiāoshòu guónèi de dī chéngběn chǎnpǐn, yǐ chōngfēn lìyòng Zhōngguó liánjià de láodònglì zīyuán. Fǎnguòlái, Hǎi'ěr chǎnpǐn zài Měiguó de chàngxiāo, yě kuòdà le Hǎi'ěr pǐnpái zài Zhōngguó guónèi shìchǎng hé shìjiè qítā shìchǎng de yǐngxiǎng.

8. Jiàgé "túfū" Gélánshì

Gélánshì yījiǔjiǔsān nián kāishǐ shēngchǎn wēibōlú, zài duǎnduǎn de shí jǐ nián shíjiān lǐ fāzhǎn chéngwéi quánqiú guīmó zuìdà de wēibōlú shēngchǎn qǐyè, qí guónèi shìchǎng zhànyǒulǜ gāodá bǎifēnzhī qīshí, quánqiú shìchǎng zhànyǒulǜ dá bǎifēnzhī sānshí yǐshàng. Gélánshì zài guónèi shíshī de shì dījià cèlüè, kǒuhào shì: Gélánshì méiyǒu nénglì ràng xiāofèizhě fù qǐlái, dàn kěyǐ ràng tāmen de měi yīfēnqián biàn dé gèng yǒu jiàzhí. Tā dǎrù guójì shìchǎng de cèlüè shì wèi guójì míngpái jiāgōng, jí tiē pái shēngchǎn. Gélánshì de gāosù fāzhǎn jí fāzhǎn móshì, yǐnqǐ le yèjiè de pǔbiàn guānzhù. Yǒu rén zànchéng, yǒu rén fǎnduì. Yǐxià shì gēnjù jìzhě cǎifǎng Gélánshì fùzǒngjīnglǐ Yú Yáochāng de jìlù zǒngjié zhěnglǐ de:

Jìzhě: Gélánshì shì yí gè yǐ dǎ "jiàgé zhàn" zhùchēng de qǐyè, bèi yèjiè chēngwéi jiàgé "túfū". Yǒu rén fēicháng bù xǐhuan Gélánshì, yīnwèi nǐmen de jiàngjià shǐ xǔduō qǐyè xiāoshī. Nǐmen de bó lì duō xiāo dàodǐ bǎo dào le shénme chéngdù?

Yú Yáochāng: Wǒmen guónèi yīxiē wēibōlú de lìrùn zhǐyǒu yīyuán qián. Dàn Gélánshì de chǎnpǐn yǒu sānfēnzhīèr xiāowǎng guówài, guówài de jiàgé yuǎnyuǎn gāoyú guónèi. Yījiǔjiǔèr nián wǒmen gāng jìnrù wēibōlú hángyè shí, jìngzhēng bú tài jīliè, dàn dāngshí Zhōngguó wēibōlú de jiàgé yào bǐ guójì píngjūn jiàgé gāo hěn duō, yuányīn shì Zhōngguó de jiādiàn qǐyè guīmó xiǎo, chéngběn gāo. Yījiǔjiǔliù nián, xǔduō qǐyè yíxiàzǐ jìnrù le wēibōlú zhìzàoyè, yǐnfā le wēibōlú jiàgé zhàn, dàn kāishǐ zhè cháng jiàgé zhàn de bìng búshì Gélánshì, ér shì Běijīng de mǒu yī jiā qǐyè. Dāngshí wǒmen jiānchí le sān gè yuè, hòulái yíxiàzi jiàng le bǎifēnzhī sìshí. Jiàngjià zhīhòu, wǒmen fāxiàn shìchǎng róngliàng hěn dà, suǒyǐ jiù nǔlì kuòdà shēngchǎn guīmó, yīnwèi guīmó kuòdà yǐhòu cáinéng jiàngdī chéngběn, chéngběn jiàngdī yǐhòu cáinéng zài jiàngjià.

Jìzhě: Nǐmen zhème dà de guīmó shēngchǎn, qùnián chǎnzhí yě búguò cái shíyì Měiyuán, lìrùn hěn dī. Zhōngguó rù shì hòu, nǐmen zěnme tóng zījīn、jìshù hé guǎnlǐ xiānjìn de kuàguó gōngsī jìngzhēng?

Yú Yáochāng: Wēibōlú shēngchǎn yǐjīng méiyǒu shénme lìrùn le, kuàguó gōngsī bù hé wǒmen jìngzhēng, yīnwèi bù zhídé. Xiànzài chǎnpǐn de jìngzhēng、jìshù de jìngzhēng yǐjí réncái de jìngzhēng dōu shì biǎomiàn de, shíjìshang shì zīběn de jìngzhēng. Duǎnxiàn de、lìrùn bǐjiào dà de、jìshù gēngxīn bǐjiào kuài de lǐngyù, shì kuàguó gōngsī jìngzhēng de zhòngdiǎn. Dàn zhè xiē lǐngyù wǒmen méiyǒu zīběn shílì jìnqù, zhǐ néng zài láodònglì mìjí xíng hángyè lǐ fāhuī shēngchǎnlì chéngběn dī de bǐjiào yōushì. Wǒmen xiān yào shēngcún, cái yǒu fāzhǎn. Wǒmen de shēngcún kōngjiān zài nǎ lǐ? Jiùshì kuàguó gōngsī zhǔnbèi fàngqì de hángyè. Wǒmen wèishénme yào bǎ zìjǐ dìngwèi wéi quánqiú zuìdà de shēngchǎn zhōngxīn, hé èrbǎi duō jiā kuàguó gōngsī hézuò ne? Wǒmen jiù shì yào lìyòng wǒmen yīliú de shēngchǎnlì、yīliú de chéngběn hé tāmen yīliú de wǎngluò、yīliú de pǐnpái fāzhǎn zìjǐ, zuìhòu shì shìchǎng chéngwéi wǒmen de.

Jìzhě: Jùshuō nǐmen yào bǎ Gélánshì de pǐnpái chǎnpǐn jiàngdào zǒng shēngchǎnliàng de bǎifēnzhī sìshí yǐnèi, nǐmen wèishénme yào jiǎnshǎo zìjǐ de pǐnpái shēngchǎn ér zēngjiā tiē pái shēngchǎnliàng ne?

Yú Yáochāng: Kuàguó gōngsī jìnrù Zhōngguó hòu, wǒmen de láodònglì chéngběn yōushì zhèng jiànjiàn sàngshī, wǒmen miànlín yí gè hěn dà de tiǎozhàn. Hǎozài wǒmen qián jǐ nián de sùdù kuài, xíngchéng le guīmóhuà hé jíyuēhuà, suǒyǐ hái néng kàngzhēng yíxià. Pǐnpái shì shénme? Pǐnpái shì huángjīn duī qǐlái de. Wǒmen yǒu duōshao huángjīn? Dàn wǒmen bú shì zuò jiǎndān de tiē pái shēngchǎn. Bǐrú biànyāqì, guòqù wǒmen cóng Rìběn jìnkǒu shì èrshísān Měiyuán, Rìběn shuō chéngběn wúlùn rúhé yě jiàng bu xiàlái. Wǒmen suàn le yíxià tā de chéngběn, búguò shí Měiyuán. Zài Ōuzhōu tóngyàng de biànyāqì shì sānshí duō Měiyuán. Wǒmen duì Ōuzhōu de qǐyè shuō:"bǎ shēngchǎnxiàn bān guòlái, wǒmen bāng nǐ gàn, gàn wán yǐhòu bǎ Měiyuán gěi nǐ." Rìběn shòu bu liǎo le, wǒmen jiù duì tāmen shuō: "nà nǐ yě bǎ shēngchǎnxiàn bān guòlái, wǒmen wǔ Měiyuán gěi nǐ."Xiànzài tāmen de shēngchǎnxiàn quán bān guòlái le, ér wǒmen de shēngchǎn chéngběn zhǐ shì sì Měiyuán. Lìngwài, zài Fǎguó, yīzhōu shēngchǎn shíjiān zhǐyǒu èrshísì xiǎoshí, ér Gélánshì kěyǐ yì tiān sānbāndǎo, èrshísì xiǎoshí liánxù shēngchǎn. Yě jiù shì shuō, tóngyàng yí tiáo shēngchǎnxiàn, zài Gélánshì shēngchǎn yì tiān děngyú zài Fǎguó shēngchǎn yí gè xīngqī. Wǒmen xiànzài hé èrbǎi duō jiā kuàguó gōngsī hézuò, jiùshì yòng zhè zhǒng fāngfǎ. A pǐnpái de shēngchǎnxiàn bān guòlái, wǒmen jiù shēngchǎn A, B shēngchǎnxiàn bān guòlái, wǒmen jiù shēngchǎn B, duōyú chūlái de shēngchǎn shíjiān jiù shǔyú Gélánshì de.

Jìzhě: Hěn duō qǐyè zài zīběn shìchǎngshang chuàngzào le shénhuà, Gélánshì wèishénme bú shàng shì? Rúguǒ nǐmen yǒu le zúgòu de zījīn, jiù bú yòng gěi kuàguó gōngsī dǎgōng le.

Yú Yáochāng: Wèilì hángyè bú shìhé shàng shì. Dàn wǒmen bú shàng shì bìng bú yìwèi wǒmen méiyǒu jìnxíng zīběn yùnyíng. Zīběn yùnyíng yǒu huòbì xíngtài de, yě yǒu shíwù xíngtài de. Wǒmen hé kuàguó gōngsī de hézuò jiùshì shíwù xíngtài de zīběn yùnyíng, búshì tōngguò shōugòu gǔquán, ér shì tōngguò shōugòu wàiguó qǐyè de zīchǎn——shēngchǎnxiàn. Lìngwài, bǎ guówài de shēngchǎnxiàn ná guòlái jiù děngyú "shōumǎi" le guówài de jìngzhēng duìshǒu, wúxíng zhōng dédào le guówài xiànchéng de shìchǎng. Mùqián, Gélánshì zhèngzài tóng yì pī quánqiú zhùmíng de tóuzī jījīn gōngsī hé tóuzī yínháng qiàtán hézuò, zhǔnbèi yǐnrù gèng duō de guójì zīběn yǐ shíxiàn gèng kuài sùdù de fāzhǎn.

9. TCL de kuàguó bìnggòu

(Yī)

TCL shì Yīngwén Today China Lion de suōxiě. Zhè jiā gōngsī jǐ nián qián zài guójì shàng hái xiǎn wéi rén zhī, dàn tā jìn jǐ nián de kuàguó shōugòu xíngdòng, yǐnqǐ le guónèiwài de gāodù guānzhù. Èrlínglíngèr nián qiūtiān, TCL chénggōng de bìnggòu le Déguó míngpái diànzǐ qǐyè Shīnàidé. Shīdé zhè jiā yuánlái zhǐ zài Yàtài dìqū fāzhǎn de Zhōngguó qǐyè kāishǐ zài Ōuzhōu shìchǎng yángmíng. Èrlínglíngsān nián shíyī yuè, TCL bìnggòu le Fǎguó jiādiàn dàxíng qǐyè Tāngmǔxùn de diànshì hé DVD yèwù, zǔjiàn le TCL— Tāngmǔxùn gōngsī, TCL de gǔfèn wéi bǎifēnzhī liùshíqī. Zhè jiā xīn gōngsī cǎidiàn niánchǎnliàng yùjì jiāng gāodá yīqiānbābǎi wàn tái, yuē zhàn quánqiú cǎidiàn shìchǎng de bǎifēnzhī shíyī, bǐ quánqiú zuìdà de cǎidiàn zhìzàoshāng Sānxīng gōngsī gāo bǎifēnzhī sān, yīncǐ yìjǔ chéngwéi quánqiú cǎidiàn hángyè de zuìdà zhìzàoshāng. Èrlínglíngsì nián sìyuè, TCL yòu bìnggòu le Fǎguó Ā'ěrkǎtè gōngsī de shǒujī yèwù, chénglì le yì jiā hézī gōngsī, TCL zhànyǒu bǎifēnzhī wǔshíwǔ de gǔfèn.

Díquè, duìyú Zhōngguó jiādiàn shēngchǎn qǐyè láishuō, guónèi de jiādiàn、shǒujī shìchǎng yǐ jìn bǎohé, qǐyè de shēngchǎn nénglì yǐjīng dàdà chāoguò shìchǎng róngliàng, ér chǎnpǐn chūkǒu yòu pínpín zāodào ŌuMěi guójiā de fǎnqīngxiāo diàochá. Yīncǐ, rúhé fāzhǎn zìjǐ bìng zǒuchū guómén, yǐjīng chéngwéi Zhōngguó xiāngguān qǐyè miànlín de tiǎozhàn. Mùqián bùtóng de qǐyè cǎiyòng le bùtóng de guójìhuà zhànlüè, bǐrú Hǎi'ěr zhíjiē dào Měiguó jiàn chǎng, fāzhǎn zìyǒu pǐnpái. Gélánshì jiāng zìjǐ dìngwèi wéi “quánqiú zuìdà de jiādiàn shēngchǎn zhōngxīn”, lìyòng tiē pái shēngchǎn, Jiāng zìjǐ de chǎnpǐn dǎrù guójì shìchǎng. Ér TCL de guójìhuà dàolù shì kuàguó shōugòu dàxíng guójì qǐyè, lìyòng bèi shōugòu qǐyè de pǐnpái、xiāoshòu qúdào děng, jiào kuài de jìnrù guójì shìchǎng. Yóucǐ kànlái, TCL de guójìhuà bùfá sìhū gèng kuài、gèng dà.

(Èr)

Mùqián TCL shíshī de shì duō pǐnpái zhànlüè, jí zài bùtóng de shìchǎngshàng shǐyòng bùtóng de pǐnpái, bǐrú zài Ōuzhōu shìchǎng yòng Thomason hé Schneider, zài Měiguó shìchǎng yòng RCA hé Govedio (TCL shōugòu de lìng yí gè wàiguó pǐnpái), zài guónèi hé zhōubiān guójiā shìchǎng yòng TCL hé Lèhuá (TCL shōugòu de lìng yí gè guónèi pǐnpái). Duìyú TCL de kuàguó bìnggòu, tèbié shì tā de duō pǐnpái zhànlüè, yèjiè rénshì yǒude zhīchí, yǒude huáiyí. Zhuānjiā fēnxī TCL cǎiyòng de duō pǐnpái zhànlüè de yōushì yǒu: 1] Zhànlǐng gèng duō de xiāoshòu zhōngduān hé xiāoshòu qúdào; 2] Wèi pǐnpái zhōngchéngdù jiào dī de xiāofèizhě tígōng gèng duō de xuǎnzé; 3] Yóuyú bùtóng de pǐnpái jùyǒu bùtóng de tèxìng, néng xīyǐn hé wéixì bùtóng de xiāofèi qúntǐ; 4] Jiàngdī dānyī pǐnpái de fēngxiǎn; 5] Gǔlì qǐyè nèibù zīyuán de hélǐ fēnpèi hé pǐnpái zhījiān de hélǐ jìngzhēng, yíngzào gèng jù jìnqǔxīn de qǐyè wénhuà.

Dàn duō pǐnpái zhànlüè chúle shàngshù yōushì yǐwài, hái yǒu yīxiē lièshì: 1] Yīnwèi qǐyè jì yào xuānchuán jǐ gè pǐnpái zhījiān de chāyìxìng, yòu yào xuānchuán pǐnpái zhījiān de gòngxìng, cóng'ér huāfèi jùdà de guǎnggào gōngguān fèiyòng; 2] Yóuyú pǐnpái zhījiān de chāyìhuà dìngwèi jí shìchǎng de bù chóngdié xìng, shǐde zhòngduō chǎnpǐn zài qúdàoshang bùnéng gòngxiǎng, cóng'ér dǎozhì le xiāoshòu fèiyòng de zēngjiā; 3] Rúguǒ gè gè pǐnpái zhījiān méiyǒu yángé de shìchǎng qūfēn, huì zàochéng qǐyè zìshēn gè pǐnpái zhījiān de shìchǎng jìngzhēng. Cóng quánqiú jiādiàn yè láikàn, kuàguó gōngsī dàdōu cǎiyòng dānyī pǐnpái, rú Sānyáng Suǒní děng.

(Sān)

Duìyú duō pǐnpái zhànlüè de yōuliè, TCL zǒngcái Lǐ Dōngshēng zài jiēshòu jìzhě cǎifǎng shí shuō: ŌuMěi shìchǎng yǐjing gāodù chéngshú, mángmù de zài zhè xiē shìchǎngshang tóurù zìyǒu pǐnpái chǎnpǐn jiāng mào hěn dà de shāngyè fēngxiǎn. TCL de cèlüè shì zài fāzhǎn zhōng guójiā tuīguǎng zìyǒu pǐnpái, zài fādá guójiā yǐ OEM de xíngshì shūchū zìyǒu pǐnpái huòzhě jièyòng dāngdì pǐnpái lái fāzhǎn zìjǐ, dàn TCL de zuìzhōng mùbiāo shì fāzhǎn qǐyè de zìyǒu pǐnpái.

Yīncǐ yǒu zhuānjiā fēnxī shuō, TCL mùqián cǎiyòng de "duō pǐnpái cèlüè" zhǐ shì yí gè quányí zhī jì. Zhè zhǒng cèlüè kěyǐ shǐ TCL zài bù xūyào tóuzī hěn duō de qíngkuàng xià jìnrù Ōuměi shìchǎng, zài duǎnqī nèi jí kě huòlì, yǒu "dī chéngběn yùnzuò pǐnpái" de xiàoyìng. Zhèyàng zuò de hǎochu hái kěyǐ ràoguò jìnkǒu màoyì bìlěi、jiǎnshǎo shuìshōu、lājìn yǔ dāngdì xiāofèizhě zhījiān de jùlí děng. Rán'ér, suízhe shíjiān de tuīyí hé shìchǎng kāituò de xūyào, TCL jiāng huì cǎiyòng dānyī pǐnpái, jí yòng zìyǒu pǐnpái TCL qǔdài qítā pǐnpái. Zhìyú tā héshí fàngqì Govedio、Schneider、Thomason, jiāng qǔjué yú TCL qǐyè de fāzhǎn yǐjí TCL pǐnpái zài guónèi、guójì shìchǎng yǐngxiǎnglì de tígāo chéngdù.

10. Liánxiǎng "shétūnxiàng" bìnggòu IBM

(Yī)

Liánxiǎng jítuán shì Zhōngguó zuì dà de diànnǎo zhìzàoshāng, nián yíngyè shōurù gāodá sānshísān yì Měiyuán, shìchǎng zhànyǒulǜ zì yījiǔjiǔqī nián yǐlái yìzhí bǎochí Zhōngguó dìyī. Liánxiǎng èrlínglíngyī nián kāishǐ shíshī guójìhuà zhànlüè, qízhōng bāokuò péiyǎng guójì yèwù réncái, xiàng hǎiwài shìchǎng xiāoshòu chǎnpǐn, jiànlì guówài bànshì jīgòu děng. Dàn Liánxiǎng de guójìhuà zhànlüè bìng bú shì fēicháng chénggōng. Tā zài hǎiwài de xiāoliàng hěn xiǎo, zhǐ zhàn zǒng yíngyè shōurù de bǎifēnzhī sān. Lìngwài zài èrlínglíngyī nián dào èrlínglíngsì nián shíshī guójìhuà zhànlüè de sān nián shíjiān lǐ, Liánxiǎng de guónèi shìchǎng fèn'é cóng yuánlái de bǎifēnzhī sānshí yǐshàng xiàjiàng dào bǎifēnzhī èrshíqī. Èrlínglíngsì nián èryuè, Liánxiǎng xuānbù qí gōngzuò zhòngxīn jiāng chóngxīn huídào guónèi gèrén diànnǎo (PC) zhǔyè.

Rán'ér, zài búdào yīnián de shíjiān lǐ, tā zàicì gāodiào jìnrù guójì shìchǎng. Èrlínglíngsì nián shí'èr yuè bā rì, Lenovo Liánxiǎng de míngzì chūxiàn zài zhòngduō de guójì hé guónèi méitǐ shàng. Nàtiān shàngwǔ, gāi jítuán dǒngshìhuì zhǔxí Liǔ Chuánzhì xuānbù, Liánxiǎng yǐ shí'èrdiǎnwǔ yì Měiyuán wàijiā wǔ yì Měiyuán zhàiwù fùdān de jiàgé shōugòu guójì shāngyè jīqì (IBM) de quánqiú gèrén diànnǎo yèwù de duōshù gǔquán, yìjǔ chéngwéi quánqiú jǐn cìyú Dài'ěr jí Huìpǔ de dìsān dà gèrén diànnǎo zhìzàoshāng. Xīn Liánxiǎng de niánchǎnliàng yùjì jiāng dá yīqiānyībǎijiǔshí wàn tái, shì Liánxiǎng mùqián de sì bèi, nián shōurù jiāng dá yībǎi'èrshí yì Měiyuán zuǒyòu.

(Èr)

Zhòngduō yènèi rénshì bǎ zhè cì bìnggòu bǐyù wéi "shétūnxiàng". Yīnwèi yǔ Liánxiǎng shíqīdiǎnwǔ yì Měiyuán de shōugòujià xiāngbǐ, IBM de gèrén diànnǎo yèwù jǐn zài jīnnián qián jiǔ gè yuè lǐ, xiāoshòu'é jiù gāodá jiǔshísì yì Měiyuán. Dàn zhuānjiāmen rènwéi, "shé" zhīsuǒyǐ néng tūnxià "xiàng", shì yīnwèi shuāngfāng jūn néng cóng zhè chǎng bìnggòu jiāoyì zhōng dédào yìchù.

Yǒu méitǐ rènwéi, zhècì bìnggòu shì Liánxiǎng de guójìhuà zhī lù "jiéshěng le shínián gōngfū", yīnwèi shōugòu IBM zhège guójì míngpái, duì guójì zhīmíngdù bìng bù gāo de Liánxiǎng láishuō, shì xùnsù kāituò guójì shìchǎng de yǒuxiào fāngshì. Chénggōng zhěnghé hòu de Liánxiǎng jiāng bǎ IBM de pǐnpái yōushì、jìshù yōushì、qúdào yōushì yǔ Liánxiǎng de guīmó shēngchǎn de chéngběn yōushì jiéhé qǐlái, wèi qí zài quánqiú shìchǎng de fāzhǎn chuàngzào zhǎnxīn de jīhuì. Bìnggòu wánchéng hòu, Liánxiǎng jítuán jiāng bǎ zǒngbù shè zài Niǔyuē, yōngyǒu yuē yīwànjiǔqiān míng yuángōng, bāokuò yuē yīwàn míng láizì IBM de yuángōng. Xiànrèn Liánxiǎng zǒngcái jiān CEO Yáng Yuánqìng jiāng dānrèn Liánxiǎng dǒngshìhuì zhǔxí, xiànrèn IBM gāojí fùzǒngcái Shìdìfēn·Wòdé jiāng jiērèn Liánxiǎng CEO.

Bìnggòu jìhuà shíxiàn hòu, IBM jiāng chéngwéi Liánxiǎng de dì'èr dà gǔdōng, chíyǒu bǎifēnzhī shíbādiǎnwǔ de gǔfèn. Duìyú IBM láishuō, bāolí gèrén diànnǎo yěwù shì cóng zhè bǐ jiāoyì zhōng dédào de zuì dà yìchù. Zài gèrén diànnǎo shìchǎng zhōng, gāi gōngsī de shìchǎng zhànyǒulǜ jìnniánlái yìzhí xiàhuá. Zǎozài jǐnián qián, Huá'ěrjiē de fēnxīshī jiù yízài dūncù IBM bāolí gèrén diànnǎo yèwù. Bìnggòu hòu de IBM jiāng bǎ zhòngdiǎn fàng zài ruǎnjiàn kāifā hé fúwù yèwù shàng. Bìnggòu xiāoxī gōngbù hòu, IBM dāngtiān de gǔjià shōupán jià shàngshēng dào jiǔshíqīdiǎnlíngbā Měiyuán, zhǎngfú dá bǎifēnzhī yīdiǎnsì. Zhè fǎnyìng chū Huá'ěrjiē kànhǎo méiyǒu gèrén diànnǎo yèwù de IBM de wèilái. Lìngwài IBM jiāng lìyòng Liánxiǎng jiāsù qí zài Zhōngguó de fāzhǎn.

(Sān)

Dàn bùshǎo yèjiè rénshì duì Liánxiǎng shìfǒu néng chénggōng de zhěnghé IBM de rén diànnǎo yèwù biǎoshì huáiyí. Quánqiú dìyī dà gèrén diànnǎo zhìzàoshāng Dàiěr gōngsī dǒngshìzhǎng Màikè · Dàiěr bìng bù kànhǎo zhè yī jìniánlái ge rén diànnǎo chǎnyè zuì dà guīmó de shōugòu àn: Wǒmen bú rènwéi jiāng liǎngjiā gōngsī jiǎndān de hébìng jiùnéng huòdé liánghǎo de fāzhǎn. Huìpǔ yí wèi gāocéng rénshì duì Liǎngxiǎng shìfǒu nénggòu guǎnlǐ rúcǐ pángdà de quánqiú gōngsī biǎoshì dānxīn. Lìng yí wèi yèjiè rénshì yě biǎoshì: Jiàgé duì Měiguó xiāofèizhě láishuō bìngfēi gòumǎi de zuì zhòngyào tiáojiàn, tāmen gèng kànzhòng gòumǎi chǎnpǐn hòu sān–bā nián de fúwù, rújīn IBM diànnǎo hé IBM fúwùqì shǔyú bùtóng de gōngsī, zhè huì gěi yònghù dàilái yǐngxiǎng.

Zhīmíng IT shìchǎng zīxún jīgòu IDC rènwéi, shōugòu hòu de Liánxiǎng jiāng zhíjiē yǔ quánqiú zuì dà de diànnǎo zhìzàoshāng Dàiěr hé Huìpǔ zhēngduó shìchǎng. Zài zhè chǎng jìngzhēng zhōng, Liánxiǎng jiāng miànlín sān dà tiǎozhàn: Guójì shìchǎng quēfá pǐnpái zhīmíngdù, jīliè de jiàgé jìngzhēng, yǐjí qǐyè zhěnghé wèntí. IDC rènwéi, zhè xiàng shōugòu cúnzài jiào dà de fēngxiǎn, búguò, zài Zhōngguó zhèngfǔ de zhīchí xià, jiéhé shuāngfāng de zīyuán yōushì, xīn Liánxiǎng jítuán de qiánjǐng háishì zhídé qīdài de. Ér xīn Liánxiǎng dǒngshìhuì zhǔxí Yáng Yuánqìng zé fēicháng zìxìn, tā shuō: xīn Liánxiǎng de mùbiāo búshì quánqiú dìèr, yě búshì dìsān, ér shì quánqiú dìyī.

部分练习答案

Key to some Exercises

第一单元：肯德基的中国化

一、对错选择 True or false based on the reading

1.T	2.F	3.F	4.T	5.T
6.F	7.F	8.T	9.F	10.T

二、看英文写汉字 Write out the Chinese characters

1. 主打产品
2. 快餐, 空白
3. 本土化, 服务, 规则
4. 连锁店, 标准化，标识, 配方, 餐饮业

三、填空 Fill in the blanks

中式	产品	中国化	服务	员工
观念	适应	难	快餐	业界

五、句型练习 Patterns and exercises （仅供参考 for reference only）

1.中国加入世界贸易组织 (the World Trade Organization) 后，很多外国公司进入中国，*给*中国的本土公司*带来*了强烈的*冲击*。
从发展中国家进口的便宜商品给发达国家的消费市场*带来*了很大的*冲击*。

2.北京的四合院已*成为*了中国传统建筑的*代名词*。
比尔 · 盖茨(Bill Gates)已*成为*了高科技 / 成功人士 / 有钱人的*代名词*。

3.彼得看到北京有这么多的高档车和现代建筑，*让*他感到非常*吃惊*。他还以为北京是一个古老传统的城市。
他申请沃顿商学院的决定*让他*的父母感到非常*吃惊*，他们一直以为他将来会成为一个科学家。

4.由于很多中国人没有汽车，宜家(Ikea) 在中国只好*打破*不给客户送货的*惯例*。
这所大学*打破惯例*，第一次雇佣（hire）了一个没有博士学位的人做教授。

5.上商业中文课，我们*在*学习商业汉语词汇的*同时*，还了解了中国特有的商业文化、市场需要等。
我们*在*星巴克(Starbucks)喝咖啡的*同时*，还可以读书看报，和朋友聊天。

6.美国的中国餐厅，食品口味尽量*符合*美国人的*习惯*。
跨国公司到一个新的市场推出产品时，颜色设计要*符合*当地消费者的*习惯*。

7.我打算将来到中国工作，*这就是*我现在努力学习商业中文*的原因*。
很多美国人喜欢带有美国口味的中国菜，*这就是*为什么美国的中（式）餐馆的饭菜口味都有一点美国化*的原因*。

第二单元：星巴克的“第三空间”

一、对错选择 True or false based on the text

1.F　2.F　3.T　4.T　5.F
6.F　7.T　8.T　9.T　10.F

二、看拼音写汉字 Write the Chinese characters based on the *pinyin* given

1. 开业　出售　发展　全球　市场　分店　海外
2. 空间　单位　商场　办公室　客户　业务　纯正
放松　常客　收入　白领

三、词语搭配 Match the two columns：

纯正的咖啡，安静的环境，周到的服务，
优美的音乐，熟悉的面孔，柔和的灯光

四、填空 Fill in the blanks

1.开设，跨国公司，白领，地位，象征

2.独特，体验，奔波，现代人，倡导

五、句型练习 Patterns and exercises （仅供参考 for reference only）

1.*据报道*，肯德基在北京和上海已分别开了100家分店。
据我看，咖啡的味道比在哪儿喝咖啡重要多了。

2.你现在走在北京街头,会发现那里的外国快餐厅*一家接着一家*,比如说有麦当劳、肯德基等。
星巴克今年夏天推出了一系列冰咖啡饮品，我要一个*接着*一个地品尝。

3.1987年当肯德基刚进入中国时，它的标准化给中国餐饮业带来了强烈的冲击,它的标识*也*是统一的,配方*也*是统一的,服务*还*是统一的。
1999年开始肯德基大力实施本土化，肯德基前门店的建筑*也*带有中国特色,装饰*也*带有中国特色,里面卖的餐饮食品*还*带有中国特色。

4.很多在中国跨国公司工作的白领去星巴克,*与其说*是为了喝咖啡,*不如说*是为了放松自己。
星巴克董事长的经营理念是,星巴克*与其说*是向消费者出售咖啡,*不如说*在出售一种咖啡体验。

5.连锁快餐的标准化*是指*标识、配方、服务都有统一标准。
跨国公司*指的是*在其他国家投资并且在国外生产和销售产品的公司。

八、(2)对错选择 True or false based on the reading

1.F	2.T	3.T	4.T	5.F
6.T	7.T	8.T	9.T	10.F

第三单元：宜家的奢侈“低价品”

一、对错选择 True or false based on the text

1.T	2.F	3.F	4.T	5.T
6.T	7.F	8.T	9.T	10.F

二、看拼音写汉字 Write the Chinese characters based on the *pinyin* given

1. 北欧风格　方式　购物　消费者　品牌
2. 市场环境　阶层　专卖店　适应　潜在
3. 仿冒　设计　样式　出售　如何
面对　挑战

三、选词填空 Fill in the blanks

1. 采购　物流　自选　包装　运输　同类
2. 抑制　大幅　仿冒品　更新换代　随着　成熟　意识
3. 标准店　商业区　公共交通

五、句型练习 Patterns and exercises （仅供参考 for reference only）

1.涨价之后，商店经理拒绝*接受*记者*采访*。
公司总裁在*接受*记者*采访*时说，公司将努力设计出一些适应中国消费者口味的产品。

2.正*像*品尝过“老北京鸡肉卷”的消费者*所言*，肯德基更加中国化了。
宜家虽然客流量很大，但销售量并不大，正*像*一些报纸*所言*，宜家还没有真正适应中国市场。

3.*在*跨国公司的*眼中*，中国的*劳动力*便宜，到中国建厂是发展自己、扩大市场的好机会。
*在*一些中国白领的*眼中*，星巴克是一个舒适的社交场所，人们既可以和朋友聊天，又可以独自放松自己。

4.肯德基近几年推出不少中式食品，*以*“老北京鸡肉卷”*为例*，吃起来非常像北京烤鸭。

西式快餐业在中国发展迅速，*以*肯德基*为例*，在中国已开了1000多家分店。

5.宜家在中国增大本土采购量*的目的是*降低成本，降低价格。

北京、上海的很多年轻白领到星巴克去*的目的是*，想在星巴克提供的舒适空间里放松自己紧张的心情。

第四单元：北京的山姆会员店

一、对错选择 True or false based on the text

1.F	2.T	3.F	4.F	5.T
6.F	7.T	8.F	9.T	10.F

二、看拼音写汉字 Write the Chinese characters based on the *pinyin* given

1. 占地	会员店	车程	大型	现场	电子产品	高科技
2. 规定	仓储式	年费	成熟	人均	达到国民生产总值	

三、选词填空 Fill in the blanks

营销	与众不同	会员制	零售市场
超市	相差无几	千篇一律	零售商
营业额	供应商	业务	必不可少

五、句型练习 Patterns and exercises （仅供参考 for reference only）

1.公司决定减少小尺寸电视的生产量，增加大型电视的生产量*是*大量市场调查*的结果*。

很多国外企业到中国投资、建厂*是*中国改革开放*的结果*。

2.宜家总裁*看好*宜家在欧美市场的发展潜力。

星巴克*看好*它在海外市场的发展，它目前已开设了两千余家分店。

3.宜家的产品便宜，它在欧美国家主要是*面向*那些住在公寓的年轻人和收入不太高的消费者。

中国的一些电脑公司开发了一批*面向*中国消费者的中文软件。

4.今年圣诞节期间，这个商店*创下*了销售量的最高纪录。

2004年该厂的彩电生产量*创下*了历史最高纪录。

5.互相理解*是*双方合作*的基础*。

这*是*我们双边关系发展*的基础*。

七、对错选择 True or false based on the reading

1.T	2.F	3.T	4.T
5.T	6.T	7.T	8.F

第五单元：宝洁的品牌策略

一、对错选择 True or false based on the text

1.T	2.F	3.T	4.F	5.F
6.T	7.T	8.T	9.F	10.T

二、看拼音写汉字 Write the Chinese characters based on the *pinyin* given

1. 特点 种类 品牌 质量 策略 内部 竞争 对手 挑战 占领
2. 销售额 恢复 大众 比例 敏感度 忠诚度 因素 高价 低端 降价 幅度

三、选词填空 Fill in the blanks

卖点 通过 独一无二 意识到 功能 心甘情愿 家喻户晓 高价
盈利 作用 低端 销售额 影响 调整 重点 升级换代 延伸

五、句型练习 Patterns and exercises （仅供参考 for reference only）

1.宝洁多年来成功的因素一*是*它的产品质量非常高，二*是*它成功地实施了

"一品多牌"的品牌策略。

北京山姆会员店的目标消费者是那些*一是*拥有私家车、*二是*拥有私人住房的高收入人士。

2. 肯德基*不是*1987年刚进入中国时就开始实施中国化的，*而是*1999年才开始中国化。

宜家虽然客流量很大，但销售量并不多。这*不是*因为宜家的产品不好，*而是*因为它的价格对一般中国消费者来说太高了。

3. *对于*会员制商店在北京是否能成功，不同的人有不同的看法，*有人认为*北京的市场条件还不成熟，等几年再开更好；*有人认为*北京的高收入人士越来越多，会员制商店是有市场需要的；*还有人认为*中国消费者的价格敏感度高，根本不会有人愿意付会员费买东西。

不同的人*对*宝洁的多品牌策略有着不同的看法，*有人认为*多品牌策略会引起企业内部的竞争，*有人认为*市场经济是竞争经济，多品牌策略可以更有效地占领更多的市场，*还有人认为*把一品多牌和多品一牌结合起来最好。

4. 中国政府的支持和帮助*对*柯达（Kodak）成功地收购（purchase）中国的有关企业*起*了重要*作用*。

中国的普通消费者*对*价格的敏感度非常高，价格的高低及变化往往对消费者是否决定购买*起*着重要的*作用*。

5. 不同的消费者对洗发、护发产品有不同的需要，*为此*，宝洁开发出不同功能的产品来满足不同的消费者的需要。

如果宝洁还继续在中国实施高价策略，其市场份额可能还会下降。*为此*，宝洁从2003年开始改变策略，大幅降价。

第六单元：柯达的中国之路

一、对错选择 True or false based on the text

1.F	2.F	3.T	4.F	5.T
6.T	7.T	8.F	9.T	10.T

二、看拼音写汉字　Write the Chinese characters based on the *pinyin* given

进入　份额　加快　本土　市场认可　全行业　成本　销售渠道
扩大　政府　协议　出资　收购　建立　持股　补偿

三、选词填空　Fill in the blanks

长期　材料　激烈　垄断　设想　困境　负债　签署　为期
股份　支付　股息　放弃　满足　控股　通过　开拓

四、句型练习　Patterns and exercises （仅供参考 for reference only）

1.长期*以来*，柯达和富士一直在中国争夺更大的市场份额。
中国开放*以来*，越来越多的跨国公司和中小型外国企业到中国来投资建厂。

2.中国如果有一半人口每年拍一个36片的胶卷，便*相当于*世界胶卷市场扩大25%。
2001年沃尔玛一天的销售额*相当于*它1993年一周的销售额和1979年全年的销售额。

3.*在*咨询公司的*帮助下*，这家美国公司制定出了在中国设立分公司和开办工厂的计划。
*在*本土公司的*帮助下*，这家跨国公司成功地进入了中国市场。

4.*在*收购过程中，柯达和中方企业*进行*了几十次的谈判才达成协议。
这家中国企业将要和一家美国企业在技术、人才等方面*进行*合作。
柯达在对中方企业*进行*收购的过程中，得到了中国政府的支持。

5.*对于*普通消费者*来说*，产品质量好、价格便宜是最重要的。
*对于*打算到中国建厂的外国企业*来说*，了解中国市场的特殊性非常重要。

6.柯达希望*通过*与乐凯的合作，进一步扩大中国的市场份额。
*通过*上商业中文课，我们学到了很多中国商业文化的知识。

六、补充阅读 True or false based on the reading

1.T 2.F 3.T
4.T 5.F 6.T

第七单元：中国名牌，美国制造

一、对错选择 True or false based on the text

1.T 2.F 3.T 4.F 5.T
6.T 7.T 8.F 9.F 10.T

二、看拼音写汉字 Write the Chinese characters based on the *pinyin* given

1. 环境 生存 国门 名牌
2. 劳动力 雇佣 生产成本 利润 优势
3. 劳动力密集型 出售 经济学

三、选词填空 Fill in the blanks

1. 世界贸易组织 竞争对手 国际同行
2. 产量 订单 零部件 贴牌生产
3. 避开 壁垒 零售商 信息 交流

五、句型练习 Patterns and exercises (仅供参考 for reference only)

1.海尔的目标是把自己的品牌建成一个世界名牌，*正是*因为这个目标，海尔来到美国建厂。
*正是*宜家的低价策略使它在全球市场发展迅速。

2.跨国公司之*所以*要放弃微波炉制造产业，*是*因为现在生产微波炉利润太少。
中国政府之*所以*支持柯达全行业收购中国感光材料企业，*是*因为政府已经无法帮助这些企业摆脱困境。

3.星巴克为消费者提供一个喝咖啡和放松自己的空间，*至于*它的价格，是其他咖啡馆的两倍。

中国在过去的20年中发展迅速，但*至于*中国本土的快餐业，还需要进一步发展。

4.买计算机时，性能和价格*对*我来说都很*重要*。

跨国公司到中国投资建厂，市场份额*对*它们似乎更*重要*。

5.宝洁公司同一类产品有不同的品牌，这种品牌策略就是*所谓*的一品多牌策略。

星巴克总裁提倡的*所谓*第三空间就是家庭和办公室以外的地方，如商场、影院等。

七、补充阅读（3）对错选择 True or false based on the reading

1.T　2.F　3.T

4.T　5.F　6.T

第八单元：价格"屠夫"格兰仕

一、对错选择 True or false based on the text

1.T　2.T　3.T　4.F　5.F

6.T　7.F　8.T　9.F　10.F

二、看拼音写汉字 Write the Chinese characters based on the *pinyin* given

1. 业界　大幅　制造　规模经济
2. 资本运营　股权　资产　竞争对手　无形中　现成

三、选词填空 Fill in the blanks

利润空间　更新　资本实力　劳动密集型　比较优势

生存　　定位　生产力　　品牌　　　　市场

四、句型练习　Patterns and exercises (仅供参考 for reference only)

1.肯德基在中国大力实施本土化，走在了业界的前列，*被*餐饮业同行*称为*业界老大。
在跨国公司办公室工作的人*被称为*白领，因为他们每天工作要穿衬衣、西服。

2.肯德基一方面*发挥*自己标准化的*优势*，另一方面又推出适应中国市场的本土化产品。
格兰仕*发挥*其规模生产的*优势*，一次又一次地成功降价。

3.我的计算机昨天坏了，*好在*我的朋友是个计算机专家，昨天他正好在，帮我修好了。
昨天我整夜没睡觉，做我的研究课题，*好在*我今天下午两点才有课。

4.这种产品别的企业都降价了，我们*无论如何*也要降，要不然市场就会丢掉了。
星巴克又推出了一个新的咖啡饮品，尽管有一点贵，我无论如何也要品尝一下。

5.肯德基推出了一个又一个中式餐饮产品，*意味*着它从外表到产品都在本土化了。
宜家在欧美市场发展得很好，并不*意味*着它在中国市场也会发展得很好，这是因为中国的市场条件很不一样。

第九单元：TCL 的跨国并购

一、对错选择　True or false based on the text

1.F　2.T　3.F　4.T　5.F
6.F　7.F　8.T　9.F　10.T

二、看拼音写汉字 Write the Chinese characters based on the *pinyin* given

家电 饱和 容量 反倾销 挑战 战略 定位 贴牌 跨国收购

品牌 销售渠道 策略 发展中国家 发达国家 最终目的

三、选词填空 Fill in the blanks

鲜为人知 关注 巨头 手机 制造商 多品牌

权宜之计 投资 运作 壁垒 税收 距离

五、句型练习 Patterns and exercises (仅供参考 for reference only)

1.柯达全行业收购中国感光企业*引起*了人们的广泛*关注*。
柯达店卖门票、月票*引起*人们的*注意*。
在商业汉语课上读到的企业案例*引起*我进一步研究中国市场的*兴趣*。
这样大幅度的降价*引起*人们对产品质量的*怀疑*。

2.很多在跨国公司工作的中国白领去星巴克，*既*为了放松自己，*也*为了显示自己的社会地位。
中国加入世界贸易组织以后，中国企业*既*会有很多发展机会，*也*会面临极大的挑战。

3.中国的市场环境和欧美的不一样，*在*这种*情况下*，宜家做了很大的改变。
格兰仕*在*实施三班倒的*情况下*，它生产线上一天的产量相当于法国一个星期的产量。

4.*随着*中国经济的发展，越来越多的中国企业转向海外。
*随着*跨国公司的到来，中国企业面临着新的挑战。

5.产品价格的高或低*取决于*它的质量以及市场需求程度。
企业是不是到国外发展*取决于*很多因素。

七、补充阅读

(1) 对错选择 True or false based on the reading

1.T　　2.F　　3.F
4.T　　5.T　　6.T

（2）**对错选择**　True or false based on the reading

1.F　　2.T　　3.F　　4.T　　5.T

（3）**对错选择**　True or false based on the reading

1.F　　2.T　　3.F
4.F　　5.T　　6.F

第十单元：联想“蛇吞象”并购 IBM

一、**对错选择**　True or false based on the text

1.F　　2.T　　3.F　　4.F　　5.T
6.T　　7.F　　8.F　　9.T　　10.T

二、**看拼音写汉字**　Write the Chinese characters based on the *pinyin* given

1. 集团　营业收入　国际化　包括　办事机构　工作重心　个人电脑
2. 债务负担　股权　电脑制造商

三、**选词填空**　Fill in the blanks

1.知名度　开拓　整合　优势　渠道　规模生产　崭新
2.占有率　剥离　开发　收盘价　涨幅

四、**句型练习**　Patterns and exercises (仅供参考 for reference only)

1.有人*把*进入中国的跨国公司*比喻为*狼，这些公司会像狼吃羊一样把中国公司吃掉。
人们*把*肯德基的中国化*比喻为*穿上“中式外衣”和换上“中国心”。

2.众多的跨国公司到中国建厂是为了降低成本，*创造*更多的市场*机会*。
很多城市争夺奥运会(Olympic Games)的举办权是为本城市*创造*更多的发展*机会*。

3.进口产品的增加会*给*本土企业的产品销售*带来*影响。
商店没有送货服务会*给*没有汽车的消费者*带来*麻烦。
降价幅度过大会*给*企业*带来*损失。
IBM 个人电脑部门被联想收购可能会*给*原来 IBM 的用户*带来*一些问题。

4.有很多人*对*联想是否能最终成功收购 IBM 个人电脑部门*表示担心*。
惠普一位高层人士*对*联想管理一家全球公司的能力*表示怀疑*。
很多中国人对联想收购 IBM 个人电脑部门*表示支持*。
有些专家*对*海尔到美国建厂*表示反对*，认为这是违背了经济学的基本原则。
也有不少专家*对*海尔到美国建厂*表示赞成*,认为这是中国企业国际化的重要一步。

5.法国公司施耐德是一个亏本公司,但考虑到它在欧洲的品牌影响力,TCL收购它是*值得*的。
星巴克的咖啡比别的咖啡店贵,但它的环境很好,有时去那儿放松一下还是*值得*的。

六、补充阅读

(2) 对错选择 True or false based on the reading

1.F　2.T　3.T　4.T
5.F　6.T　7.F　8.T

(3) 对错选择 True or false based on the reading

1.F　2.T　3.T　4.F　5.T
6.T　7.F　8.T　9.F

各课句型总汇

Index of Patterns

第一单元：肯德基的中国化

1. 给……带来冲击: give shock to...
2. 成为……的代名词: become another name of...become the synonym of ...
3. 让……(感到)吃惊: make ... (feel) surprised
4. 打破……惯例: break away from the old practice of...
5. 在……同时(还，也): at the time doing sth, also doing sth. else
6. 符合……习惯: conform to the habits of...
7. 这(就)是……的原因: this is the reason...

第二单元：星巴克的“第三空间”

1. 据……说 / 报道 / 看: according to...
2. 一……接(着) 一……: one after another
3. 也……也……还……: ...also... as well as...
4. 与其 A 不如 B: It is better B than A
5. 指的是……(是指) : refer to

第三单元：宜家的奢侈“低价品”

1. 接受……采访: accept...'s interview
2. 像……所言 / 说: as said by...
3. 在……眼中 / 里: in the eyes of...
4. 以……为例: take...as an example
5. ……的目的是……: the purpose of...is...

第四单元：北京的山姆会员店

1. 是……的结果: be the result/outcome/fruit of...
2. 看好……: be optimistic about...
3. 面向……: be geared to the needs of...; cater to...
4. 创(下)……纪录: set a record in...; establish a new record in...
5. 是……的基础: be the basis of...

第五单元：宝洁的品牌策略

1. 一是……二是……: the first is...the second is...
2. 不是……而是……: it is not...but...
3. 对(于)……，有人认为……,有人认为……,还有人认为……：for..., some believe..., some believe..., and some believe...
4. 对……(在……上)起(重要/好/副)作用: play (a)n important/good/negative role in...
5. 为此……：for this reason; therefore; to this end

第六单元：柯达的中国之路

1. ……以来: since...; for a certain period of time
2. 相当于: equal to; equivalent to; as much as
3. 在……的帮助下: with the help of...
4. 进行(谈判/合作/收购): something in progress; carry on sth.; carry out sth.
5. 对于……来说: to; for; about; with regard to
6. 通过……: by means of; by way of; by; through

第七单元：中国名牌，美国制造

1. 正是……: it is exactly...that...; exactly; precisely
2. 之所以(A)是因为(B): the reason for A is B; the reason that A happens is because of B
3. 至于……: (when bringing up another topic)as for; as to; with regard to
4. ……对……(是)重要(的)……: ... is important to...
5. 所谓……: so-called; what is called

第八单元：价格"屠夫" 格兰仕

1. 被……称为……: be called by... as...
2. 发挥……优势: utilize...'s advantage
3. 好在: fortunately; luckily
4. 无论如何: in any case; anyhow; however it may be
5. 意味: imply; signify; mean

第九单元：TCL 的跨国并购

1. 引起 (某人、某方面) 的(关注 / 注意 / 兴趣 / 怀疑): cause sb.'s...
2. 既……又 / 也……: both...and; as well as...
3. 在……情况下: in the case of ...; in the condition of...; in the situation of...
4. 随着……: along with; in pace with
5. 取决于……: depend on...; be decided by...

第十单元：联想"蛇吞象"并购 IBM

1. 把 A 比喻为 B: compare A to B
2. 为……创造机会: create opportunities for...

3. 给……带来影响 / 麻烦 / 损失 / 问题: bring...to...

4. 对……表示担心 / 怀疑 / 支持 / 反对 / 赞成: express one's attitude or viewpoint about sth.

5. 值得: be worth; merit; deserve

生词索引

Index of Vocabulary/Words and Phrases

A

案	案	àn	case	6

B

百店百味	百店百味	bǎidiàn bǎiwèi	different restaurants have their own special food	1
白领	白領	báilǐng	white collar (workers)	2
摆脱	擺脫	bǎituō	break away from: 摆脱困境 extricate oneself from a predicament	6
搬	搬	bān	move; take away to	8
办事机构	辦事機構	bànshì jīgòu	office; agency	10
办事处	辦事處	bànshìchù	agency; office	2
保持	保持	bǎochí	keep; maintain	10
饱和	飽和	bǎohé	saturation；saturated: 市场饱和 market saturation	9
保护	保護	bǎohù	protect; safeguard	6
包装	包裝	bāozhuāng	package	3
背景	背景	bèijǐng	background: 背景音乐: background music	2
北欧	北歐	Běi'ōu	North Europe	3
奔波	奔波	bēnbō	rush about; be busy running about	2
本土化	本土化	běntǔhuà	localized; localization	1
必不可少	必不可少	bì bù kě shǎo	indispensable; absolutely necessary; essential	14
变压器	變壓器	biànyāqì	transformer; voltage transformer	8
表面	表面	biǎomiàn	surface; 表面上 on the surface	8

表示	表示	biǎoshì	show; 表示支持 express one's support; 表示感谢 express one's thanks	10
标识	標識	biāozhì	identification；logo	1
标志	標誌	biāozhì	symbol; sign	2
标志	標誌	biāozhì	indicate; symbolize	4
标准化	標準化	biāozhǔnhuà	standardization; standardizing	1
比较优势	比較優勢	bǐjiàoyōushì	relative advantage	8
避开	避開	bìkāi	avoid	7
壁垒	壁壘	bìlěi	barrier: 关税壁垒 tariff wall; 贸易壁垒 trade barrier	7
比例	比例	bǐlì	proportion; ratio; proportionality	5
并非	並非	bìngfēi	really not	10
并购	並購	bìnggōu	mergers and acquisitions	9
比萨饼	比薩餅	bǐsàbǐng	pizza	4
比喻	比喻	bǐyù	compared to	10
剥离	剝離	bōlí	peel; strip; take away	10
薄利多销	薄利多銷	bólì duō xiāo	small profits but quick turnover	8
补偿	補償	bǔcháng	compensation	6
步伐	步伐	bùfá	pace	9

C

采访	採訪	cǎifǎng	interview: 接受采访 accept an interview	3
采购	採購	cǎigōu	make purchase for an organization or enterprise	3
材料	材料	cáiliào	material: 感光材料 sensitive material	16

采取	採取	cǎiqǔ	adopt; take: 采取紧急措施 take emergency measures	5
采用……方式	採用……方式	cǎiyòng……fāngshì	adopt the way of	3
餐饮	餐飲	cānyǐn	food and drink: 餐饮业 food industry; catering industry	1
仓储式	倉儲式	cāngchǔshì	warehouse style	4
策略	策略	cèlüè	strategy; tactics; policy	3
倡导	倡導	chàngdǎo	advocate; propose	2
常规	常規	chángguī	convention; common practice: 打破常规 break with convention; break the normal procedure	2
厂家	廠家	chǎngjiā	manufacturer	4
常客	常客	chángkè	frequent customer	2
畅销	暢銷	chàngxiāo	sell well; be in great demand; have a ready market for products; popular among the customers	7
产量	產量	chǎnliàng	output; yield; volume of production: 日产量 the daily output; 总产量 the total output	7
产值	產值	chǎnzhí	value of output; output value	8
超过	超過	chāoguò	exceed; outnumber	4
超市	超市	chāoshì	supermarket	4
差异	差異	chāyì	difference; divergence; discrepancy	5

车程	車程	chēchéng	driving distance	4
称	稱	chēng	state; claim	6
成本	成本	chéngběn	prime cost; cost: 生产成本 production cost; 经营成本 operating cost	4
程度	程度	chéngdù	extent; degree	8
承诺	承諾	chéngnuō	promise to undertake; undertake to do sth	6
成品	成品	chéngpǐn	finished product	7
承认	承認	chéngrēn	admit; acknowledge	1
成熟	成熟	chéngshú	ripe; mature	3
车位	車位	chēwēi	parking spot	4
吃法	吃法	chīfǎ	way to eat; 法: 方法, means, method: 做法 the way to do sth.; 用法 the way to use sth.; usage	1
迟到者	遲到者	chídàozhě	latecomer	3
持股	持股	chígǔ	hold the amount of stock shares	6
吃惊	吃驚	chī jīng	surprise; surprised，surprising	1
持有	持有	chíyǒu	hold; possess	4
冲印	沖印	chōngyìn	film develop and print	6
重叠	重疊	chóngdié	overlapping	9
充分	充分	chōngfēn	thoroughly	7
冲击	衝擊	chōngjī	shock; assault; impact	1
创下纪录	創下紀録	chuàngxià jìlū	set a record; set the highest record	4
创立	創立	chuànglì	found; set up	7
传言	傳言	chuányán	rumor	6
纯粹	純粹	chúncuì	solely; purely; only	5
醇香	醇香	chúnxiāng	savory; appetizing	2
纯正	純正	chúnzhēng	authentic; pure	2
出售	出售	chūshōu	sell; sale	2
出资	出資	chūzī	invest; investment	6
此	此	cǐ	this; now; here: 此处 this place; here; 此人 this person; 从此以后 from now on; 因此 for this reason	1

刺激	刺激	cìjī	stimulate	3
次于	次於	cìyú	lower than in rank; inferior than	10
葱段	葱段	cōngduàn	scallion slip	1
从而	從而	cóng'ér	thus; thereby; thereupon then; so then; as a result	9

D

达	達	dá	reach; attain; amount to	6
达成	達成	dáchéng	reach (agreement); conclude: 达成交易 conclusion of business	6
代表性	代表性	dàibiǎoxìng	representative; 性:nature; quality: 必要性 necessity; 复杂性 complexity; 可能性 possibility	1
带动	帶動	dàidòng	lead; bring along; spur on	7
代名词	代名詞	dàimíngcí	synonym	1
待遇	待遇	dàiyù	treatment	7
打开市场	打開市場	dǎkāi shìchǎng	open the market	7
单调	單調	dāndiào	monotonous; monotone	2
当时	當時	dāngshí	at that time; then	5
单日	單日	dānrì	single day	4
担心	擔心	dānxīn	worry	10
单一	單一	dānyī	single; unitary	3
导致	導致	dǎozhì	lead to; result in	9
大厦	大厦	dàshà	edifice; large building	2
大型	大型	dàxíng	large scale; large size: 大型企业 large enterprise	4
大众	大衆	dàzhòng	the mass ; the people; the public; the mass: 大众市场 the mass market; 大众消费品 popular consumer goods	3
电子产品	電子産品	diànzǐ chǎnpǐn	electronic product	4
电子商务	電子商務	diànzǐ shāngwù	E-commerce	5
地点	地點	dìdiǎn	place; location; site	2
订单	訂單	dìngdān	order	7

定期	定期	dìngqī	periodic; routine, fixed-date	1
定位	定位	dìngwèi	position; positioning	8
定做	定做	dìngzuò	customer order; special order	4
地区	地區	dìqū	region; area	2
的确	的確	díquè	indeed	3
地位	地位	dìwèi	status; position	2
董事长	董事長	dǒngshìzhǎng	chairman of the board (of directors)	2
端	端	duān	end: 高端产品 high-end product; 低端市场 low-end market	3
短线	短綫	duǎnxiàn	short-term	8
堆	堆	duī	pile up; heap up; stack	8
对手	對手	duìshǒu	competitor; opponent; rival	4
对于……来说	對于……來説	duìyú...lái shuō	for; to; with regard to	4
独立	獨立	dúlì	independent	5
敦促	敦促	dūncù	(sincerely) urge; press	10
都市	都市	dūshì	urban; metropolitan	1
独一无二	獨一無二	dú yī wú èr	the one and only	5
独自	獨自	dúzì	alone; by oneself; one’s own:	2

F

发挥	發揮	fāhuī	bring into play; give play to; utilize	8
发明	發明	fāmíng	invent; invention: 发明家 inventor; 最新发明 the latest invention	5
仿冒品	倣冒品	fǎngmào pǐn	imitation	3

放弃	放棄	fàngqì	give up; abandon; renounce; back-out	6
放松	放鬆	fàngsōng	relax; relaxation	2
反过来	反過來	fǎn guòlái	conversely; in turn; vice verse	7
访问	訪問	fǎngwèn	visit: 正式访问 an official visit; 私人访问 private visit	6
繁华	繁華	fánhuá	flourishing; prosperous; bustling; busy: 繁华的地区 the downtown area	3
反倾销	反傾銷	fǎn qīngxiāo	anti-dumping	9
反映	反映	fǎnyìng	reflect; reflection	10
非	非	fēi	un-; non-; in-; il-; ir-; im-:非关税 non-tariff	7
费用	費用	fèiyòng	cost; expenses	3
份	份	fèn	(measure word) for food, new spaper, document: 一份饭 a set of meal, 一份报纸 a copy of newspaper	1
纷纷	紛紛	fēnfēn	one after another; in succession: 纷纷提出建议 offer proposals one after another	6
风格	風格	fēnggé	style	1
风险	風險	fēngxiǎn	risk: 冒……风险 take the risks of...	9
风雅	風雅	fēngyǎ	elegant; refined: 举止风雅 have refined manners	2
风筝	風箏	fēngzheng	kite	1

简体	繁體	拼音	English	课
分配	分配	fēnpèi	allocation; distribution; assignment	3
分析	分析	fēnxī	analysis	7
分析师	分析師	fēnxīshī	analyst	10
负担	負擔	fùdān	burden	10
幅度	幅度	fúdù	range; scope; extent	3
符合	符合	fúhé	conform to: 符合……习惯 conform to the habit of...	1
芙蓉鲜蔬汤	芙蓉鮮蔬湯	fúróng xiānshū tāng	soup with fresh vegetables and egg flakes	1
服务	服務	fúwù	service	2
服务器	服務器	fúwù qì	server	10
富裕	富裕	fùyù	rich; wealthy; prosperous:富裕阶层 rich people; rich class 富裕地区 better off area	4
负债	負債	fùzhài	be in debt; incur debts	6

G

简体	繁體	拼音	English	课
概念	概念	gàiniàn	concept	3
改造	改造	gǎizào	transform; reform	6
感光	感光	gǎnguāng	sensitization; photoreception; photosensitive	6
感受	感受	gǎnshòu	experience; feeling	1
高层	高層	gāocéng	high level	10
高调	高調	gāodiào	high key; high profile	10
高度	高度	gāodù	high degree; highly	9
更新	更新	gēngxīn	renew; renovate; update: 技术更新 update the technology	8

更新换代	更新換代	gēngxīn huàndài	upgrade and update	3
巩固	鞏固	gǒnggù	consolidate; strengthen; solidify	5
公关	公關	gōngguān	(公共关系) public relations	9
功能	功能	gōngnéng	function	5
共享	共享	gòngxiǎng	share	9
共性	共性	gòngxìng	similarity; general (common) character	9
供应商	供應商	gōngyìng shāng	supplier	4
工艺品	工藝品	gōngyìpǐn	workmanship; handicraft article	1
购买	購買	gòumǎi	purchase	7
购物	購物	gòu wù	shopping:购物袋 shopping bag;购物指南 shopping guide; 购物中心 shopping centre; supermarket	3
股份	股份	gǔfèn	stock share	6
股价	股價	gǔjià	stock price	2
逛	逛	guàng	stroll; wander about: 逛公园 stroll around the park; 逛商店 go window-shopping	1
广泛	廣泛	guǎngfàn	extensive; widespread	6
惯例	慣例	guànlì	convention; usual practice: 打破惯例 break away from old practices	1
观念	觀念	guānniàn	concept; idea; sense; mentality	1
关税	關税	guānshuì	customs; customs duties; tariff	7

关注	關注	guānzhù	attention; concern: 引起关注 draw attention	6
股东	股東	gǔdōng	shareholder; stockholder: 大股东 a heavy stockholder; 公司的股东 shareholders of a company	10
股份有限公司	股份有限公司	gǔfèn yǒuxiàn gōngsī	limited-liability company; limited company (Ltd.)	6
规模	規模	guīmó	scale; scope 大规模 on a largescale; 规模经济 economies of scale	3
规模生产	規模生産	guīmó shēngchǎn	economic scales of production	10
规则	規則	guīzé	rule; regulation	1
鼓励	鼓励	gǔlì	encourage	9
国门	國門	guómén	the gateway of a country (fig.)	7
国民生产总值	國民生産總值	guómín shēngchǎn zǒngzhí	gross national product (GNP)	4
国营	国营	guóyíng	state-own: 国营企业 state enterprise	6
股息	股息	gǔxī	dividend; stock dividend	6
雇佣	僱傭	gùyòng	employ; hire	7

H

海外	海外	hǎiwài	overseas; abroad: 海外市场 overseas market; 海外投资 overseas investment; 海外银行 overseas bank	2

寒稻香蘑饭	寒稻香蘑飯	hándào xiāng mó fàn	mushroom rice	1
汉堡	漢堡	hànbǎo	hamburger	1
毫无疑问	毫無疑問	háo wú yíwèn	beyond (all) question; without doubt	1
好在	好在	hǎozài	fortunately; luckily	8
合二为一	合二爲一	hé èr wéi yī	two in one	5
合理	合理	hélǐ	rational	19
合算	合算	hésuàn	worthwhile	6
合资	合資	hézī	joint venture	6
合作	合作	hézuò	cooperation	6
后来居上	後來居上	hòulái jūshàng	catch up from behind; latecomers become the first.	6
后者	後者	hòuzhě	the latter	4
华尔街	華爾街	Huá'ěr jiē	the Wall Street	10
华尔街日报	華爾街日報	Huá'ěrjiē Rìbào	the Wall Street Journal	14
怀疑	懷疑	huáiyí	doubt; suspect; have a suspicion that...; be suspicious of ...	9
黄瓜条	黄瓜條	huángguātiáo	cucumber slip	1
黄金	黄金	huángjīn	gold	8
换取	换取	huànqǔ	exchange sth. for; get in return	6
回报率	回報率	huíbào lǜ	return rate; rate of return	3
恢复	恢復	huīfù	return to: 恢复正常 return to norma	15
会员店	會員店	huìyuán diàn	membership store	4
会员证	會員證	huìyuánzhèng	membership card	4
货架	貨架	huòjià	shelf	4
货币	貨幣	huòbì	money; currency: 货币单位 monetary unit; 货币市场 money market; 货币资本 money-capita	18

获利	獲利	huòlì	earn profit	9
获取	獲取	huòqǔ	gain; obtain; achieve	7
获胜	獲勝	huòshèng	win victory; be victorious;	6

J

即	即	jí	namely；in other words；that is	1
佳	佳	jiā	good; fine; beautiful: 最佳 the best; 佳景 fine landscape; beautiful view;	2
家电	家電	jiādiàn	household electronic appliances	7
价格战	價格戰	jiàgé zhàn	price war	8
加工	加工	jiāgōng	processing: 工业加工 industrial processing; 来料加工 processing of investor's raw materials	8
家居	家居	jiājū	home furnishing	3
坚持	堅持	jiānchí	sustain; hold out; stick to	8
降低	降低	jiàngdī	reduce; cut down; lower	7
降幅	降幅	jiàngfú	extent of decrease; percentage of decrease	3
简直	簡直	jiǎnzhí	simply; virtually	2
剪纸	剪纸	jiǎnzhǐ	paper-cut	1
建筑	建築	jiànzhù	building; architecture; structure: 建筑风格 architectural style;	1
交易	交易	jiāoyì	business deal; business transaction	10
交叉	交叉	jiāochā	cross	3
角度	角度	jiǎodù	angle: 从不同的角度来研究问题 examine the matter from different angles	6
胶卷	膠捲	jiāojuǎn	roll film; film; film strip: 彩色胶卷 color film; 全色胶卷	6

			panchromatic film; 冲胶卷 have one's film developed	
交流	交流	jiāoliú	exchange:交流经验 exchange experience; 文化交流 cultural exchange	7
郊区	郊區	jiāoqū	suburbs; suburban district	3
加入	加入	jiārù	join	7
家喻户晓	家喻户曉	jiāyù-hùxiǎo	make known to every family; be known to every household	3
接任	接任	jiērèn	take over a job; replace; succeed: 接任主席(职务) take over the chairmanship	10
阶层	階層	jiēcéng	(social) stratum; rank; section: 各阶级各阶层的人 people of all ranks and classes	3
结合	結合	jiéhé	combine; integrate	10
接近	接近	jiējìn	be close to; near; approach	2
节省	節省	jiéshěng	save: 节省时间 save time	10
解释	解釋	jiěshì	explain; explanation	1
节约	節約	jiéyuē	economize; save: 节约钱 save money;节约开支 cut down expenses	3
基金	基金	jījīn	fund; foundation	8
激烈	激烈	jīliè	intense, fierce: 激烈的竞争: keen competition	1
经典	經典	jīngdiǎn	classics：经典著作 classical works	2
经济学	經濟學	jīngjìxué	economics	7
经验	經驗	jīngyàn	experience	2
经营	經營	jīngyíng	operation; management	1
经营成本	經營成本	jīngyíng chéngběn	operation cost	4
竞争	競争	jìngzhēng	competition; competitive	1
近年来	近年來	jìn nián lái	in recent years	10

进取心	進取心	jìnqǔxīn	enterprising spirit	9
酒吧	酒吧	jiǔbā	bar	2
酒柜	酒櫃	jiǔguì	wine cooler	7
集约	集約	jíyuē	intensive: 劳动集约企业 labor intensive enterprise; 技术集约企业 technology intensive enterprise	8
据	據	jù	(根据) according to; on the grounds of	7
决策权	決策權	juécè quán	decision-making power	6
绝对	絶對	juéduì	absolute	3
距离	距離	jùlí	distance	9
均	均	jūn	without exception; al	15
据说	據説	jùshuō	it is said; allegedly	2

K

咖啡豆	咖啡豆	kāfēidòu	coffee bean	2
开创	開創	kāichuàng	create: 开创奇迹 create a miracle; 开创新局面 bring about a new situation; open a new prospect	2
开发	開發	kāifā	develop: 开发新产品 develop new products; development：开发中心 development centre	4
开设	開設	kāishè	(设立) open; set up; establish:开设商店 open a store	2
开拓	開拓	kāituò	open up; develop; extend; extension: 开拓市场 develop explore market	3
开业	開業	kāi yè	open for business	1
抗争	抗爭	kàngzhēng	make a stand against; resist; contend	8
看好	看好	kànhǎo	optimistic about; look to further increase	4
看重	看重	kànzhòng	(重视) think highly of; regard as important	10
拷贝	拷貝	kǎobèi	copy; replica	1
客户	客户	kèhù	customer; client	2

客流量	客流量	kèliúliàng	volume of customers	3
空白	空白	kòngbái	blank space	1
控股	控股	kònggǔ	hold a controlling percentage of the stock; with a controlling percentage of the stock	6
空间	空間	kōngjiān	space; room；place: 活动空间 breathing spaces; 时间和空间 time and space	2
控制	控制	kòngzhì	control; regulate	4
口味	口味	kǒuwèi	taste; flavor	1
跨国	跨國	kuàguó	multi-national:跨国银行 multi-national bank	9
跨国公司	跨國公司	kuàguó gōngsī	multi-national company	2
快餐	快餐	kuàicān	fast food	1
跨越	跨越	kuàyuè	stride across; stretch over	6
亏损	虧損	kuīsǔn	loss; deficit: 企业亏损 loss incurred in an enterprise	6
困境	困境	kùnjìng	difficult position: 陷于困境 find oneself in a tight corner	6
扩大	擴大	kuòdà	expand; extend; enlarge; broaden; 扩大营业 extend one's business; 扩大市场 expand the market; 扩大销路 expand sales	5
扩张	擴張	kuòzhāng	expansion: 市场扩张 market expansion	4

L

来去匆匆	來去怱怱	láiqù cōngcōng	come and go in haste	1
拉近	拉近	lājìn	draw closer, space in	9
老北京鸡肉卷	老北京鷄肉捲	lǎo Běijīng jīròujuǎn	Beijing chicken wrap with traditional Beijing duck flavor	1
老大	老大	lǎodà	the first one in rank; the leader in a group; the eldest (child in a family)	1
劳动力	勞動力	láodònglì	labor; labor force	7
劳动力密集型	勞動力密集型	láodònglì mìjíxíng	labor-intensive	7
乐观	樂觀	lèguān	optimistic; hopeful; sanguine	4
类别	類别	lèibié	category; classification; genre：属于不同的类别 belong to different categories	3
廉价	廉價	liánjià	cheap; at a low price; inexpensive	7
连锁	連鎖	liánsuǒ	chain stores	1
聊天儿	聊天兒	liáotiānr	chat	2
零部件	零部件	líng-bùjiàn	components and parts;	7
零售商	零售商	língshòushāng	retailer	4
领域	領域	lǐngyù	sector; area; field	8
利润	利潤	lìrùn	profit: 利润额 amount of profit; 利润分配 distribution of profits	7
垄断	壟斷	lǒngduàn	monopolize; monopoly: 国家垄断 a state monopoly; 垄断价格 monopoly prices; 垄断资本 monopoly capita	16

轮	輪	lún	round (mw): 一轮比赛 one round of competition;另一轮的外交谈判 another round of diplomatic talks	4
陆续	陸續	lùxù	one after another; in succession	2

M

卖点	賣點	màidiǎn	selling point	5
盲目	盲目	mángmù	blind; blindly: 盲目发展 haphazard development; 盲目竞争 blind competition	9
满足	滿足	mǎnzú	satisfied; contented	1
美术馆	美術館	měishùguǎn	gallery	1
媒体	媒體	méitǐ	media	10
面饼	面餅	miànbǐng	pancake1	1
面对……	面對……	miànduì...	face; 面对……挑战 face the challenge of	3
面酱	面醬	miànjiàng	sweet sauce made of fermented flour	1
面孔	面孔	miànkǒng	face	2
面向	面向	miànxiàng	be geared to the needs of; cater to: 面向广大读者 be geared to the needs of reading public	4
敏感度	敏感度	mǐngǎndù	sensitivity	5
名存实亡	名存實亡	míng cún shíwáng	cease to exist except in name; be only an empty title; exist in name only	4
名牌	名牌	míngpái	famous brand	7
明显	明顯	míngxiǎn	clear; obvious; evident	5

民间	民間	mínjiān	folk: 民间工艺 folk arts and crafts; 民间故事 folktale; folk story	1
敏锐	敏銳	mǐnruì	sharp; acute; keen	2
蘑菇	蘑菇	mógu	mushroom	1
陌生	陌生	mòshēng	strange; unfamiliar	4
模式	模式	móshì	model; mode: 管理模式 management mode; 社会模式 social mode	18
某	某	mǒu	certain; some: 李某 a certain person called Li; 在某些条件下 on certain conditions; 在某地工作 work at some place	3
目标市场	目標市场	mùbiāo shìchǎng	target market	3
木凳	木凳	mùdèng	wooden stool	13
沐浴液	沐浴液	mùyùyè	body lotion	5
木质	木質	mùzhì	wooden	2

N

耐克(鞋)	耐克(鞋)	nàikē (xié)	Nike （sneakers）	7
内部	内部	nèibù	interior; inside: 内部联系 internal relations; 内部消息 inside story	5
年费	年費	niánfèi	annual fee	4
年均	年均	niánjūn	annual average	3
努力	努力	nǔlì	exert oneself	8

P

排	排	pái	put in order	1
庞大	龐大	pángdà	huge; gigantic	10
配方	配方	pèifāng	recipe; formula; ingredient	1
培养	培養	péiyǎng	train; foster	10
漂洗	漂洗	piǎoxǐ	bleaching; poaching; rinse; rinsing	5
品牌	品牌	pǐnpái	brand; brand name	3

平板	平板	píngbǎn	flat	3
平等	平等	píngděng	equally; equal; equality	7
平价	平價	píngjià	fair price; parity price	4
瓶颈	瓶頸	píngjǐng	bottle neck	3
平均	平均	píngjūn	average	8
平面电视	平面電視	píngmiàn diànshì	flat panel TV	4
频频	頻頻	pínpín	repeatedly; one after another	9
批评	批評	pīpíng	criticize; criticism	7

Q

其	其	qí	his; her; its; their	3
起……作用	起……作用	qǐ...zuòyòng	play a part in	5
前景	前景	qiánjǐng	prospect; vista; perspective: 美好的前景 good prospects; a bright future; 前景乐观 The prospect is cheerful.	10
强烈	强烈	qiángliè	strong; intense	1
抢占	搶佔	qiǎngzhàn	seize; race to control; grab	5
潜力	潛力	qiánlì	potential; potentiality	4
前列	前列	qiánliè	front row; front rank; forefront	1
千篇一律	千篇一律	qiān piān yílǜ	same; follow the same pattern	4
签署	簽署	qiānshǔ	sign	6
潜在	潛在	qiánzài	potential; lurking; latent: 潜在市场 potential market; 潜在竞争 potential competition;	3

洽谈	洽談	qiàtán	talk over with: 洽谈贸易 hold trade talks; 洽谈业务 discuss business; 与某人洽谈某事 talk sth. over with sb.	8
期待	期待	qīdài	anticipate; await; expect; wait in hope	3
气氛	氣氛	qìfēn	atmosphere	2
奇迹	奇迹	qíjì	miracle; wonder; marvel; wonderful achievement	2
清洁	清潔	qīngjié	clean; cleaning	2
轻松	輕鬆	qīngsōng	relaxed；light: 轻松的音乐; sweet music; 轻松的工作 light work; 感到轻松 feel relief /relaxed	2
轻松自在	輕鬆自在	qīngsōng-zìzài	happy and unrestrained; comfortable; relaxed	3
企业文化	企業文化	qǐyè wénhuà	corporation culture	9
整合	整合	zhěnghé	restructure; incorporate; integration	10
其中	其中	qízhōng	among (which, them); inside	2
取而代之	取而代之	qǔ ér dài zhī	replace by; take the place of	5
去屑	去屑	qùxiè	get rid of dandruff	5
全行业	全行業	quánhángyè	entire industry; entire business	6
全面	全面	quánmiàn	overall; comprehensive; all-round; entire	3
全新	全新	quánxīn	completely new	3
权宜之计	權宜之計	quányí zhī jì	expedient measure	9
取代	取代	qǔdài	replace by	9
渠道	渠道	qúdào	channel	6
区分	區分	qūfēn	differentiation; distinction	7
取决于	取决于	qǔjuéyú	depend on; hinge on	9
群体	羣體	qúntǐ	population; group	9
趋势	趨勢	qūshì	trend; tendency	5

R

然而	然而	rán'ér	however	7
绕过	繞過	ràoguò	bypass; get around	9

人才	人才	rēncāi	a person of ability; a talented person	7
人均	人均	rēnjūn	per capita	4
认可	認可	rēnkě	acceptance; approve; accept: 得到认可 be accepted	6
人士	人士	rēnshì	personage; public figure: 爱国人士 patriotic personage; 各界人士 people of all walks of life; 知名人士 well-known figures	1
日常生活	日常生活	rìchāng shēnghuō	daily life	3
容量	容量	rōngliàng	capacity; volume: 市场容量 market capacity	8
柔和	柔和	rōuhē	soft; gentle	2
柔软	柔軟	rōuruǎn	soft: 柔软剂 softening agent; softener	5
柔顺	柔順	rōushùn	gentle and agreeable	5
软件	軟件	ruǎnjiàn	software	10
如此	如此	rūcǐ	such; so; like this	10
入世	入世	rūshì	加入世界贸易组织 enter the World Trade Organization	8

S

三班倒	三班倒	sānbān dǎo	three-shift system	8
丧失	喪失	sàngshī	lose; forfeit; be deprived of	8
商品化	商品化	shāngpǐnhuà	commercialize; commercialization	3

商标	商標	shāngbiāo	trademark	5
上任	上任	shàngrèn	take up an official post; assume office	5
上市	上市	shàng shì	appear on the market; publicly traded; become a listed company	2
上述	上述	shàngshù	above-mentioned	9
《商业周刊》	《商業周刊》	《Shāngyè Zhōukān》	Business Week	2
商展	商展	shāngzhǎn	trade fair	2
奢侈	奢侈	shēchǐ	luxurious; extravagant;	3
设计	設計	shèjì	design	3
社交	社交	shèjiāo	social contact	2
生鲜	生鮮	shēngxiān	live and fresh	4
生产线	生産線	shēngchǎnxiàn	production line: 彩电生产线 a color TV production line	8
生产力	生産力	shēngchǎn lì	productivity; productive forces	8
生存	生存	shēngcún	survival	7
升级换代	升級換代	shēngjí huàndài	upgrade and update	5
省钱	省錢	shěngqián	save money; be economica	14
神话	神話	shénhuà	myth; fairy tale	8
设想	設想	shèxiǎng	tentative plan; tentative idea: 提出设想 put forward a tentative plan	6
市场占有率	市場佔有率	shìchǎng zhànyǒulǜ	market share percentage	6
市场份额	市場份額	shìchǎng fèn'é	market share	6
市场细分	市場細分	shìchǎng xì fēn	market segmentation	5
时机	時機	shíjī	opportunity; an opportune moment; the right moment	3

世界贸易组织	世界貿易組織	Shìjiè Màoyì Zǔzhī	the World Trade Organization (WTO)	7
实际上	實際上	shíjì shàng	in fact; in reality; actually	7
实力	實力	shílì	actual strength	8
时髦	時髦	shímáo	vogue; fashionable; stylish	1
实施	實施	shíshī	implement; put into effect; carry out：实施计划 implement a plan	3
事实上	事實上	shìshí shàng	in fact; in reality; actually	7
实物	實物	shíwù	material object: 实物交易 barter	8
实现	實現	shíxiàn	realize; bring about; come true: 实现利润 profit realized; 实现目标 achieve an end	5
适应	適應	shìyìng	suit; adapt; get with it; fit: 适应新情况 adapt one's thinking to the new conditions	1
收购	收購	shōugòu	purchase; buy; acquire; acquisition	6
收回	收回	shōuhuí	regain; take back; call in	4
手机	手機	shǒujī	cellular phone	9

售价	售價	shòujià	selling price	1
收买	收買	shōumǎi	buy over	8
收入	收入	shōurù	income	2
收盘价	收盤價	shōupán jià	closing price; closing rate	10
首席执行官	首席執行官	shǒuxí zhíxíngguān	chief executive officer (CEO)	7
蔬菜汁	蔬菜汁	shūcài zhī	vegetable juice	1
输出	輸出	shūchū	export; output	9
水箱	水箱	shuǐxiāng	water tank	4
熟悉	熟悉	shúxī	familiar	2
属于	屬於	shǔyú	belong to	2
四合院	四合院	sìhéyuàn	a compound with traditional Chinese houses of grey bricks and tiles built around a courtyard	1
似乎	似乎	sìhū	it seems; as if; seemingly; it looks like	2
私家车	私家車	sījiā chē	private car	4
私人住房	私人住房	sīrén zhùfáng	own house	4
算是	算是	suànshì	be considered as	3
随着	随着	suízhe	along with	9
锁定	鎖定	suǒdìng	lock to; limited to	3
所谓	所謂	suǒwèi	what is called; so-called	7
缩写	縮寫	suōxiě	abbreviation	9

T

谈判	談判	tánpàn	negotiate: 与某人谈判 hold negotiations with sb.; 举行谈判 hold talks; hold negotiations	6

特点	特點	tèdiǎn	characteristic; distinguishing feature; peculiarity	5
特价	特價	tèjià	special offer; bargain price	3
特色	特色	tèsè	distinguishing feature; characteristics	1
特殊	特殊	tèshū	special	13
甜点	甜點	tiándiǎn	dessert	2
条件	條件	tiáojiàn	condition; term; factor: 工作条件 working conditions; 生活条件 living conditions; 贸易条件 terms of trade	6
调整	調整	tiáozhěng	adjust; adjustment; readjustment	6
贴	貼	tiē	stick; glue	5
贴牌生产	貼牌生產	tiē pái shēngchǎn	equipment manufacture (OEM)	7
停车场	停車場	tíngchēchǎng	parking lot	4
停业	停業	tíng yè	stop doing business; suspense of business	1
体验	體驗	tǐyàn	experience	2
通过	通過	tōngguò	by means of ; by way of; through	3
同行	同行	tóngháng	in the same industry; in the same field	7
统计	統計	tǒngjì	statistics; numerical statement	5
同类	同類	tónglèi	of the same kind; in the same category	5
同事	同事	tóngshì	colleague; fellow worker	2
统一	統一	tǒngyī	uniform; unified; unitary: 统一惯例 uniform customs; 统一标准 unified standard	1
投入	投入	tóurù	put into; throw into; input; investment in: 投入大量资金 invest much capital in	6
投资	投資	tóuzī	invest; investment: 投资成本 capitalized cost; 投资公司	8

			investment company; 投资银行 investment bank	
屠夫	屠夫	túfū	butcher	8
推移	推移	tuīyí	(time) elapse; pass	9
推出	推出	tuīchū	release (a product)	1
吞	吞	tūn	swallow; devour; take possession of	10

W

外表	外表	wàibiǎo	outward appearance; exterior	1
网络	網絡	wǎngluō	network	3
网站	網站	wǎngzhàn	website	5
完美	完美	wánměi	perfect; flawless	2
胃	胃	wèi	stomach	1
微	微	wēi	tiny; light; slight: 微利 small profit margin	8
违背	違背	wéibēi	violate; go against; run counter to	7
微波炉	微波爐	wēibōlú	microwave	8
为此	爲此	wèi cǐ	for this reason; therefore; to this end	5
未来	未來	wèilái	future	10
为期	爲期	wéiqī	by a definite date: 为期一周的会议 hold a one-week meeting	6
维系	維繫	wéixì	retain; maintain	9
威胁	威脅	wēixié	threat; threaten	6
唯一	唯一	wéiyī	only; sole: 唯一出路 the only way out; 唯一的理由 the sole reason	6
位于	位於	wèiyú	be located; be situated	4
物流	物流	wùliú	material circulation	3
无论如何	無論如何	wúlùn rúhé	in any case; anyhow; at all events; at any rate; by all possible means	4
物美价廉	物美價廉	wù měi jià lián	excellent quality and reasonable price	5
无形中	無形中	wúxíngzhōng	virtually	8

X

下滑	下滑	xiàhuā	glide; gliding	10
鲜为人知	鮮爲人知	xiǎn wéi rén zhī	rarely known by people	9
现场	現場	xiànchǎng	on the spot: 现场服务 field service; 现场交货 delivery on spot	4
现成	現成	xiànchéng	ready-made; established	8
相当于	相當於	xiāngdāng yú	equal to; equivalent to; as much as	2
相似	相似	xiāngsì	resemble; look like	3
像……所言	像……所言	xiàng...suǒyán	just as said by...	3
相差无几	相差無幾	xiāng chā wújǐ	not much difference between/ among; very nearly the same; little difference	4
相关	相關	xiāngguān	be interrelated; be related to; be bound up with	5
享受	享受	xiǎngshòu	enjoy	7
香皂	香皂	xiāngzào	toilet soap; perfumed soap: 一块香皂 a cake of toilet soap	5
象征	象徵	xiàngzhēng	symbol; token; emblem	2
现金	現金	xiànjīn	cash	6
显然	顯然	xiǎnrán	obvious; evident; clear; explicit; manifest; pointed; apparent	4
现任	現任	xiànrèn	(现在担任) at present hold the office of...; incumbent	2
陷入	陷入	xiànrù	sink into; fall into; land oneself in; be caught in	6
限制	限制	xiànzhì	restrict	6
消失	消失	xiāoshī	disappear; vanish	5
销售额	銷售額	xiāoshòu'é	aggregate sales of commodities; gross sales	10
销售量	銷售量	xiāoshòuliàng	volume of sales	3
小型	小型	xiǎoxíng	small-sized, small-scale; 型 scale; size: 中型 medium-sized; 大型: large scale, large-sized	1
效应	效應	xiàoyìng	effect	9

洗涤	洗滌	xǐdí	cleanse; cleaning	5
洗涤剂	洗滌劑	xǐdíjì	detergent	5
洗衣粉	洗衣粉	xǐyīfěn	washing powder	5
协会	協會	xiéhuì	association	7
协议	協議	xiéyì	agreement: 达成协议 reach an agreement	6
西郊	西郊	xījiāo	western suburb	4
系列	系列	xìliè	series; set family: 系列产品 series of products; 产品系列化 serialization of products	5
心甘情愿	心甘情願	xīngān-qíngyuàn	most willing to; be perfectly happy to do sth.	5
形成	形成	xíngchéng	form; take shape	6
行动	行動	xíngdòng	action	6
形式	形式	xíngshì	form: 形式多样 be various in forms; 形式和内容 form and content	1
形势	形勢	xíngshì	situation; circumstances: 国际形势 the international situation; 国内形势 the domestic situation	6
形态	形態	xíngtài	form; shape	8
新奇	新奇	xīnqí	new; novel	14
心情	心情	xīnqíng	mood; feeling	2
信任	信任	xìnrèn	trust; faith	7
新任	新任	xīnrèn	newly appointed	6
信息	信息	xìnxī	information	7
宣布	宣布	xuānbù	announce	10

宣传	宣傳	xuānchuán	give publicity to；advertise	5
学历	學歷	xuélì	educational background: 高学历 well-educated	4
需求	需求	xūqiú	demand	7

Y

养	養	yǎng	raise	4
严格	嚴格	yángé	strict; rigorously	1
扬名	揚名	yángmíng	become known; become famous	9
样式	樣式	yàngshì	style	3
严谨	嚴謹	yánjǐn	strict; rigorous	4
延伸	延伸	yánshēn	extend; stretch	5
亚太	亞太	Yà-Tài	Asian and Pacific (Region)	9
业界	業界	yějiè	business circles; the field	1
业务	業務	yèwù	business; service; transaction:	2
以	以	yǐ	use; take; in order to; so as to	4
一席之地	一席之地	yì xí zhī dì	a tiny space	7
抑制	抑制	yìzhì	restrain; control; hold-up: 抑制感情 control one's emotion; 抑制通货膨胀 bring down the inflation	3
以……为例	以……爲例	yǐ...wéilì	take...as an example	3
益处	益處	yìchu	benefit; profit; good; advantage	10
一贯	一貫	yíguàn	consistent; persistent	3
遗憾	遺憾	yíhàn	regret; pity	6
一举	一舉	yìjǔ	with one action; at one stroke	9
一口气	一口氣	yìkǒuqì	without a break; in one breath	6

一流	一流	yīliú	first class; first-rate: 一流的服务 first class service 一流酒店 luxurious hotel	15
饮品	飲品	yǐnpǐn	beverage; drink: 咖啡饮品 coffee beverages; 中式饮品 Chinese-style drink	2
引发	引發	yǐnfā	(引起) initiate; trigger; touch off	8
迎合	迎合	yínghé	cater to: 迎合顾客的需要 cater to the needs of customer	4
盈利	盈利	yínglì	profit; gain; make profit: 盈利性企业 profit-making enterprise; 盈利率 profit margin;实现盈利 achieve gain	5
影响力	影響力	yǐngxiǎnglì	influence	7
营销	營銷	yíngxiāo	marketing	4
营养	營養	yíngyǎng	nutrition; nourishment	5
营业	營業	yíngyè	operation; business	10
营造	營造	yíngzào	construct; create	9
引起	引起	yǐnqǐ	give rise to; lead to; set off; touch off; cause; arouse	6
因素	因素	yīnsù	factor: 决定因素 decisive factor; 积极因素 positive factor; 关键因素 the key factor	4
意识	意識	yìshí	realize; be aware of	2
意义	意義	yìyì	significance	6
一再	一再	yízài	again and again	10
用餐	用餐	yòngcān	eating a mea	11
用户	用户	yònghù	user; consumer; client	10
用品	用品	yòngpǐn	articles for use; appliance: 生活用品 articles for daily use; daily necessities	3
有吸引力	有吸引力	yǒu xīyǐnlì	attractive	4
由此	由此	yóucǐ	from this; thereout	4
由此看来	由此看來	yóu cǐ kànlái	judging from this; in view of this	9

有道理	有道理	yǒu dàolǐ	reasonable	6
有关	有關	yǒuguān	related; have sth. to do with; in connection with: 有关人员 persons concerned; 有关方面 the parties concerned	1
优劣	優劣	yōuliè	advantages and disadvantages; good and bad	9
优美	優美	yōuměi	beautiful: 优美的音乐 beautiful music; 风景优美 fine scenery	2
优势	優勢	yōushì	advantage: 绝对优势 absolute advantage; 相对优势 relative advantage	3
有效	有效	yǒuxiào	effective; 有效方式 effective way	10
优雅	優雅	yōuyǎ	elegant; graceful	12
优越	優越	yōuyuè	favorable; superior; advantageous: 优越条件 favorable conditions	6
于	於	yú	at (a time and place) 他生于 1950 年 3 月 9 日。He was born on March 9, 1950. 闻名于世界 famous all over the world	2
与其……不如……	與其……不如……	yǔqí...bùrú...	it is better than	5
与众不同	與衆不同	yǔ zhòng bù tóng	out of the ordinary; different from the rest; distinctive	4

原价	原價	yuánjià	original price; prime cost	3
原则	原則	yuánzé	principle	7
粤味古老肉	粵味古老肉	yuèwèi gǔlǎoròu	Cantonese style sweet and sour meat	1
预计	預計	yùjì	estimate; predict	9
娱乐	娛樂	yúlè	entertainment; amusement; recreation	1
运输	運輸	yùnshū	transportation	3
运营	運營	yùnyíng	operation; 资本运营 capital operation	8
运作	運作	yùnzuò	operation	9

Z

在……面前	在……面前	zài...miànqián	in (the) face of; in front of; before	4
在……上	在……上	zài...shàng	in the respect of; in terms of	4
在……情况下	在……情况下	zài...qíngkuàng xià	in the case of; in the circumstance of	9
在意	在意	zàiyì	care about; mind; take to heart: 他说的那些话你别在意。Never mind what he said.	4
赞成	贊成	zànchéng	agree with	8
造成	造成	zàochéng	result in	9
早在	早在	zǎozài	as early as	10
增强	增强	zēngqiáng	strengthen	3
榨菜肉丝汤	榨菜肉絲湯	zhàcài ròusī tāng	soup with hot pickled mustard tuber and shredded meat	1
债务	債務	zhàiwù	debt; liability	10

占地	佔地	zhàndì	occupy the land of	4
涨幅	漲幅	zhǎngfú	range of increase	10
展览	展覽	zhǎnlǎn	exhibit; display	1
占领	佔領	zhànlǐng	occupy	5
战略	戰略	zhànlüè	strategy: 全球战略 global strategy	6
展示	展示	zhǎnshì	display：交叉展示 showroom display	3
崭新	嶄新	zhǎnxīn	brand-new; completely new	10
占有	佔有	zhànyǒu	own; possess; occupy; hold	6
针对	針對	zhēnduì	be directed against; be aimed at	6
争夺	爭奪	zhēngduó	fight for; enter into rivalry with sb. over sth: 争夺市场 seize markets; contend for markets	10
整体	整體	zhěngtǐ	entire; whole	3
整理	整理	zhěnglǐ	reorganize; select and put in order	8
正式	正式	zhèngshì	formal; official; formally; officially: 正式协议 a formal agreement 正式访问 official [formal] visit; 正式通知 rightful notice; formal notification	6
之所以……是因为	之所以……是因爲	zhī suǒyǐ...shì yīnwèi	...happens because...	7
纸制品	紙製品	zhǐzhìpǐn	paper products	5
支持	支持	zhīchí	support	6
值得	值得	zhídé	be worth; merit; deserve: 值得考虑 warrant consideration	6
制度	製度	zhìdù	system; rules and regulations	3
支付	支付	zhīfù	pay (money); defray	6
之前	之前	zhīqián	before; prior to; ago: 五年之前 five years ago; 开会之前 before the meeting	3
织物	織物	zhīwù	fabric; textile	5
执行	執行	zhíxíng	implement; carry out; execute	1
……之一	……之一	...zhī yī	one of ...	2
制约	制約	zhìyuē	restrict; constraint; restrain	4

制造	製造	zhìzào	make; manufacture; produce:中国制造 made in china	7
众所周知	衆所週知	zhòng suǒ zhōu zhī	as everyone knows; as is known to all	7
忠诚度	忠誠度	zhōngchéngdù	loyalty: 品牌忠诚度 brand loyalty	5
重点	重點	zhòngdiǎn	key point; focal point; stress; emphasis: 工作重点 focal point of the work; 重点产品 major products	5
终端	終端	zhōngduān	end; end point	9
众多	衆多	zhòngduō	numerous	5
中国化	中國化	Zhōngguóhuà	Sinification；Sinofication；化：-ize; -ify: 电气化 electrify; 工业化 industrialize; 简化 simplify; 美化 beautify	1
种类	種類	zhǒnglèi	category; kind; type; variety	5
中式	中式	zhōngshì	Chinese style；式：type; style: 西式 western style; 新式 new type (style)	1
周边国家	周邊國家	zhōubiān guójiā	neighboring countries	9
周到	周到	zhōudào	attentive; thoughtful; considerate;	2
主打产品	主打產品	zhǔdǎ chǎnpǐn	main products	1
主业	主業	zhǔyè	core business	10
主、副食品	主、副食品	zhǔ、fù shípǐ	main and side dishes	4
装饰	裝飾	zhuāngshì	decoration; ornament; decorate	1
装修	裝修	zhuāngxiū	renovation	1
专家	專家	zhuānjiā	specialist; expert	7
专卖店	專賣店	zhuānmài diàn	specialty store	3
转向	轉向	zhuǎnxiàng	turn to	7
著称	著稱	zhùchēng	famous; celebrated: 以……著称 famous for	8
逐渐	逐漸	zhújiàn	gradually	7

主流	主流	zhǔliú	main stream; main trend	7
注重	注重	zhùzhōng	pay attention to; attach importance to: 注重卫生 stress importance of hygiene	2
咨询	咨詢	zīxún	consult: 咨询服务 consulting service; 咨询公司 consulting firm	10
资本	資本	zīběn	capital: 资本市场 capital market; 资本成本 capital cost;资本交易 capital transaction	8
资产	資産	zīchǎn	asset; capital: 固定资产 fixed assets 资产负债 assets and liabilities 资产收益 assets income	6
自然	自然	zìrán	naturally	7
自信	自信	zìxìn	self-confident	10
自选	自選	zìxuǎn	self-service; self-serve	3
字样	字樣	zìyàng	printed or written words (which succinctly inform, instruct,warn, etc.)	7
资源	資源	zīyuán	resources; 人力资源 human resources	7
总部	總部	zǒngbù	headquarters	10
总结	總結	zǒngjié	summarize; summary	8
走亲戚	走親戚	zǒu qīnqi	visit one's relatives	1
最终	最終	zuìzhōng	final; ultimate: 最终目的 ultimate goal; 最终产品 end product	9
组建	組建	zǔjiān	establish; set up	9